古龙经典

七种武器 4

愤怒的小马 · 七杀手

文匯出版社

目　录

愤怒的小马

七杀手

愤怒的小马

第一章

青春的魅力

九月十一。

重阳后二日。

晴。

今天并不能算是个很特别的日子，但却是小马最走运的一天。

至少是最近三个月来最走运的一天。

因为今天他只打了三场架，只挨了一刀。

而且居然直到现在还没有喝酒。

现在夜已深，他居然还能用自己的两条腿稳稳当当地走在路上，这已经是奇迹。

大多数人喝了这么多酒，挨了这样一刀之后，唯一能做的事，就是躺在地上等死了。

这一刀的分量也不能算太重，可是一刀砍下来，要想把一根碗口粗细的石柱子砍成两截，并不是什么太困难的事。

这一刀的速度也不能算太快，可是要想将一只满屋子飞来飞去的苍蝇砍成两半，也容易得很。

若是在三个月以后，这样的刀就算有三五把，同时往小马身上砍下来，他至少可以夺下其中一两把，踢飞其中一两把，再将剩下来的一下子拗成两段。

今天他挨了这一刀，并不是因为他躲不开，也不是因为他醉了。

他挨这一刀，只因为他想挨这一刀，想尝尝彭老虎的五虎断门刀砍在身上时，究竟是什么滋味。

这种滋味当然不好受，直到现在，他的伤口还在流血。

一把四十三斤重的纯钢刀，无论砍在谁身上，这个人都不会觉得太愉快的。

可是他很愉快。

因为彭老虎现在早已躺在地上，连动都不能动，因为刀砍在他身上的时候，他总算暂时忘记了心里的痛苦。

他一直在拼命折磨自己，虐待自己，就因为他拼命想忘记这种痛苦。

他不怕死，不怕穷，天塌下来压在他头上，他也不在乎。

可是这种痛苦，却实在让他受不了。

月色皎洁，照着寂静的长街，灯已灭了，人已睡了。除了他之外，街上几乎连个鬼影子都没有，却忽然有辆大车急驰而来。

健马、华车，崭新的车厢比镜子还亮。六条黑衣大汉骑着车辕，赶车的手里一条乌梢长鞭，在夜风中打得噼啪的响。

他居然好像完全没有看见，没有听见。

谁知马车却骤然在他身旁停下，六条黑衣大汉立刻一拥而上，一个个横眉怒目，行动矫健，瞪着他问："你就是那个专爱找人打架的小马？"

小马点点头，道："所以你们若是想找人打架，就找对了。"

大汉们冷笑，显然并没有把这条醉猫看在眼里："只可惜我们并不是来找你打架的。"

小马道："不是？"

大汉道："我们只不过来请你跟我们去走一趟。"

小马叹了口气，好像觉得很失望。

大汉们好像也觉得很失望。有人从身上拿出块黑布，道："你也该看得出我们不是怕打架的人，只可惜我们的老板想见见你，一定要我们把你活生生的整个带回去。若是少了条胳膀，断了腿，他会不高兴的。"

小马道："你们的老板是谁？"

大汉道："等你看见他，自然就知道了。"

小马道："这块黑布是干什么的？"

大汉道："黑布用来蒙眼睛最好，保证什么都看不见。"

小马道："蒙谁的眼睛？"

大汉道："你的。"

小马道："因为你们不想让我看见路？"

大汉道："这次你总算变得聪明了一点。"

小马道："我若不去呢？"

大汉冷笑，其中的一个人，忽然翻身一拳，打在路旁一根系马的石桩子上，"咯吱"一声，一根比拳头还粗的石柱，立刻被打成两段。

小马失声道："好厉害，真厉害。"

大汉轻抚着自己的拳头，傲然道："你看得出厉害，最好就乖乖地跟我们走。"

小马道："你的手不疼？"

他好像显得很关心，大汉更得意。另一条大汉也不甘示弱，忽然伏身，一个扫堂腿，埋在地下足足有两尺的石凳子，立刻就被连根拔了起来。

小马更吃惊，道："你的腿也不疼？"

大汉道："可是你若不跟我们走，你就要疼了，全身上下都疼得要命。"

小马道："很好。"

大汉道："很好是什么意思？"

小马道："很好的意思就是，现在我又可以找人打架了。"

这句话刚说完，他的手，一拳打碎了一个人的鼻子，一巴掌打聋了一个人的耳朵，反手一个肘拳打断了五根肋骨，一脚将一个人踢得球一般滚出去，另一个人裤裆挨了一下，已痛得弯下腰，眼泪、鼻涕、冷汗、口水、大小便，同时往外流。

只剩下一条大汉还站在他对面，全身上下也湿透了。

小马看着他，道："现在你们还想不想再逼我跟你们走？"

大汉立刻摇头，拼命摇头。

小马道："很好。"

大汉不敢开腔。

小马道："这次你为什么不问我'很好'是什么意思了？"

大汉道："我……小人……"

小马道："你不敢问？"

大汉立刻点头，拼命点头。

小马忽然板起脸，瞪眼道："不敢也不行，不问就要挨揍。"

大汉只有硬着头皮，结结巴巴地问道："很……很好是什么意思？"

小马笑了，道："很好的意思就是，现在我已准备跟你们走。"

他居然真的拉起车门，准备上车，忽又回头，道："拿来。"

大汉又吃了一惊，道："拿……拿什么？"

小马道："拿黑布，就是你手上的这块黑布，拿来蒙上眼睛。"

大汉立刻用黑布蒙自已的眼睛。

小马道：“不是蒙你眼睛，是蒙我的。”

大汉吃惊地看着他，也不知这人究竟是个疯子，还是已醉得神志不清。

小马已夺过他手里的黑布，真的蒙上了自己的眼睛，然后舒舒服服地往车上一坐，叹道：“用黑布来蒙眼睛，真是再好也没有的了。”

小马并不疯，也没有醉。

只不过别人若想勉强他去做一件事，就算把他身上刺出十七八个透明窟窿来，他也不肯。

他这一辈子做的事，都是他自己愿意做的，喜欢做的。

他坐上这辆马车，只因为他觉得这件事不但很神秘，而且很有趣。

所以现在就算别人不让他去也不行了。

马车往前走时，他居然已呼呼大睡，睡得像条死猪。

“地方到了再叫醒我，若有人半路把我吵醒，我就打破他的头。”

没有人敢吵醒他，所以他醒的时候，马车已停在一个很大的园子里。

小马不是没见过世面的人，但是他这一生中，也从来没有到过这么华贵美丽的地方，他几乎认为自己还在做梦。

可是大汉们已拉开车门，恭恭敬敬地请他下车。

小马道：“还要不要我再把这块黑布蒙上？”

大汉们你看我，我看你，谁也不敢开口。

小马居然自己又将黑布蒙上了眼睛，因为他觉得这样更神秘、更有趣。

他本来就是个喜欢刺激、喜欢冒险的人，而且充满了幻想。

传说中岂非有很多美丽浪漫的公主、嫔妃，喜欢在深夜中将一些年轻力壮的美男子偷偷地弄到她们的香巢中，去尽一夕之狂欢？

也许他并不能算是个美男子，可是他至少年轻力壮，而且绝不丑。

有人已伸过条木杖，让他拉着，他就跟他们走。高高低低、曲曲折折地走了很多路，走入了一间充满香气的屋子里。

他也分不出那究竟是什么香气，只觉得这里的香气是他生平从未嗅到过的。

他只希望拉开眼睛上这块黑布时，能看见一个他平生未见的美人。

就在他想得最开心时，已有两道风声，一前一后向他刺了过来。速度之快，也是他平生未遇过的。

小马自小就喜欢打架，尤其这三个月来，他打的架几乎已比别人一辈子打的架加起来还多三百倍。

他喝酒并没有什么选择。茅台也好，竹叶青也好，大曲也好，就算三文钱一两的烧刀子，他也照喝不误。他打架也一样。只要心里不舒服，只要有人要找他打架，什么人他都不在乎。

就算对方是天王老子，他也先打了再说，就算他打不过别人，他也要去拚命。

所以他打架经验之丰富，遇见过的高手之多，江湖中已很少有人能比得上。

所以他一听见这风声，已知道暗算他的这两个人，都是江湖中的一流高手，所用的招式不但迅速准确，而且狠毒。

虽然他痛苦，痛苦得要命，痛苦得恨不得每天打自己三百个耳光。

但是他还不想死，他还想活着再见那个令他痛苦、令他永远无法忘怀的人。

那个又美丽、又冷酷、又多情、又心狠的女人。

——男人为什么总是要为了女人而痛苦？

急锐的兵刃破空声，已到了他后腰和心口。致命的招式，致命的武器。

小马突然狂吼，就像愤怒的雄狮般狂吼，吼声发出时，他已跃起。

他并没有避开后面那件武器，冰冷的剑锋，已刺入他右股。

这不是要害，他不在乎。

因为他已避开了前面的一击，一拳打在对方的面上。他看不见自己打中的是什么地方，他根本来不及拉下眼睛上的黑布。

可是他耳朵并没有被塞住，他已听见了对方骨头碎裂的声音。

这种声音虽然并不令人愉快，可是他很愉快。

他痛恨这种在暗地偷袭的小人。

他的右股还带着对方的剑，剑锋几乎刺在他的骨头上，痛得要命。

可是他不在乎。

他已转身，反手一拳打在后面的这个人的脸上，打得更重。

出手的两个人当然也都是身经百战的武林高手，却也被吓呆了。不是被打晕了，是被吓呆了。

像这种拼命的打法，他们非但没看过，连听都没有听过，就算听见也不相信。

所以等到小马第二次狂吼，两个人早已逃了出去，逃得比两条中了箭的狐狸还快。

小马听见他们蹿出去的衣裤带风声，可是他并没有去追。

他在笑，大笑。他身上又受了一处伤，胯下挨了一剑，但是人却笑得开心极了。

他眼睛上的黑布还没有拿下来，也不知屋子里是不是还有人躲着暗算他，这种事他真的不在乎，一点都不在乎。他想笑的时候就笑。

——一个人若想笑的时候都不能笑，活着才真是没意思得很。

这当然是间很华丽的屋子，他眼睛上盖着黑布的时候，连想象都不能想象这屋子有多华丽。

现在他总算已将这块要命的黑布拿了下来。

他没有看见人。

最美的人和最丑的人都没有看见。这屋子根本连半个人都没有。

窗子是开着的，晚风中充满了芬芳的花香。

暗算他的两个人，已从窗子上出去，窗外夜色深沉，也听不见人声。

他坐了下来。

他既不想出去追那两个人，也不想逃走，却选了张最舒服的椅子坐了下来。

——那些黑衣大汉的老板究竟是谁？为什么要用这种法子找他来？为什么要暗算他？这一次出手不中，是不是还有第二次？

——第二次他们会用什么法子？

这些事他也没有想。

他有个朋友常说他太喜欢动拳头，太不喜欢动脑筋。

不管那位大老板还有什么举动，迟早总要施展出来的。

既然他迟早总会知道，现在为什么要多花脑筋去想？舒舒服服地坐下来休息休息，岂非更愉快得多？

唯一遗憾的是，椅子虽舒服，他的屁股却不太舒服。事实上，他一坐下就痛得要命。

刚才那一剑，刺得真不轻。

他正想找找看屋子里有没有酒，就听见门外有了说话的声音。

屋子里有两扇门，一扇在前，一扇在后，声音是从后面一扇门里传出来的。

是女人的声音，很年轻的女人，声音很好听。

“屋角那个小柜里有酒，各式各样的酒都有，可是你最好不要喝。”

“为什么？”小马当然忍不住要问。

“因为每瓶酒里都有毒，各式各样的毒都可能有一点。”

小马什么话都不再说，站起来，打开柜子，随便拿起瓶酒，拔开塞子就往肚子里倒。倒得很快，几乎连气都没有喘，一瓶酒就完了。非但没有尝出酒里是不是有毒，连酒的滋味都没有尝出来。

门后有人叹气。

“这么好的酒，被你这么样喝，真是王八吃大麦，糟蹋了粮食。”

“不是王八吃大麦，是乌龟吃大麦。”小马在纠正她的用字。

她却笑了，笑声如银铃：“原来你不是王八，是乌龟。”

小马也笑了，他实在分不清王八和乌龟究竟有什么分别。

他忽然觉得这女人很有趣。

遇见有趣的女人不喝点酒，就像自己和自己下棋一样无趣了。

于是他又拿出瓶酒，这次总算喝得慢些。

门后的女人又道：“这门上有个洞，我正在里面洗澡，你若喝醉了，可千万不能来偷看。”

小马立刻放下了酒瓶，很快就找到了门上面的那个洞。

听到女孩在屋里洗澡，门上又正好有个洞，大多数男人都不会找不到的。

就算找不到，也要想法子打出一个洞来；就算要用脑袋去撞，也要撞出个洞来。

他用一只眼睛凑上去看，只看了一眼，一颗心就几乎跳出胸腔。

屋里并没有一个女人在洗澡，屋里至少有七八个女人在洗澡。

七八个很年轻的女人，年轻的胴体结实、饱满而坚挺。

青春，本就是女孩子们最大的诱惑力，何况她们本来就很美，尤其是那一双双修长结实的腿。她们浸浴在一个很大的水池里。池水清澈，无论你想看什么地方，都可以看得很清楚。

只有一个女人是例外。

这女人也许并不比别的女孩子更美，可是小马却偏偏最想看看她，哪怕只能看见一条腿也好。

只可惜他偏偏看不见，什么地方都看不见。

这女人洗澡的时候，居然还穿着件很长很厚的黑缎长袍，只露出一段晶莹雪白的脖子。

小马的眼睛就盯在她脖子上。

愈看不见，愈觉得神秘，愈神秘就愈想看。天下的男人有几个不是这样子的?

穿衣服洗澡的女人又在叹气："既然你一定要来偷看，我也没法子。但是你可千万不能闯进来，这扇门没有闩上，只要用力一推就开了。"

小马没有用力去推门，他整个人都往门上撞了过去。

门果然开了。

"扑通"一声，小马也跳进了水池。

其实他倒也并不是故意想跳下去，可是既然已跳了下去，他也不想再出来了。

跟七八个赤裸着的女孩子泡在水池里，这种事毕竟不是每个人都能遇到的。

女孩子们虽然惊呼娇笑，却没有十分生气害怕的样子。

对她们来说，这种事反而好像不是第一次。

其中当然有人难免要抗议："你这人又脏又臭，到这里来干什么？"

"就是因为我又脏又臭，所以才想来洗澡。"

小马的口才并不坏："你们能在这里洗澡，我当然也能在这里洗澡。"

"既然要洗澡，为什么不脱衣服？"

"她能穿着衣服洗澡，我为什么不能？"

他居然答得理直气壮。

穿衣服洗澡的女人摇着头，叹着气道："看来你的确也该洗个澡了，可是你至少也该把鞋子脱下来。"

小马道："脱鞋子干什么？连鞋子一起洗干净，岂非更方便？"

穿衣服洗澡的女人看着他，苦笑道："别人要你做的事，你偏偏不做。不要你做的事，你反而偏偏要做，你这人是不是有点毛病？"

小马笑道："没有，连一点毛病都没有，我这人的毛病至少有三千七百八十三点。"

穿衣服洗澡的女人眨了眨眼，道："不管你有多少点毛病，我们的洗澡水，你可千万不能喝下去。"

小马道："好，我绝不喝。"

穿衣服洗澡的女人道："狗屎你也不能吃。"

小马道："好，我绝不吃。"

穿衣服洗澡的女人笑了，吃吃地笑道："原来你这人还不太笨，还不能算是条笨驴。”

小马道：“我本来就不是笨驴，我是条色狼，不折不扣的大色狼。”

他果然就做出色狼的样子，穿衣服洗澡的女人立刻就显得很害怕的样子，躲到一个女孩子的背后，道：“你看她怎么样？”

小马道：“很好。”

这女孩的确很好，很好这两个字中包括了很多种意思——迷人的甜美、青春的胴体、笔直的腿。穿衣服洗澡的女人松了口气，道：“她叫香香，你若要她，我可以叫她陪你。”

小马道：“我不要。”

穿衣服洗澡的女人道：“她今年才十六岁，她真的很香。”

小马道：“我知道。”

穿衣服洗澡的女人道：“你还是不要？”

小马道：“不要。”

穿衣服洗澡的女人笑道：“原来你并不是个真的色狼。”

小马道：“我是的。”

穿衣服洗澡的女人又开始有点紧张了，道：“你是不是想要别人？”

小马道：“是。”

穿衣服洗澡的女人道：“你想要谁？这里的女孩子你可以随便选一个。”

小马道：“我一个都不要。”

穿衣服洗澡的女人道：“你想要两个三个也行。”

小马道：“她们我全都不要。”

穿衣服洗澡的女人完全紧张了，道：“你，你想要谁？”

小马道：“我要你。”

这句话说完，他已跳起来，扑过去。

穿衣服的女人也跳起来，把香香往他怀抱一推，自己却跳出了水池。

一个冰冷柔滑的胴体竟然倒入自己怀里，很少有男人能不动心的。

小马却不动心。

他一下子推开了香香，也跳出了水池。

穿衣服洗澡的女人绕着水池跑，喘着气道：“她们都是小姑娘，我却是个老太婆了，你为什么偏偏要我？”

小马道：“因为我偏偏喜欢老太婆，尤其是像你这样的老太婆。”

她当然并不是老太婆。

也许她的年纪要比别的女孩子大一点，却显得更成熟、更诱人。

更诱人的一点，也许就因为她穿着衣服。

她在前面跑，小马就在后面追。她跑得很快，他追得却不急。

因为他知道她跑不了的。

第二章

温　柔

她果然跑不了。

后面另外还有一扇门，她刚进去，就一把被小马抓住。

后面刚好有张床，好大好大的一张床，她一倒下去，就刚好倒在床上。

小马就刚好压住了她。

她喘息着，呼吸好像随时都可能停顿，用力抓住小马的手，道："你等一等，先等一等。"

小马故意露出牙齿狞笑，道："还等什么？"

他的手在动，她用力在推。

"就算你真的想要，我们至少先该说说话，聊聊天。"

"现在我不想聊天。"

"难道你也不想知道我为什么找你来？"

"现在不想。"

她虽然用力推，可惜他的手却令人很难抗拒。

她忽然不再推了。

她全身都已软了，连一点力气都没有。

她洗澡的时候就好像出门做客一样，穿着很整齐的衣服，现在却好像在洗澡一样。

小马用鼻子擦着她的鼻子，眼睛瞪着她的眼睛，道：“你投降不投降？”

她喘息着，用力咬着嘴唇，道：“不投降。”

小马道：“你投降我就饶了你。”

她拚命摇头，道：“我偏不投降，看你能把我怎么样？”

一个男人在这种情况下，能够把一个女人怎么样？你猜呢？

有很多事既不能猜，也不能想。否则不但心会跳，脸会红，身子也会发烫的。

可是有很多事情根本用不着猜，也用不着想，大家也一样会知道……

小马是个男人，年轻力壮的男人。

她是个女人，鲜花般盛开的女人。

小马并不笨，既不是太监，也不是圣人。

就算是个笨蛋，也看得出她在勾引他，所以……

所以现在小马也不动了，全身也好像连一点力气都没有了。

她的呼吸已停顿了很久，现在才开始能喘息，立刻就喘息着说：“原来你真的不是个好人。”

“我本来就不是，尤其是在遇见你这种人的时候。”

“你知道我是什么人？”

“不知道。”

“完全不知道？”

“我只知你非但也不是个好人，而且比我更坏，坏一百倍。”

她笑了，吃吃地笑着：“但我却知道你。”

“完全知道？”

“你叫小马，别人都叫你愤怒的小马，因为你的脾气比谁都大。”

“对。”

“你有个好朋友叫丁喜，聪明的丁喜。”

“对。”

“本来你们两个人总是形影不离的，可是现在他已有了老婆。人家恩爱夫妻，你当然不好意思再夹在人家中间了。”

小马没有回答，眼睛里却已露出痛苦之色。

她接着又道：“本来你有个女人，你认为她一定会嫁给你的。她本来也准备嫁给你的，只可惜你的脾气太大，竟把她气跑了。你找了三个月，却连她的影子都找不到。”

小马闭着嘴。

他只能闭着嘴，因为他怕。

他怕自己会大哭、大叫，他怕自己会跳起来，一头撞到墙上去。

“我姓蓝。”

她忽然说出了自己的名字：“我叫蓝兰。”

小马道：“我并没有问你贵姓大名。”

他的心情不好，说出来的话当然也不太好听。

蓝兰却一点也不生气，又道：“我的父母都死了，却留给我很大一笔钱。”

小马道：“我既不想打听你的家世，也不想娶个有钱的老婆。”

蓝兰道：“可是现在我已经说了出来，你已经听见了。”

小马道：“我不是聋子。”

蓝兰道：“所以现在你已知道我是个什么样的人，我也知道你是个什么样的人。”

小马道：“哼。”

蓝兰道："所以现在你已经可以走了。"

小马站起来，披上衣服就走。

蓝兰没有挽留他，连一点挽留他的意思都没有。

可是小马走到门口，又忍不住回过头，问道："你就是这里的老板？"

蓝兰道："嗯。"

小马道："叫人把我找到这里来的就是你？"

蓝兰道："嗯。"

小马道："我揍了你们五个人，喝了你两瓶酒，又跟你……"

蓝兰没有让他说下去，道："你做的事我都知道，又何必再说。"

小马道："你费了那么多工夫，神秘兮兮地把我找到这里来，为的就是要我来揍人？"

蓝兰道："不是。"

小马道："你本来是想找我干什么的？"

蓝兰道："本来当然还有一点别的事。"

小马道："现在呢？"

蓝兰道："现在我已不想找你做了。"

小马道："为什么？"

蓝兰道："因为现在我已经有点喜欢你，所以不忍再要你去送死。"

小马道："送死？到哪里去送死？"

蓝兰道："狼山。"

据说狼山有很多狼。

据说天下大大小小，公公母母，各式各样的狼，都是从狼山出来的。等到它们将死的时候，也都要回到狼山去死。

这当然只不过是传说。

世上本就有很多接近神话的传说，有的美丽，有的神秘，有的可怕。

谁也不知道这些传说究竟有几分真实性。

大家只知道一件事……

现在狼山几乎连一只狼都没有了。

狼山上的狼，都已被狼山上的人杀光了。

所以狼山上的人当然比狼更可怕得多。事实上，现在狼山上的人，远比世上所有的毒蛇猛兽都可怕得多。

他们不但杀狼，也杀人。

他们杀的人也远比他们杀的狼多得多。

江湖中替他们取了个很可怕的名字，叫“狼人”。他们自己好像也很喜欢这名字。

因为他们喜欢别人怕他们。

听见“狼山”这两个字，小马又不走了。回到床头，看着蓝兰。

蓝兰道：“你知道狼山这地方？”

小马道：“但我却不知道我为什么要到狼山去送死。”

蓝兰道：“因为你要保护我们去。”

小马道：“你们？”

蓝兰道：“我们就是我跟我弟弟。”

小马道：“你们要到狼山去？”

蓝兰道：“非去不可。”

小马道：“什么时候去？”

蓝兰道：“一早就去。”

小马坐下来，又盯着她看了半天，道：“据说钱太多的人，都有点毛病。”

蓝兰道：“我的钱不少，可是没有毛病。”

小马道：“没有毛病的人，为什么一定要到那鬼地方去？”

蓝兰道：“因为那是条近路。”

小马道：“近路？”

蓝兰道：“越过狼山到西城，至少可以少走六七天路。”

小马道：“你们急着要到西城？”

蓝兰道：“我弟弟有病，病得很重。如果不能在三天之内赶到西城，他就死定了。”

小马道：“如果从狼山走，可能一辈子也到不了西城。”

蓝兰道：“我知道。”

小马道：“可是你还是要赌一赌？”

蓝兰道：“我想不出别的法子。”

小马道：“西城有人能治你弟弟的病？”

蓝兰道：“只有一个人。”

小马站起来，又坐下。他显然也想不出别的法子。

蓝兰道：“我们本来可以去请些有名的镖客。可是这件事太急，我们只请到了一个人。”

小马道：“谁？”

蓝兰叹了口气：“只可惜那个人现在已不能算是一个完整的人了。”

小马道：“为什么？”

蓝兰道：“因为他已被你打得七零八碎，想站起来都很难。”

小马道：“彭老虎？”

蓝兰苦笑道：“我们本来以为他的五虎断门刀很有两下子，谁知道他一遇见你，老虎就变成了病猫。”

小马道："所以你们就想到来找我？"

蓝兰道："可惜我也知道你这人是天生的牛脾气，若是好好地请你做一件事，你绝不会答应的，何况，你最近的心情又不好。"

小马又站起来，瞪着她，冷冷道："我只希望你记住一点。"

蓝兰在听。

小马道："我的心情好不好，是我的事，跟你一点关系都没有。"

蓝兰道："我记住了。"

小马道："很好。"

蓝兰道："这次你说很好是什么意思？"

小马道："就是现在你已经找到了一个保镖的意思。"

蓝兰跳起来，看着他，又惊又喜，道："你真的肯答应？"

小马道："我为什么不肯答应？"

蓝兰道："你不怕那些狼人？"

小马道："有点怕。"

蓝兰道："可是你不怕死？"

小马道："谁不怕死？只有白痴才不怕死。"

蓝兰道："那你为什么还肯去？"

小马道："因为我这人有毛病。"

蓝兰嫣然道："我知道，你的毛病有三千七百八十三点。"

小马道："是三千七百八十四点。"

蓝兰道："现在又加了一点？"

小马道："又加了最要命的一点。"

蓝兰道："哪一点？"

小马忽然一把抱起了她，道："就是这一点。"

凌晨。

淡淡晨光从窗外照进来。她的皮肤柔软光滑如丝缎。

她看着他。

他很沉默。

安静而沉默。

像他这种人，只有在真正痛苦时，才会如此安静沉默。

她忍不住问："你是不是又想起了她？想起了那个被你气走了的女孩子？"

"……"

"你答应这件事，是不是因为我可以让你暂时忘记她？"

小马忽然翻身，压住了她，扼住了她的咽喉。

她几乎连呼吸都已停顿，挣扎着道："我就算说错了话，你也不必这么生气的。"

小马盯着她，目中的痛苦之色更深，手却放松了，大声道："你若说错了，我最多只不过把你当放屁，我为什么要生气？"

他生气，只因为她的确说中了他的心事。

这种刻骨铭心、无可奈何的痛苦，本就永难忘记的。所以只要能忘记片刻，也是好的。

他狂歌悲哭，烂醉如泥，也只不过为了要寻求这片刻的麻木和逃避。

虽然他明知无法逃避，虽然他明知清醒时只有更痛苦，他也别无选择的余地。

她再看着他时，眼波已更柔和，充满了一种母性的怜惜和同情。

她已渐渐了解他。

他倔强、骄傲，全身都充满了叛逆性，但他却只不过还是个孩子。

她忍不住又想去拥抱他，可是天已亮了，阳光已照上了窗户。

"我们一早就要走。"

她坐起来。

"这里有二三十个家丁，都练过几年武功，你可以选几个带去。"

小马道："现在我已选中了一个。"

蓝兰道："谁？"

小马道："香香。"

蓝兰道："为什么要带她去？"

小马道："因为她很香，真的很香。"

蓝兰道："香人有什么用？"

小马道："香人至少总比臭人好。"

第三章

千金一诺

阳光灿烂。

二十七条大汉站在阳光下，赤膊、秃顶，古铜色的皮肤上好像擦了油一样。

“我叫崔桐。”

第一条大汉道：“我练的是大洪拳。”

大洪拳虽然是江湖中最普通的拳法，可是他拉起架势，练了一趟，倒是虎虎生威。

蓝兰道：“怎么样？”

小马道：“很好。”

蓝兰道：“这次你……”

小马打断了她的话，道：“这次我说很好的意思，就是说他可以在家里好好休养。”

第二个人叫王平，居然是少林弟子，居然会伏虎罗汉拳。

小马道：“很好。”

他不等别人再问，自己又解释道：“这次我的意思，就是希望他打我一拳。”

王平并不是虚伪的人，而且早就有点看小马不顺眼。

小马就算要他打十拳八拳，他也不会客气的。

他说打就打。一拳击出，用的正是少林罗汉拳的重手。“砰”的一声，打在小马的胸膛上。

拳头击下，一个人大叫起来。

叫的人不是小马。

叫的是王平。

挨揍的人没有叫，揍人的反而大叫，只因为他这一拳就好像打在石头上。

无论谁一拳打在石头上，自己的拳头都会有点受不了的。

这世上拳头比石头硬的人毕竟不多。

小马看看蓝兰，道：“怎么样？”

蓝兰苦笑道：“看来他也可以陪崔桐一起在家里休养休养了。”

小马道：“他们二十七位都可以在家里休养休养。”

蓝兰道：“你一个人都不带？”

小马道：“我不想去送死。”

蓝兰道：“你想带谁去？”

小马道：“带今天没有来的那两个人。”

蓝兰道：“今天没有来的？”

小马道：“今天虽然没有来，昨天晚上却来了，一人还给了我一剑。”

蓝兰道：“你也一人给了他们一拳，难道还嫌不够？还要找他们出气？”

小马道：“我本来的确不喜欢这种只敢在背地暗算的人。可是对付狼人，他们这种人正合适。”

蓝兰叹了口气，道：“为什么你选来选去，选中的都是女孩子？”

小马有点意外：“他们是女孩子？”

蓝兰道：“不但是女孩子，而且都香得很。”

小马大笑，道："很好，好极了。这次我的意思，就是真的好极了。"

蓝兰道："只有一点不好。"

小马道："哪一点？"

蓝兰道："现在她们的脸都已被你打肿。人虽然还很香，看起来却已有点像猪八戒。"

她们并不像猪八戒。

一个十六岁的漂亮女孩子，不管脸被打得多肿，都绝不会像猪八戒的。

令人想不到的是，出手那么毒辣，剑法那么锋利的人，竟是十六七岁的小姑娘。

她们是姐妹。

姐姐叫曾珍，妹妹叫曾珠。两个人的眼睛都像珍珠般明亮。

看见她们，小马也觉得后悔，后悔那一拳实在打得太重了。

曾珍看见他的时候，眼睛里也有点气愤怀恨的样子。

妹妹却不在乎。脸虽然被打肿了，却还是一直不停地笑，笑得还是很甜。

等她们离去了后，小马才问："这姐妹两人，你是怎么找来的？"

蓝兰笑道："连你，我都能找得来，何况她们。"

小马道："她们是哪一派的弟子？"

蓝兰道："她们有没有问过你是哪一派门下的弟子？"

小马道："没有。"

蓝兰道："那么你又何必问她们？"

小马看她，忽然发觉这个女人愈来愈神秘，远比他见过的任何女人都神秘得多。

蓝兰又问道："除了她们姐妹和香香外，你还想带什么人去？"

小马道："第一，我要找个耳朵很灵的人。"

蓝兰道："到哪里去找？"

小马道："我知道城里有个人，别人就算在二三十丈外说悄悄话，他都能听得到。"

蓝兰道："这人是谁？"

小马道："这人叫张聋子，就是在城门口补鞋的张聋子。"

蓝兰忽然觉得自己的耳朵有了毛病，道："你说这人叫什么？"

小马道："叫张聋子。"

蓝兰道："他当然不是真的聋子。"

小马道："他是的。"

蓝兰几乎叫了起来："你说耳朵最灵的人是个真的聋子？"

小马道："不错。"

蓝兰道："一个真的聋子，能够听见别人在二十丈外说的悄悄话？"

小马道："我保证他每个字都能听得见。"

蓝兰叹了口气，道："看来你这人不但有毛病，而且还有点疯。"

小马笑了笑，笑得很神秘，道："你若不信，为什么不找他来试试？"

张聋子又叫张皮匠。

皮匠通常都是补鞋的。

有人要找皮匠来补鞋，有鞋子要补的时候，皮匠通常都来得很快。

张聋子也来得很快。

他进门时，门后躲着六个人，每个人都拿着面大铜锣。等他一脚跨进来，六个人手里的木槌就一起敲了下去。

六面铜锣一起敲响，那声音几乎已可以把一个不是聋子的人的耳朵震聋。

可是张聋子连眼睛都没有眨。

他是个真的聋子。

完完全全、彻底的聋子。

大厅很宽，很长。

蓝兰坐在最远的一个角落里，距离门口至少也有二十丈。

张聋子一走进门，就站住。

蓝兰看着他道："你会补鞋？"

张聋子立刻点点头。

蓝兰道："你姓什么？是什么地方人？家里还有些什么人？"

张聋子道："我姓张，河南人。老婆死了，女儿嫁了，现在家里只剩下我一个人。"

蓝兰怔住。

她说话的声音很轻，她距离这个人至少在二十丈开外。

可是她说话的声音，这个聋子居然能听得见，每个字都听得见。

小马在门后问道："怎么样？"

蓝兰叹了口气，道："很好，好极了。"

小马大笑着走出来，道："聋兄，你好！"

一看见小马，张聋子的脸色就变了。就好像看见个活鬼一样，掉头就走。

他走不了。

六条拿着铜锣的大汉，已将门堵住。

张聋子只有看着小马叹气，苦笑道："我不好，我不好。"

小马道："怎么会不好？"

张聋子道："遇见了你这个倒霉鬼，我怎么会好得起来？"

小马大笑，走过去搂住他的肩。看起来他们不但是老朋友，还是好朋友。

一个像小马这样的浪子，怎么会跟一个补鞋的皮匠是老朋友？

这皮匠的来历，无疑很可疑。

蓝兰并不想追问他的来历。她唯一想做的事，就是尽快过山，平安过山。

狼山。

她忍不住问："你为什么不问问他，肯不肯陪我们一起走？"

小马道："他一定肯。"

蓝兰道："你怎么知道？"

小马道："他既然已遇见了我，还有什么别的路好走？"

张聋子的脸色愈来愈难看，试探着问道："你们总不会是想要我陪你们过狼山吧？"

小马道："不是下面还要加两个字。"

张聋子道："两个什么字？"

小马道："不是才怪。"

张聋子的脸色已经变成了一张白纸，忽然闭上眼，往地上一坐。

那意思就是表示，他非但不走，连听都不听了。不管他们再说什么，他都绝不听了。

蓝兰看看小马。小马笑笑，拉起张聋子的手，在他手心画了画，就好像画了道符。

这道符真灵。

张聋子一下子就跳了起来，瞪着小马，道："这一趟你真的非走不可？"

小马点点头。

张聋子脸上阵青阵白，终于叹了口气，道："好，我去，可是我有个条件。"

小马道："你说。"

张聋子道："你去把老皮也找来，要下水，大家一起下水。"

小马眼睛里立刻发出了光，道："老皮也在城里？"

张聋子道："他刚来，正在我家厨房里喝酒。"

小马眼睛更亮，就好像忽然从垃圾堆里找到了个宝贝，活生生的大宝贝。

蓝兰又忍不住问："老皮是什么人？"

小马道："老皮也是个皮匠。"

蓝兰道："他有什么本事？"

小马道："一点本事都没有。"

蓝兰道："那有几点？"

小马道："半点也没有。"

蓝兰道："他完全没有本事？"

小马点点头。

蓝兰道："没有本事的人，请他来干什么？"

小马道："真正完全连一点本事都没有的人，你见过几个？"

蓝兰想了想，道："好像连一个都没见过。"

小马道："所以他这种人才真正难得。"

蓝兰不懂。

小马道："完全没有本事，就是他最大的本事。这种人你找遍天下，也找不出几个。"

蓝兰好像有点懂了，又好像还不太懂。

在男人面前，她永远不会真正懂得一件事，就连一加一是二，她好像都不太懂。

可是如果你认为她真的不懂，你就错了，错得很厉害。

小马没有犯这种错，所以他不再解释。

他问张聋子："你厨房里还有多少酒？"

张聋子道："三四斤。"

小马叹了口气，道："那么他现在一定早就走了。喝了三斤酒之后，他绝不会再耽在任何人的厨房里。"

张聋子同意。

蓝兰却问道："喝了三斤酒之后，他会去干什么？"

小马苦笑道："天知道他会去干什么。喝了三斤酒之后，他做的事只怕连神仙都猜不到。"

他看着张聋子，希望张聋子能证实他的话。

张聋子却根本没注意他在说什么，眼睛看着门外，脸上带着种奇怪的表情。

男人们通常只有在看一个真正使他动心的美女时，才会露出这样的表情。

他看见的是香香。

香香正穿过院子，匆匆走过来。美丽的脸已因兴奋而发红。还没有走进门，就大声道："我刚才听见了个好消息。"

蓝兰等着她说下去。张聋子也在等。看见香香，他好像忽然年轻了二十岁。

只可惜香香连眼角都没有往他瞟一眼，接着道："今天城里又来了个了不起的人。我们如果能请到他，什么问题都没有了。"

蓝兰道："这个了不起的人是谁？"

香香道："邓定侯。"

蓝兰道："神拳小诸葛邓定侯？"

香香眼睛里闪着光，道："刚才老孙回来，说他正在天福楼喝酒，还请了好多人陪他一起喝。”

张聋子终于转过头去看了看小马，小马也正在看着他。

两个人好像都想笑，又笑不出。

张聋子道：“是你去还是我去？”

小马道：“我去。”

香香抢着道：“去找邓定侯？”

小马道：“去找皮猴子，一个脸皮比城墙还厚的胖猴子。”

香香不懂，蓝兰却有点懂了：“难道这个邓定侯就是老皮冒充的？”

小马道：“不是才怪。”

香香道：“邓定侯是名震天下的大侠，谁敢冒充他？”

小马道：“老皮敢。喝了三斤酒之后，天下绝没有他不敢做的事。”

蓝兰道：“可是你刚才还说他连一点本事都没有，这种事他怎么做得出？”

小马道：“就因为他一点本事都没有，所以他什么事都做得出。这就是他最大的本事。”

老皮并不胖，更不像猴子。

他衣冠楚楚，一表人才，看起来简直比邓定侯自己更像邓定侯。

可是他看见小马的时候，却好像老鼠看见了猫。小马叫他往东，他绝不敢往西。

小马说：“我们上狼山去。”

他立刻就同意：“好，我们上狼山去。”

小马道：“你不怕？”

老皮拍着胸脯道：“为朋友两肋插刀都不怕，何况走一趟狼山！”

小马笑了，道："现在你总算明白了吧！"

蓝兰也在笑。

她的确明白了，这个人的确是个不折不扣的胖猴子。

只有一点她还不明白："你们刚才为什么要说他是个皮匠？"

小马道："他本来就是的。"

蓝兰道："可是他看来完全不像。"

张聋子道："那只因为他这个皮匠，和我这个皮匠有点不同。"

蓝兰道："有什么不同？"

张聋子道："我这个皮匠是补皮的。"

蓝兰道："他呢？"

张聋子道："他是赖皮的。"

老皮居然一点都不生气，笑嘻嘻道："我们这两个臭皮匠加在一起，仍然还比不上一个诸葛亮。但要比个曹操，总是足足有余的了。"

于是小马就带着这两个臭皮匠、三个小姑娘，保护着一个弱不禁风的女人、一个奄奄一息的病人，开始出发。

别人如果知道他要去的地方，竟是比龙潭虎穴还凶险的狼山，无论谁都一定会替他捏一把汗。

可是小马自己却一点都不在乎。

病人坐在轿子里。轿子密不透风，他连这人长的什么样子都没有看见，就为这个人去卖命了。

别人一定会认为他是个笨蛋，可是他自己却完全不在乎。

只要他高兴，他什么都肯去做，什么都不在乎。

第四章

常剥皮

九月十二。

正午。

晴。

天高气爽，万里无云。

两顶小轿、三匹青驴，从西门出城。

就好像一家人，快快乐乐地要去郊外玩玩一样。

老皮大马金刀地走在最前面，就像是大哥。三个小妹妹脸上蒙着黑纱，骑着青驴，爸爸妈妈坐在轿子里。小马和张聋子就像是他们的跟班。

一个小跟班，一个老跟班，穿得比轿夫还破烂。

蓝兰问小马为什么不肯换套新衣裳。

小马回答得很干脆："我不高兴换。"

他不高兴做的事，你就算砍下他的脑袋，他也绝不肯做的。

这一行人走在路上当然难免引人注意。他们也在注意别人。

每个人他们都注意。就连蓝兰都不时把帘子掀开一隙缝，留意着过路的人。

路上的人却没有什么值得特别留意的，因为这里还未到狼山。

这里是龙门。

龙门是个小镇，也是到狼山去的必经之地。

头脑清楚、神智健全的人，绝不会想到狼山去。就连做噩梦的时候，都不会梦到去狼山。

所以经过这小镇的人，不是疯子，也有点毛病；不是凶神，也是恶煞。

这小镇当然荒凉而破落。留在镇上的人，不是不想走，而是走不了。

走不了的人不是因为太穷，就是因为太老。

一个已老掉了牙的老婆婆，开了家破得连锅底都快破穿洞的小饭铺。墙上写着各式各样的菜名和酒名，糖醋排骨、溜丸子、陈年绍兴、竹叶青，什么都有。

其实你要什么都没有。除了已经快穷疯了的人之外，谁也不会到这里来吃饭。

奇怪的是，今天这里居然来了七八位客人。

看来非但不穷，而且都很有气派。

七八个人都好像是约好了的一样，一到正午，就从四面八方赶来了。赶路都很急，可是彼此间却又偏偏全不认得。

七八个人坐在一间东倒西歪的破屋子里，几张东倒西歪的破凳子上。你瞪着我，我瞪着你，身上都佩着刀剑，眼睛里都带着敌意。

七八个人都要了一碗肉丝面、半斤黄酒。因为除了这两样外，这地方根本没有别的。

面早就摆在桌上，酒也早就来了。可是谁也没有举杯，更没有动筷子。

因为面汤比洗锅水还脏，酒比醋还酸，老婆婆又早已人影不见，而钱早就收了。

老婆婆并不笨。无论谁活到她这种年纪，都绝不会太笨。

她早就看出来这些人绝不是特地到这里来喝酒吃面的。

这些人为什么要到这里来？

她猜不出，也不想管。她虽然又穷又老，可是她还想多活几年。

午时已过去，七八个人脸上都露出了焦急之色，却还是动也不动地坐着。

忽然间，马蹄声响，响得很急。七八个人都伸长了脖子往外看。

一匹快马急驰而来。马上人肩宽、腰细、手大、腿长，穿着身宝蓝色的紧身衣。腰上凸起一条，衣服下面藏着的也不知是什么软兵器。

看见了这个人，只看了一眼，大家就全都掉了头。

他们显然在等人，等的却不是这个人。

这个人一拍马头，马就停下。

马一停下，这个人已到了老婆婆的破饭铺里。谁也没有看见他是怎么下马的。

他的腿不但长，而且长得特别。

他不但腿长，脸也长。长脸上却长着双三角眼，三角眼里精光闪闪，从这些人脸上一个个看过去，忽然道："我知道你们是谁，也知道你们是干什么来的！"

没有人答腔，也没有人再回头看他一眼，好像生怕再看他一眼，眼珠子就会掉下来。

长腿冷笑，道："你们当然也知道我是谁，是干什么来的。"

他忽然抬腿一踢！

他的腿虽然长，可是再长的腿也不会有五尺长。

这屋子虽然矮，可是再矮的屋子至少也有两三丈高。

谁知道他随随便便抬起腿一踢，屋顶就被他踢出了个大洞。

大家的脸色都变了，却还是不动。

屋顶上掉下来的灰土瓦砾，掉在他们头顶上、面碗里，他们也毫无反应。

长腿已坐下来，坐在一个满脸胡子的彪形大汉对面，冷冷道：“这半年来，你在河东狠狠做了几票大买卖，收入想必不错。”

大汉还是没有反应，一双青筋虬结的手已在桌下握住了刀柄。

长腿道：“从今天开始，你有麻烦，我照顾你，你做的买卖，我们三七分账。”

大汉终于望了他一眼，道：“你只要三成？”

长腿道：“你收三成，我占七成。”

大汉笑了。

就在他开始笑的时候，刀已出鞘，刀光一闪，急砍长腿的左颈。

这一刀招沉力猛，出手狠毒，这柄刀也不知砍下过多少人的脑袋。

长腿没有动，至少半身绝没有动，大汉的人却突然飞了起来，从三个人头顶上飞过去，“砰”地撞在墙上，连屋子都几乎被撞倒。

他的刀虽快，长腿的腿更快，随随便便在桌子下一踢，就将一百把斤的大汉踢得飞出去好几丈。

长腿冷冷道：“这就是我的追风夺命无影脚，还有谁想尝尝它的滋味？”

没有人答腔，甚至连喘气的声音都没有。

长腿道：“那么从今天起，你们做的买卖，都归我来分账……”

突听身后一个人冷冷道：“三成归他们自己，七成归我。”

长腿脸色变了，身子一缩，一双长腿已急风般连环踢出。

只听“嚓、嚓”两声响，他的人已飞出门外，重重跌在街心。

后面门上的棉布帘子仿佛被风吹起，还在不停波动。谁也没看清楚有什么人走进去。

可是刚才还在大门说话的声音，现在却已到了扇小门后面的小屋里，道："赵大胡子多留两成回去治伤，其余的也改成三七分账，先交账的先走。"

坐在后门口的一个年轻人立刻抢先进去，道："这半年来我做了十三票买卖，总共有三千五百两，可是吃喝嫖赌，已经花了一半。"

那声音带笑道："你这小子倒还真会花钱。"

年轻人道："剩下的我已全都带来，可以全都交给你老人家。"

那声音道："不够的呢？"

年轻人道："你说怎么办，我就怎么办。"

那声音道："好，有种，看在你还算老实，我只要你这点东西抵数。"

年轻人走出来的时候，脸上鲜血淋漓，左面上一块皮，已被削了下来。

轿子忽然在前面停下，老皮忽然从前面大步奔过来，他平常走路都是四平八稳，很有气派，很少有人看见他跑得这么急。

小马道："你见了鬼？"

老皮道："鬼虽然没见到，人倒看见不少。"

小马道："什么人？"

老皮道："章长腿。"

小马皱起了眉："他在哪里？"

老皮道："就躺在前面的路上。"

张聋子道："躺在路上干什么？"

老皮道："你知不知道那个老太婆开的破酒店？"

张聋子知道，小马也知道，这条路他们都走过不止一次。

老皮道："我走到那里的时候，他正从老婆婆的店里飞出来，一下子跌在路上，躺了下去。"

小马道："然后呢？"

老皮道："然后他就不再动了！"

小马道："为什么不动？"

老皮道："因为他现在已没有腿。"

小马又皱起了眉。

章长腿的追风夺命无影脚，他是知道的。能够让章长腿变成没有腿的人，江湖中并不多。

小马道："现在还有些什么人在老婆婆的那破酒店里？"

老皮道："还有七八个！"

小马道："有没有我们认得的？"

老皮道："有一个！"

小马道："谁？"

老皮吞了下口水，脸上的表情就好像刚吞下五斤黄酒。

小马的眼睛却亮了，道："是不是常老刀？"

老皮点点头，脸上的表情好像又吞下个发了霉的臭鸡蛋。

小马却高兴得跳了起来，比刚从垃圾堆里找个活宝贝还高兴。

老皮抢着道："你要找他来，我就走。"

小马道："你能往哪里走？"

老皮道："要我留下，你就得答应我一个条件。"

小马道："你说。"

老皮道："叫他离得我远远的，愈远愈好。只要他走近我一丈之内，我就算逃不了，至少总可以一头撞死。"

小马笑了。

轿子的帘子已掀起一条线，一双美丽的眼睛正在看着他们："常老刀是什么人？”

小马道：“常老刀也是个皮匠。”

蓝兰的眼睛眨了眨，道：“是个什么样的皮匠？”

小马道：“是个剥皮的皮匠。”

店里七个人已只剩下两个。

两个本来很有威风的江湖好汉，现在却好像待宰的羔羊般坐在那里，愁眉苦脸，唉声叹气。

棉布帘子里的人已经在问：“你们两位为什么还不进来？”

两个人你看着我，我看着你，好像都想让对方先进去，好像明知道一进去就得挨宰。

帘子里的声音更冷，道：“你们是不是要我亲自出去请？”

一个年纪比较轻的，终于鼓起勇气站起来。

年纪大的却拉住了他，压低声音，道：“这次你交不了账？”

年轻的点点头。

年纪大的道：“还差多少？”

年轻的道：“差得多。”

年纪大的叹了口气，道：“我也不够，也差得多。”

他忽然咬了咬牙，从身上拿出叠银票，道：“加上我的，你一定够了，这些你都拿去。”

年轻的又惊又喜，道：“你呢？”

年纪大的苦笑道：“快也是一刀，慢也是一刀，反正我已是个老头子了，我……没关系。”

年轻的看着他，显得又感动、又感激，忽然也从身上拿出叠银票，道：“加上我的，你一定也够了，你拿去。”

年纪大的道：“可是你……”

年轻的勉强笑了笑，道："我知道你还有老婆、孩子。反正我还是光棍一条，我没有关系！"

两个人眼睛里都已有热泪盈眶，都没有发现大门外已多了一个人。

小马正在门口看着他们，好像也快被感动得掉下眼泪来。还没有开口，帘子里的人已经在破口大骂："王八蛋、王八羔子、兔崽子、妈那个巴子、操那娘、日死你先人板板、操你妈、丢你老母、干你娘。"

这一骂，已经包括了九省大骂，甚至还包括了远在海隅的台湾骂。

一个冷酷、冷漠、冷静的人，忽然会这么样开骂，已经令人很吃惊。

最令人吃惊的是他最后一句话。

"你们两个龟孙子快给我滚吧，滚得愈远愈好，滚得愈快愈好。"

年纪大的和年纪轻的两个人全都怔住，不是害怕得怔住，是高兴得怔住。

他要他们滚，简直比一个人凭空送他们两栋房子还值得高兴。

简直比天上忽然掉下两个大饼来还让他们高兴。

这种高兴的程度，简直已经让他们不敢相信。

小马相信。

小马了解这个人。

小马道："他让你们走，你们还不走？"

两个人直到现在才看见小马，年纪大的吃吃问："他真的让我们走？"

小马道："你们能够义气，他为什么不能够义气？"

两个人还不太相信。

小马道："你们不用怕他骂人，只有在他自己觉得自己很够义气的时候，他才会骂人。"

两个人你看着我，我看着你，再同时看着小马，就一起走了。

不是走，是逃。逃得比两匹被人抽了三百六十鞭子的快马还快十倍。

小马笑了。

门帘里没有声音。

小马笑道："想不到你这条专剥人皮的瘦猪，还有被感动的时候。"

门帘里的人终于忍不住开腔："瘦猪是你，不是我。"

小马大笑。

门帘里的人又道："你比我还瘦，比我还像。"

小马大笑道："我至少还有一点比你强。"

门帘里的人明知故问："哪一点？"

小马道："遇见了我，你就得跟我走。"

他又解释道："跟我走虽然倒霉，不跟我走你就更倒霉。"

谁也不希望自己太倒霉。

所以两个臭皮匠，就变成了三个臭皮匠。一个补皮，一个赖皮，一个剥皮。

九月十二，午后。

晴。

秋天的阳光最艳丽。

艳丽的阳光从西面的窗子外照进来，使得老婆婆的破酒铺看来更破旧，也使得会剥人皮的常老刀看来更可怕。

常老刀通常就叫常剥皮。

他的确常常会剥人皮。

看见了他，老皮就立刻走得远远的，远得不仅在一丈外。

他的确很怕常剥皮要剥他的皮，常剥皮也好像很想剥他的皮。

无论谁看见常剥皮，都难免会有一种要被剥皮的恐惧。

他实在是个很可怕的人。

他矮、瘦、干枯，全身的肉加起来也许还没有四两重。

可是他远比一个三百八十八斤的巨人更可怕。

他就像是把刀子。

四两重的刀子，也远比三百八十八斤的废铁更可怕。

何况这把刀子的刀锋又薄又利，而且已出了鞘——无论谁看见他这个人，都一定会有这种感觉。

尤其是他的眼睛。

他的眼睛看着一个人的时候，这个人通常都会觉得好像有一把刀子，刺在自己身上——刺在自己身上最痛的地方。

现在蓝兰就有这种感觉，因为常剥皮的眼睛正在盯着她。

蓝兰是个很漂亮的女人。

很漂亮的女人不一定很有吸引力。

蓝兰不但漂亮，而且很有吸引力。足以将任何一个看过她一眼，而远在三百里外的男人，吸引到她面前一寸近的地方来。

可是她已经发现这个男人的眼光不同。

别的男人的眼光，只不过想剥她的衣服；这个男人的眼光，却只不过是想剥她的皮。

想剥衣服的眼光，女人可以忍受，随便哪种女人都可以忍受——只要并不是真的剥，就可以忍受。

想剥皮的眼光，女人可就有点受不了，随便哪种女人都受不了。

所以蓝兰在看着小马，问道："常先生是不是也肯跟我们一起过狼山？"

小马道："他一定肯。"

蓝兰道："你有把握？"

小马道："有。"

蓝兰道："为什么？"

小马道："因为他让章长腿变成了没有腿。"

蓝兰道："章长腿也是狼人？"

小马道："不是。"

张聋子道："他只不过是柳大脚的老情人。"

蓝兰道："柳大脚是谁？"

张聋子道："狼人也有公有母，柳大脚就是母狼中最凶狠毒辣的一个。"

蓝兰笑了："长腿配大脚，倒真是天生的一对儿。"

小马道："所以现在长腿变成了没有腿，柳大脚一定气得很。就算常老三不上狼山，柳大脚也一定会下山来找他的！"

蓝兰眼珠子转了转，道："他上了狼山，岂不是送羊入狼口，自投罗网？"

小马道："常老三不是老皮，他既然敢动章长腿，就一定打定主意，要让柳大脚也变成没有脚。"

张聋子道："常老三做事一向干净利落。要斩草就得除根，绝不能留下后患。"

常剥皮一直在听着，脸上连一点表情都没有，忽然道："十万两银子，两坛好酒。"

他不喜欢说话。

他说的话一向很少有人听得懂。

蓝兰听不懂，可是她看得出张聋子和小马都懂。

张聋子道："这就是他的条件。"

蓝兰道："要他上狼山，就得先送他十万两银子、两坛好酒？"

张聋子道："不错。"

他又补充道："银子连一两都不能少，酒也一定要最好的。常老三开出来的条件，从来不打折扣。"

小马道："可是这些东西绝不是他自己要的，他并不喜欢喝酒。"

张聋子道："他要钱，却一向喜欢用自己的法子。"

他最喜欢用的法子，就是黑吃黑。

小马道："所以他要这些东西，一定是为了另外一个人。"

蓝兰道："为了谁？"

小马没有回答，张聋子也没有。

因为他们也不知道。

蓝兰也不再问，更不考虑，站起来走了出去。回来的时候，就带回了十万两银票，和两坛最好的女儿红。

她是个女人，可是她做事比大多数男人还痛快得多。

常剥皮只看了她一眼，连一个字都没有说。用一只手挟起了两坛酒，两根手指拈起了银票，站起来就走。

不是走出去，是走进去。

走进了后面那老婆婆住的屋子。

第五章

狼　人

一间又脏、又乱、又破、又小的屋子。那老婆婆正蜷曲在屋子里的一张破炕上，缩在角落里，整个人都缩成了一团。

常剥皮走进来，将两坛酒和一叠银票都摆在破炕前的一张破桌上。

忽然恭恭敬敬地向老婆婆鞠躬。

从来也没有人看见他对任何人如此恭敬过。

老婆婆也显得很吃惊，身子又往后面缩了缩。看来不但吃惊，而且害怕。

常剥皮道："银票是十万两，酒是二十年陈年的女儿红。"

老婆婆好像根本听不懂他在说什么。

常剥皮道："晚辈姓常，叫常无意，在家里排行第三。"

老婆婆忽问道："你老子是常漫天？"

常无意道："是！"

老婆婆身子忽然坐直了。忽然间就已到了桌子前面，拍碎了酒坛泥封嗅了嗅，疲倦衰老的眼睛立刻发出了光。

就在这一瞬间，这个老掉了牙的老婆婆，就好像变成了另外一个人。

不但变得年轻了很多，而且充满了威严和自信，变得说不出的镇定和冷酷。

这种变化不但惊人，而且可怕。

常无意既没有吃惊，也没有害怕，好像这种事根本就是一定会发生的。

老婆婆再坐下来时，桌上的那叠银票也不见了。

常无意脸上虽然还是完全没有表情，眼睛里却已露出希望。

只要她肯收下这十万两，事情就有了希望。

老婆婆道：“这是好酒。”

常无意道：“是。”

老婆婆道：“好酒不宜独饮。”

常无意道：“是。”

老婆婆道：“坐下来陪我喝！”

常无意道：“是。”

老婆婆道：“喝酒要公平，我们一人一坛。”

常无意道：“是。”

他搬了张破椅子过来，坐在老婆婆对面，拍碎了另一坛酒的泥封。

老婆婆道：“我喝一口，你喝一口。”

常无意道：“是。”

老婆婆捧起酒坛，喝了一口；常剥皮也捧起酒坛，喝了一口。

好大的一口。

一口酒下肚，老婆婆的眼睛就更亮了。

第二口酒喝下去，她衰老苍白的脸上，就有了红晕。瞪着常无意看了半天，道：“想不到你这孩子还有点意思。”

常无意道：“是。”

老婆婆道：“至少比你老子有意思。”

常无意道："是。"

老婆婆又喝了口酒，又瞪着他看了半天，忽然问道："你也想跟他们上狼山去？"

常无意道："是！"

老婆婆道："你老子已死了，你大哥、二哥也死了，你们家的人几乎已死尽死绝了。"

常无意道："是！"

老婆婆道："你也想死？"

常无意道："我不想！"

老婆婆笑了，露出了一嘴已经快掉光了的牙齿，说道："我拿了你的钱，喝了你的酒，我也不能让你死。"

常无意道："是！"

老婆婆道："可是你上了狼山，我也不一定能保证你能活着下来。"

常无意道："我知道！"

老婆婆道："狼山上有各式各样的狼，有日狼，有夜狼，有君子狼，有小人狼，有不吃人的狼，还有真吃人的狼。"

她又喝了口酒："这些狼里面，你知不知道最可怕的是哪一种？"

常无意道："君子狼。"

老婆婆又笑了，道："看来你不但很有意思，而且很不笨。"

道貌岸然的伪君子，无论在什么地方，都是最可怕的。

老婆婆道："君子狼的老大，就叫作狼君子。这个人看来就像是个道学先生，不管做什么事都中规中矩，说话更斯文客气。不知道他的人，看见他一定会觉得他又可佩、又可爱。"

她忽然一拍桌子，大声道："可是这个人简直就他妈的不是人，简直该砍个三万七千八百六十次。"

常无意在听着。

老婆婆又喝了几口酒，火气才算消了些，道："除了这些狼之外，现在山上又多了一种狼。"

常无意道："哪种？"

老婆婆道："他们叫嬉狼，又叫作迷狼。"

这两个名字都奇怪得很。

这种狼无疑也奇怪得很。

老婆婆道："他们年纪都不大，大多是山上狼人的第二代。一生下来就命中注定了是个狼人，要在狼山上过一辈子。"

常无意明白她的意思。

狼人的子女，除了狼山外，还有什么地方可去？

天下虽大，却绝没有任何地方可以允许他们生存下去。

因为狼人们从来就不让别人生存下去。

可是他们还年轻。

年轻人总是比较善良些的。他们心里的苦闷无法发泄，对自己的人生又完全绝望，所以他们就变成了很奇怪的一群人。

老婆婆道："他们对什么事都不在乎，吃得随便，穿得破烂，有时会无缘无故地杀人，有时又会救人。只要你不去惹他们，他们通常也不会来惹你，所以……"

常无意道："所以我最好不要去惹他们！"

老婆婆道："你最好装作看不见，就算他们脱光在你面前翻筋斗，你最好也装作看不见。因为这群人里面，有很多都可以算作年轻一代的高手，尤其是老狼卜战的三个儿子，和狼君子的两个女儿。"

常无意道："听说狼山上有四个大头目，卜战和狼君子就是其中两个？"

老婆婆点点头，道："可是他们对自己的儿女，也是连一点法子都没有。”

常无意道：“除了卜战和狼君子外，还有两个头目是谁？”

老婆婆道：“一个叫柳金莲，是头母狼，只可惜她的三寸金莲是横量的。”

常无意道：“柳金莲就是柳大脚？”

老婆婆眯着眼笑道：“这头母狼又淫又凶，最恨别人叫她大脚。她若知道你杀了她的老公，说不定会拿你来代替，那你就还不如赶快死了算了。”

常无意在喝酒，用酒坛子挡住了脸。

他的脸色已变了。

他很不喜欢这种玩笑。

老婆婆道：“还有一个叫法师，是一个和尚，不念经也不吃素的和尚。”

常无意道：“他吃什么？”

老婆婆道：“只吃人肉，新鲜的人肉。”

一坛酒已经快喝光了，老婆婆的眼睛已经眯了起来，好像随时都可能睡着。

常无意赶紧又问道：“据说他们四个还不是狼山真正的首脑？”

老婆婆道：“嗯！”

常无意道：“真正的首脑是谁？”

老婆婆道：“你不必问。”

常无意道：“为什么？”

老婆婆道：“因为你看不到他的，连狼山上的人都很难看到他。”

常无意道：“他从来不自己出手？”

老婆婆道：“你最好希望他不要自己出手。”

常无意还是忍不住要问："为什么？"

老婆婆道："因为他只要出手，你就死定了。"

常无意又用酒坛挡住了脸。

老婆婆道："我知道你心里一定很不服气，我也知道你的武功很不错。可是跟朱五太爷比起来，你还差得远。"她叹了口气，道，"连我跟他比起来都差得远，否则我又何必挨在这里受苦！"

她到这里来，就是为了等着杀朱五？常无意没有问。

他一向不喜欢探听别人的秘密。

老婆婆道："他不但是狼山上的王，只要他高兴，随便到什么地方都可以称王。当今江湖中的高手们，几乎已没有一个人的武功能比得上他。"

她的口气中并没有愤恨和怨毒，反而好像充满了仰慕。

她又开始喝酒，一口就把剩下来的酒全部喝光。眼睛里总算又有了点光。

常无意的酒坛也空了。

老婆婆看着他，忽然道："你为什么不问我跟朱五，究竟是什么关系？"

常无意道："因为我并不想知道！"

老婆婆道："真的不想？"

常无意道："别人的秘密，我为什么要知道？"

老婆婆又瞪着他看了半天，轻轻叹了口气，道："你是个好孩子，我喜欢你！"

她忽然从身上拿出样东西塞在常无意手里，道："这个给你，你一定有用的。"

她拿出的是个已被磨光了的铜钱，上面却有道刀痕。

常无意忍不住问："它有什么用？"

老婆婆道："它能救命。"

常无意道："救谁的命！"

老婆婆道："救你们的命。"

她又解释："你若能遇见一个左手上长着七根手指的人，将这枚铜钱交给他，随便你要他做什么，他都会答应。"

常无意道："这个人欠你的情？"

老婆婆点点头，道："只可惜你未必能遇见他，因为他是头夜狼，白天从不出现。"

常无意道："我可以在晚上去找。"

老婆婆道："你绝不能去找他，只能等着他来找你。"

她的表情很严肃，又道："在别的狼人面前，你甚至连提都不能提起这个人。"

常无意还想再问，老婆婆却已睡着了。

忽然就已睡着了。

常无意只有悄悄地退出去。等他退出门的时候，老婆婆身子又缩成了一团，缩在床角，又变得说不出的衰老疲倦，惊慌恐惧。

常无意坐下来，坐在蓝兰对面。刀锋般锐利的眼睛里，已布满红丝。

他已醉了。

他一向很少喝酒，他的酒量并不好。

蓝兰道："你们在里面说的话，我们在外面也听见了。"

常无意知道。

他本来就希望他们能听见，免得他再说一次。

蓝兰道："那位老婆婆究竟是什么人？"

常无意道："是个老婆婆！"

蓝兰眨了眨眼，道："我想她一定是位武林前辈，而且武功极高。"

常无意忽然回头，瞪着小马，道："这是你的女人？"

小马不能否认。

可是他当然也不能承认。

常无意道："她若是你的女人，你就应该叫她闭上嘴。"

蓝兰抢着道："我若不是呢？"

常无意道："我就会让你闭上嘴。"

蓝兰闭上了嘴。

常无意道："这次我们上山，不是去游山玩水的。我们是去玩命的，所以……"

小马道："所以你还有条件？"

常无意道："不是条件，是规矩，大家都得遵守的规矩。"

大家都在听。

常无意道："从现在开始，男人不能碰女人，也不能喝酒。"

他的目光如快刀："若有人犯了这规矩，无论他是谁，我都会先剥他的皮。"

狼山的山势并不凶险，凶险的是山上的人。

可是山上好像连一个人影子都没有，至少直到现在他们还没有见过一个人。

现在已近黄昏。

夕阳满山，山色艳丽如图画。

常无意在一块平台般的岩石上停下来，道："我们歇在这里。"

立刻就有人问："现在就歇下，不嫌太早？"

问话的是香香。

直到现在，山势还很平坦，所以她们还骑在驴子上。

她的风姿高贵而优美，张聋子的眼睛很少离开过她。

常无意却连看都没有看她一眼，也没回答她的话。

张聋子道："现在已不算早。"

香香道："可是现在天还没有黑。"

张聋子道："天黑了，我们反而要赶路了。"

香香道："为什么在天黑的时候赶路？"

张聋子道："因为天黑的时候比较容易找到掩护，而且这山上的夜狼也远比别的狼容易对付些，何况……"

常无意忽然打断他的话，道："她是你的女人？"

张聋子很想点头，却只能摇头。

常无意就到了香香面前，轻飘飘一掌拍在她骑的驴子头上。

驴子倒了下去。

香香也几乎倒了下去。

总算她反应还快，总算站住了脚，可是她也闭上了嘴。

小马笑了。

常无意霍然回头，盯着他，道："你在笑？"

小马本来就在笑，现在还在笑。

常无意道："你在笑谁？"

小马道："笑你。"

常无意沉下脸，道："我很可笑？"

小马道："一个人若是总喜欢做些可笑的事，无论他是谁，都很可笑。"

他不等常无意开口，很快地接着又道："想不让天下雨，不让人拉屎，都是很可笑的事；想不让女孩子们说话也是一样。"

常无意盯着他，瞳孔在收缩。

小马还在笑，道："听说驴皮也可以卖点钱的，你为什么不去剥下它的皮？"

常无意走过去，对着他走过去。

小马还站在那里，既没有进，更没有退。

突听张聋子轻呼："狼人来了。"

狼人终于来了。

来了三个人。看来也像是三个上古洪荒时的野人，远远地站在岩石七八丈外的一棵大树下。

第六章

十八柄刀

张聋子声音压得更低："这一定是吃人狼。"

香香道："他……他们真的吃人？"

她的声音发抖。她怕得要命，怕这些吃人的狼，怕常无意。

但是她仍然忍不住要问——想要女孩们不说话，实在不是件容易的事。

张聋子道："他们不一定真的会吃人，他们至少敢吃人。"

老皮已经很久没有开口了，一直站得远远的。此刻终于忍不住道："我知道他们最喜欢吃的是哪种人。"

香香道："哪……哪种人？"

老皮道："女人。"

他带着笑又道："尤其是那种看起来很好看，嗅起来又很香的女人。"

香香的脸白了，张聋子的脸却发了青。

小马立刻拉住他的手道："那边三位仁兄好像在说话。"

张聋子点点头。

小马道："他们在说什么？"

张聋子闭上眼睛，只闭了一下子，立刻睁开。

他的样子也立刻变了，看来不再是个又穷又脏的臭皮匠，他忽然变得充满了权威。

他对他自己做的事充满了信心——没有信心的人，怎么会有权威?

大家都闭上了嘴，看着他。

香香也在看着他。

他知道，可是这次他没有去看香香，只盯着对面那三个人的嘴。

三个人的嘴在动，他却连眼睛都没有眨。

过了很久，他才开口:“这几条肥羊一定疯了，居然敢上狼山。”

“他们居然还坐着轿子来，看样子不但疯得厉害，而且肥得厉害。”

“可是其中好像还有一两个扎手的。”

“你看得出是谁?”

“那个阴阳怪气，像个活僵尸的人就一定很不好对付。”

“还有那个高头大马，好像很神气的人，说不定是个保镖的!”

“那个瞪着眼睛，看着我们的穷老头，你看他像是干什么的?”

“就像个穷老头，而且已经吓呆了。”

“不管怎么样，他们的人总比我们多，我们总得去找些帮手来。”

“这两天，山上肥羊来得不少，大家都有买卖做，我们能去找谁?”

“不管怎么样，反正他们总跑不了。这票买卖既然是我们先看见的，我们总能占上几成。”

“我只要那三个女的。”

“若是被那些老色狼看见，你只怕连一个都分不到。”

“等他们用完了，我再吃肉行不行?”

“那倒没问题。”

“你最好一半红烧，一半清炖。我也好久没吃过这么漂亮的肉了。”

“我一定分你三大碗，把你活活胀死。”

这些话当然不是张聋子说的，他只不过将三个人说的话照样说出来而已。

三个人大笑着走了。常无意还是全无表情，老皮已露出得意洋洋的样子。

香香却已经快吓得晕了过去。

两顶轿子里，一个人又开始在不停地咳嗽、喘气。

另外一顶轿子里的蓝兰已忍不住伸出头，看看小马，又看看常无意。

常无意居然睡了下去，就睡在岩石上，居然好像已睡着。

他说过要歇在这里，就要歇在这里。

小马道：“这地方很好。”

蓝兰道：“很好？”

小马道：“好。”

蓝兰道：“可是……可是我总觉得这地方就像是个箭靶子。”

岩石高高在上，四面一片空旷，连个可以挡箭的地方都没有。

小马道：“就因这地方像个箭靶子，所以我才说好。”

蓝兰不懂。

她想问，看看常无意，又闭上了嘴。

幸好小马已经在解释：“这地方四面空旷，不管有什么人来，我们一眼就可以看见。”

张聋子道：“何况他们暂时好像还找不到帮手。等他们找到时，天已黑了，我们也走了。”

天还没有黑。

他们还没有走，也没有看见人，却听见了人声。

一种很不像是人声的声音，一种就像是杀猪一样的声音。

这声音却偏偏是人发出来的。

——这两天来的肥羊不少，现在是不是已经有一批肥羊遭了毒手？

小马已坐下，又跳了起来。

常无意还躺在那里，眼睛还闭着，却忽然道："坐下。"

小马道："你要谁坐下？"

常无意道："你。"

小马道："你为什么要我坐下？"

常无意道："因为你不是来管闲事的。"

小马道："可惜我天生就是个喜欢管闲事的人。"

常无意道："那么你去！"

小马道："我当然要去。"

常无意道："我可以保证一件事。"

小马道："什么事？"

常无意道："你死了之后，绝不会有人替你去收尸。"

小马道："我喜欢埋在别人的肚子里，至少我总可以埋在别人的肚子里。"

常无意道："可惜别人只喜欢吃女人的肉。"

小马道："我的肉也很嫩。"

他已准备要去。

可是他还没有去，已有人来了。

岩石左边，有片树林。

很浓密的树林，距离岩石还有十余丈。

刚才杀猪般的惨呼声，就是从这片树林里发出来的。现在又有几个人从树林里冲出来。

几个满身都是血的人，有的断了一条臂，有的缺了一条腿。

他们冲出来时，还在惨呼。惨呼还没有停，他们已倒了下去。

就倒在岩石下。

见死不救这种事，就算砍掉小马的脑袋，他也绝不会做的。

他第一个跳了下去。

也只有他一个人跳下去。

常无意还在躺着。

蓝兰还坐在轿子里。

老皮虽然站着，却好像也睡着了，睡得比常无意还沉。

香香在看着张聋子。

张聋子没有睡着，所以他只好也硬着头皮往下跳。

他是聋子，但他却不是傻子，就算他想装傻也不行。

因为他知道香香正在看着他。

他的耳朵虽然聋得像木头，可是他的眼睛却比兔子的耳朵还灵。

平台般的岩石下倒着八个人。

有的在挣扎呻吟，有的在满地乱滚。

有的非但连滚都不能滚，连动都不能动了。

每个人身上都有血。

鲜红的血，红得可怕。

小马想先救断臂的人，又想先救断腿的人，也想先救血流得多的人。

他实在不知道应该先救谁才好。

幸好这时张聋子也跳了下来。

小马道："你看怎么办？"

张聋子道："先救伤最轻的人。"

小马不反对。

他知道张聋子说得有理。他自己也早就想到这一点，只不过他的心比较软而已。

伤最轻的人，最有把握能救活，只有活人才能说出他们的遭遇。

别人的遭遇，有时也就是自己的经验。

经验总是有用的。

伤最轻的人，年纪最不轻。

他的血流得最少，脸上皱纹却最多。

小马扶起了他，先给了他两耳光。

打人耳光并不一定是因为愤怒和痛恨，有时也会是因为爱。

有时是因为要让人清醒。

两耳光打下去，这个人果然张开了眼睛，虽然只不过张开了一条线，也总算是张开了眼睛！

小马道："你们是从哪里来的？"

这个人在喘息，不停地喘息、呻吟，道："狼山……狼人……要钱……要命……"

他虽然答非所问，小马却还是要问："你们好好的上狼山来干什么？"

这个人道："因为……因为……因为……我们要宰你！"

他一连说了三次"因为"，小马正注意在听。

就在小马注意听的时候，就在他说"要宰你"三个字的时候，他就忽然出手。

不但他出手，另外的七个人也已出手。四个人对付一个，八个人对付两个。

断臂的人本来就是独臂人，断腿的人本来就是独腿人。

血本来就太红，红得已不像是血。

八个人同时出手，八个人都很想出手一击，就要了他的命。

八个人手上都有武器，四把匕首，两把短剑，一个铁护手，带着倒刺的铁护手，还有一样居然是武林中并不常见的镖枪。

镖枪的意思，就是一种很像镖的枪头，也就是一种很像枪头的镖，可以拿在手上作武器，也可以发出去当暗器。

他们用的兵刃都很短。

一寸短，一寸险。

何况他们出手的时候，正是对方绝对没有想到的时候。

幸好小马还有拳头。

他一拳就打在那个脸上皱纹最多的鼻子上，另外一拳就打在鼻子上没有皱纹的脸上。

幸好他还有脚。

他一脚踢飞了一个用匕首的独臂人。等到另一个独腿的镖枪刺过来时，也就是他听见那两个人鼻子和颧骨碎裂的声音时。

他两手一拍，夹住了镖枪，眼睛就瞪着这个独腿人。

还没有等到他出手，已经嗅到了一股臭气。

这个独腿人身上所有发臭的排泄物，都已经被吓得流了出来。

小马并不担心张聋子。

张聋子的耳朵虽然比木头还聋，手脚却比兔子的耳朵动得还快。

他已经听到另外四个人骨头碎裂的声音。

所以他就瞪着这个已发臭的独腿人，道：“你也是狼山上的？”

独腿人立刻点头。

小马道：“你是吃人狼，还是君子狼？”

独腿人道："我……我是君子……"

小马笑了："你真他妈的是个君子。"

他笑的时候，膝头已撞在这位君子最不君子的地方。

这位君子狼连叫都没有叫出来，忽然间整个人就都软了下去。

原来倒在地上的八个人，现在真的全都倒在地上了。

这次倒了下去，就算华佗再世，也很难再让他们爬起来。

小马看着张聋子。

张聋子道："看样子我们本来好像上了当。"

小马笑笑。

张聋子道："可是现在看起来，真正上当的还是他们。"

小马大笑，道："这也许只不过因为他们都是君子。"

张聋子道："君子是不是总比较容易上当？"

小马道："君子总比较喜欢要人上当。"

他们在笑，大笑。

岩石上却连一点动静都没有。

小马不笑了，张聋子也已笑不出。

这也许只是调虎离山之计——敢下来的人，至少总比不敢下来的人胆子大些。

艺高人胆大。

胆子大的人，功夫通常也比较高。

他们下来了，留在岩石上的人，说不定已遭了毒手。

这次是张聋子先跳了上去。

因为他忍不住想看香香看他的眼神。

他一跳上去，就看见了香香的眼睛。

眼睛还是睁开着的，睁得很大。很大很美的一双眼睛里，带着奇怪的表情。

无论什么人的身上，表情最多的地方通常都在他的脸。

无论什么人的脸上，表情最多的地方通常都是他的眼睛。

无论谁的眼睛，通常都会有很多种表情。有时悲伤，有时欢愉，有时冷漠，有时恐惧。

但香香眼睛的这种表情，却绝不是这些言词所能形容的。

因为有一把刀，正架在她脖子上。

她是个年轻而美丽的女孩子，她的脖子光滑、柔美、雪白。

她的脖子很细。

架在她脖子上的一把刀却不细——三十七斤的鬼头刀绝不会细。

拿着刀的手更粗。

张聋子的心沉了下去。

物以类聚。

这句话的意思就是——龙交龙，凤交凤，王八交乌龟，老鼠交的朋友一定会打洞。

小马不是个好人——至少在某些方面说来，他绝不是好人。

他喜欢打架，喜欢管闲事。他打架就好像别人吃白菜一样。

张聋子是小马的老朋友，就在刚才那一瞬间，他还打倒了四个人。

他当然不会因为只看见一把三十七斤重的鬼头刀，就被吓得魂飞魄散。

不管这把鬼头刀架在谁的脖子上，他的心都绝不会沉下去。

——只有真正被吓住了的人，心才会沉下去。

他的心沉下去，只因为除了这把鬼头刀之外，他还看见了另外十七把鬼头刀。

岩石上连轿夫在内只有十一个人，除了轿子里的蓝兰和病人外，每个人脖子上都架着一把刀。

鬼头刀的分量有轻有重。

架在香香脖子上的那一把，就算不是最轻，也绝不是最重的！

鬼头刀的刀头重，刀身细。一刀砍下来，就像是把斧头。

鬼头刀很少砍在人别的地方，鬼头刀通常只砍人的头颅。

一刀砍下，头颅落地。

绝对用不着再砍第二刀。

尤其是架在常无意脖子上的一柄。

那当然是最重的一柄。

常无意还在睡觉。

第七章

轿中的人

十八柄鬼头刀，十九个人。

狼人。

一个人手里没有刀，却拿着根比鬼头刀还长的旱烟管。

张聋子知道这个人是谁了。

他见过老卜战一面。这个人装束打扮，神气活现，简直就像是跟卜战一个模子里铸出来的。

一个不太好的模子。

所以卜战的毛病，这个人都学全了。但卜战那种不可一世的气概，这个人一辈子休想学会。

张聋子道："你是卜战的儿子，还是他的徒弟？"

这个人根本不理他，却在瞪着小马。

小马也跃上了岩石，冷笑道："我看他最多也只不过是那匹老狼的灰孙子。"

张聋子大笑。

他当然是故意在笑的，其实他的心里连一点想笑的意思都没有。

看着一把鬼头刀，架在一个自己喜欢的女人的脖子上，无论谁的心里都不会觉得愉快。

何况他早就听说老狼卜战属下的"战狼"剽悍勇猛，悍不畏死。

杀起人来，更好像砍瓜切菜一样，绝不眨一眨眼。

故意装出来的笑声，总不会太好听，而且通常都是想故意气气别人。

这个人居然还能沉得住气，居然还是不理他，还是向小马点点头。

这人道："你就是那个愤怒的小马？"

小马道："你呢？你是不是叫作披着狼皮的小狗？"

这人一张长着一对三角眼的三角脸，虽已气得发白，却还是努力要装出一副气派很大，很能沉得住气的样子，冷冷道："我知道你的来历。"

小马道："哦？"

这人道："你是从东北边陲上的乱石山岗下来的。"

小马道："是又怎么样？"

这人道："听说你的拳头很硬，一拳就把彭老虎打得直到现在还爬不起来！"

小马道："你是不是也想试试？"

这人冷笑道："现在乱石山岗虽然已垮了，算起来我们总还是道上的同僚，所以我才对你特别客气。"

小马道："其实你也用不着太客气！"

这人板着脸道："我叫铁三角。"

看着他的三角眼和三角脸，小马笑了："这名字倒总算没起错。"

铁三角道："你的名字却叫错了。"

他接着道："其实你本来应该叫笨蛋才对，因为你实在笨得要命！"

他用手里的旱烟管四下点了点，道："你数数我们这次来了几把刀？"

小马用不着再数。

一下忽然看见这么多把鬼头刀，无论谁都会偷偷数一遍的。

他也早就数过了。

铁三角道："你再看看这十八把刀，现在搁在什么地方？"

小马也用不着再看，他早就看得很清楚。

常无意、香香、曾珍、曾珠、老皮，再加上四个轿夫，每个人脖子都架着一把刀。

剩下的九把刀，四把架在轿子上，五把守住了岩石四周。

他们这次行动，显然很有计划。先用躺在岩石下面的那八个人，分散对方的注意，再出其不意从另一面掩上岩石偷袭。

唯一让小马不懂的是，常无意既不瞎，也不聋，怎会让刀架在脖子上的？

他看得出这其中一定别有用意，所以他也就尽量跟铁三角泡着。

张聋子却有点沉不住气了，香香的样子已愈来愈可怜。

铁三角道："有十八把大刀架在你朋友的脖子上，你还敢在我面前张牙舞爪，胡说八道，你说你是不是笨得要命？"

小马居然承认："是，我是笨得要命。"

他又笑了笑："要别人的命。"

铁三角也笑了，大笑。

他当然也是故意笑的，笑得比张聋子还难听："这话倒不假，你确实傻得可以要别人的命。"

笑声忽然停顿，三角脸又板了起来，冷冷道："现在你就可以先要一个人的命，我甚至可以让你随便选一个人。"

他用旱烟管指了指香香道："你看这条命怎么样？"

小马道："很好！"

张聋子立刻急了："很好是什么意思？"

小马道："很好的意思就是说，她这条命很好，不能让别人要走。"

张聋子松了口气，铁三角却在冷笑。

小马叹道："只可惜人家的刀现在就架在她脖子上。人家是要她的命，还是不要她的命，我一点法子都没有。"

铁三角道："你总算是个明白人！"

小马道："有件事我却很不明白。"

铁三角道："你可以问。"

小马道："你们的刀好像都蛮快的！"

铁三角道："快得很。"

小马道："像这样的快刀，要砍下别人的脑袋，好像并不难。"

铁三角道："一点都不难。"

小马道："你们为什么还不砍？"

铁三角道："你猜呢？"

小马道："是不是因为最近你们吃得太饱没事做，想要拿他们来消遣消遣？"

铁三角道："这种消遣的法子并不好玩。"

小马道："难道你们想用他们来要挟我，要我去替你们做件什么事？"

铁三角道："这次你总算问对了。"

小马道："你想要我干什么？"

铁三角道："我只想要你这双拳头。"

小马看看自己一双拳头，道："我这双拳头只会揍人，你要来干什么？"

铁三角道："要你不能再揍人。"

小马道："你们有十八把大刀，难道还怕我这双拳头？"

铁三角道："小心些总是好的。"

小马道："你是想要我把这双拳头切下来送给你，免得我找你们麻烦？"

铁三角道："你说得虽然并不完全对，意思总算还差不多。"

小马笑了："好，要我送给你就送给你！"

这句话还没有说完，他的人已冲了过去，拳头已到了铁三角鼻子上。

铁三角并不是没有看见这一拳打过来。

他看得很清楚。

可是他偏偏就躲不开。

拳头打在鼻子上的声音并不大，鼻梁碎裂时更几乎连声音都没有。

但是这种滋味可不太好受。

铁三角只觉得脸上一阵酸楚，满眼都是金星，一个跟斗栽了下去，嘶声大吼：

"杀！"

这个"杀"说出来，架在脖子上的九把刀立刻就要往下杀。

张聋子也冲了过去，准备托住对付香香那个人的肘，再给他一拳。

可是他根本就用不着出手。

他还没有冲过去，拿着鬼头刀的大汉已惨呼一声，痛得弯下了腰。

一弯下腰，就倒了下去；一倒下去，就开始满地乱滚。

那个看起来又害怕、又可怜的香香，却还好好地站着，看着他，好像显得很同情，柔声道："对不起，我本不该踢你这个地方的。可是你也用不着太难受，这地方被踢断了，也少了许多烦恼。”

张聋子吃惊地看着她，已看呆。

这个又温柔又柔弱的女人，出手简直比他还狠。

等他再去看别人时，来的十九匹战狼已倒下去十七个。

一个人满脸鲜血淋漓，整个一张脸上的皮已几乎被剥了下来。

这个人当然就是刚才要宰常剥皮的人。

死得最快的两个，是刚才站在蓝兰轿子外面的那两个。

他们动也不动地躺在地上，全身上下只有一点点伤痕。

只有眉心间有一滴血。

没有死的两个，还站在那病人的轿子外面，可是手里的刀却再也杀不下去。

常无意冷冷地看着他们。

他们的腿在发抖，有一个连裤裆都已湿透。

常无意道：“回去告诉卜战，他若想动，最好自己出手。”

听见了“回去”这两个字，两个人简直比听见中了状元还高兴，撒腿就跑。

常无意道：“回来！”

听见了“回来”这两个字，另外一个人的裤裆也湿了。

常无意道：“你们知道我是谁？”

两个人同时摇头。

常无意道：“我就是常剥皮。”

开始说这句话的时候，他已用脚尖从地上挑起了一把鬼头刀。

说完了这句话，两个人脸上已全都少了一块皮。

小马在叹气。

常无意道：“你叹什么气？”

小马道：“我本来以为是他们想拿你来消遣，现在我才明白，原来你是想拿他们来消遣。难道你认为我们也跟你一样，吃饱了没事做？”

常无意冷笑。

小马道：“你为什么不早点出手？”

常无意道：“因为我不想笨得要别人的命。”

小马道：“要谁的命？”

常无意道：“说不定就是你的。”

小马也在冷笑。

常无意道：“你若能晚点出手，现在我们一定太平得多。”

小马道：“现在我们不太平？”

常无意闭上了口，刀锋般的目光，却在盯着右边的一处山。

夕阳已消逝，夜色已渐临。

山坳后慢慢地走出七个人来，走得很斯文，态度也很斯文。

走在最前面的一个人，儒衣高冠，手里轻摇着一把折扇。

折扇上隐约可以看出八个字：

“惇惇君子，温良如玉。”

夜色还未深。

这个人斯斯文文地走过来，走到岩石前，收起折扇，一揖到地。

后面的六个人也跟着一揖到地。

礼多人不怪，人家向你打躬作揖，你总不好意思给他一个拳头的。

老皮第一个抢到前面去，赔笑道：“大家素昧平生，阁下何必如此多礼？”

白衣高冠的儒者微笑道：“萍水相逢，总算有缘，只恨无酒款待贵客，不能尽我地主之谊。”

老皮道："不客气，不客气！"

白衣高冠的儒者道："在下温良玉。"

老皮道："在下姓皮。"

温良玉道："皮大侠在下闻名已久，常先生、马公子和张先生的大名，在下更早就仰慕得很。只恨无缘一见，今日得见，实在是快慰平生。"

他只看了他们一眼，他们的来历底细，他居然好像都已知道得很清楚。

小马的心在往下沉，因为他已经猜出这个人是谁了。

温良玉道："据闻蓝姑娘的令弟抱病在身，在下听了也很着急。"

小马忍不住道："看来你的消息倒实在灵通得很。"

温良玉笑了笑，道："只可惜此山并非善地，我辈中更少善人。各位想要平安过山，只怕很不容易，很不容易。"

小马道："那也是我们的事，跟你好像并没有什么关系。"

温良玉道："也许在下可以稍尽绵薄之力，助各位平安过山。"

老皮立刻抢着道："我一眼就看出阁下是位君子，一定懂得为善最乐这句话的。"

温良玉长长叹息，道："在下虽然有心为善，怎奈力有未逮。"

小马道："要怎样你的力才能逮？"

温良玉道："此间荆棘遍地，要想过山，总得先打通一条路才是！"

小马道："这条路要怎么样才能打得通？"

温良玉又笑了笑，道："说起来那也并非难事，只要……"

小马道："你究竟想要什么？"

温良玉淡淡道："只不过十万两黄金、一双拳头、一只手而已。"

小马笑了："只要是金子都差不多，但拳头和手就不同了。"

温良玉道："的确大有不同。"

小马道："你想要什么样的拳头，什么样的手？"

温良玉道："身体毫发，受之父母，千万不可损伤，所以……"

小马道："所以你想要会揍人的拳头，会剥皮的手？"

温良玉并不否认，微笑道："只要各位肯答应在下这几点，在下保证蓝姑娘的令弟在三日内就可以平安过山，否则……"

他又叹了口气："否则在下也就爱莫能助了。"

小马大笑，他并不是故意在笑，他是真的笑。

他忽然发现了一件事——这些伪君子们不但可恨，而且可笑。

无论在什么地方的伪君子都一样。

温良玉却面不改色，道："这条件各位不妨考虑考虑，在下明日清晨再来静候佳音。"

小马故意作出很正经的样子道："你一定要来。"

温良玉道："夜色已深，前途多凶险。各位若是想一夜平安无事，还是留在此地的好。"

他又长身一揖，展开折扇，慢慢地走了。

后面的六个人也跟着长揖而去。

走得还是很斯文，连一点火气都没有。

小马的火气却已大得要命，恨恨道："他为什么不出手？"

常无意道："他若出手了，你又能怎么样？"

小马道："只要他出手，我保证他的鼻子现在已经不像是个鼻子！"

常无意冷冷道："那时你的人也很可能不像是个人。"

张聋子抢着道："这些人就是君子狼？"

常无意道："那人就是狼君子！"

张聋子道："你早就看见他们来了？"

常无意道："那时你们正在下面急着救命，救你们自己的命。"

张聋子道："你故意跟卜战的手下耗着，就是因为你知道有战狼在这里，他们就不会来？"

常无意道："这是狼山上的规矩。"

张聋子叹了口气："看样子他们的确比那几把鬼头刀，不容易对付得多！"

他忍不住又问："可是现在卜战的手下已经走了，他们为什么也……"

常无意道："现在是什么时候？"

张聋子道："现在已经到了晚上。"

常无意道："狼君子从不在黑夜出手！"

张聋子道："这也是狼山上的规矩？"

常无意道："是的。"

老皮远远地站着，忽然叹了口气，道："幸好他要的不是我的拳头，也不是我的手。"

他站得很远，可是这句话刚说完，常无意已到了他的面前。

老皮的脸色立刻变了，想勉强笑一笑，一张脸却已完全僵硬。

看见了常无意，他简直比看见了个活鬼还害怕。

常无意盯着他，冷冷道："他不要你的拳头，也不要你的手，可是我要！"

老皮道："你……你……"

常无意道："我不但要你的手，我还要剥你的皮。"

老皮本来很高，忽然间就矮了半截。

常无意淡淡地接着道："只可惜你的手人家不要，你的皮也没有人要。"

他转过身，蓝兰已下了轿，他连看都没有再看老皮一眼。

老皮居然还不敢站起来。

蓝兰却过来亲手扶起了他，柔声道："谢谢你。刚才那两把鬼头刀几乎已砍在我的身上，若不是你的夺命针，我只怕已活不到现在。"

老皮揉揉鼻子，又揉揉眼睛，喃喃道："这种事你何必再提？我本来不愿意让他们知道！"

蓝兰道："我知道你深藏不露，可是救命之恩，我也不能不说。"

她用一只纤纤玉手从鬓角摘下一朵珠花。

"这是一点小意思，你一定要收下。"

珠花是用三十八颗晶莹圆润的珍珠串成的，每一颗都同样大小。

老皮本来想推的，看了一眼，本来要去推的那只手，已将这朵珠花握在手心了。

他是识货的人，他已看出这朵珠花至少够他大吃大喝三个月。

小马却显得很吃惊——并不是因为他收下了这朵珠花，而是因为蓝兰说的话。

吃惊的绝不止小马一个人。

张聋子看看他，再看看地上那两具尸首眉心间的一滴血，道："你几时学会这种暗器的？我怎么从来没看见你用过？"

老皮干咳了两声，昂起了头，道："这是致命的暗器，在朋友们面前我怎么会使出来？不到必要的时候，我也绝不会使出来。"

蓝兰轻轻叹了口气，道："你真是个好朋友！"

她有意无意间，瞟了常无意一眼。常无意脸上却全无表情。

蓝兰道："十万黄金，我是可以拿得出来的。可是那位狼君子的条件，我绝不考虑。"

这次她转过头去正视着常无意，道："现在天已黑了，我们是不是已经可以往前走？"

常无意点点头。

小马道："谁在前面开路？"

常无意道："你。"

小马道："你押后？"

常无意道："是。"

小马道："张聋子呢？"

常无意道："他陪你。"

老皮抢着道："我也陪小马。"

常无意冷冷道："你既然有这么一手暗器好功夫，就该居中策应。"

老皮道："反正我总不会到后面去的。"

常无意冷笑。

小马道："一有警兆，大家就应该抢先去保护两顶轿子。"

常无意冷笑道："也许他们根本不需要……"

这句话也没有说完，忽然有两条人影从地上飞扑而起。铁三角并没有死。

另外一个被小马打碎了鼻梁的也没有死——

鼻子并不是致命的要害，小马并不喜欢杀人。

第八章

美　腿

轿子里的病人又在咳嗽。两条人影一掠起，就扑向了这顶轿子。只要能挟制轿子里这个病人，别的人也同样要被挟制。

铁三角虽然没有躲开小马那一拳，功夫却很不错，不但身法快，看得也准。

现在小马、张聋子、常无意都距离这顶轿子很远。一行人中，只有他们三个最可怕。

铁三角看准了这是最好的机会。

他手里的旱烟管是用精钢打成的。烟斗大如儿臂，若是打在人的脑袋上，尤其是打在穴道上，一击就可致命。

他的同伴已悄悄抄起了一把鬼头刀。刀光一闪，直劈头顶。

三十七斤重的鬼头刀，凌空一刀劈下去，轿顶的木头再好，也要被劈开。

轿子里的病人咳得更厉害，本来绝对避不开他们这一击。

小马和常无意的出手虽快，现在出手也是万万来不及的了。

铁三角此时就敢出手，当然已有了一击必中的把握。可是他算错了。

就在这时，轿子的黑影中，竟忽然有两道剑光闪电般飞起。

一柄剑顺着鬼头刀的刀锋斜削过去，就听见一声惨呼。

鲜血飞溅，拿刀的人四根手指已被削落，剑光再一闪，就已穿胸而过。

这一剑不但使得干净利落，迅速准确，而且凶狠毒辣无比。

那边火星四激，“叮叮叮”三声响，旱烟管已接住三剑。

铁三角毕竟不是容易对付的人，脚尖找到了轿杆，借力凌空翻身。

强敌环伺，他怎敢恋战。

他想走。

谁知这时剑光竟已到了他胯下。剑光再一闪，竟刺入了他的裤裆。

这一剑更狠、更准、更毒辣。

铁三角狼一般惨呼，至死也不信能使出如此毒辣剑招的，竟是个十六七岁的小姑娘。

剑尖还在滴血。

两个小姑娘并肩站着，脸上蒙着的黑纱在晚风中轻轻飘动。

她们拿着剑的手却稳如磐石，她们居然还在吃吃地笑。

对她们来说，杀人竟仿佛只不过是种很有趣、很好玩的游戏。

这也许只是因为她们年纪还太小，还不能了解生命的价值。

她们的笑声好听极了，笑的样子更娇美。

常无意冷冷地看着她们，忽然道：“好剑法！”

曾珍娇笑着道：“不敢当。”

曾珠嘟起嘴道：“只可惜我们还是打不过那个小马。我的脸都被他打肿了。”

看她们的神情，听她们说话，只不过还是两个小孩子。

小孩子怎么会使出如此毒辣老练的剑法？

常无意道："你们的剑法是谁传授的？"

曾珍道："我偏不告诉你。"

曾珠吃吃笑着道："听说你比小马还有本事，你怎么会看不出我们剑法的来历？"

常无意冷笑，忽然就到了她们的面前。出手如电，去夺她们的剑。

他用的是空手入刃，还带着七十二路小擒拿法。

这种功夫他就算还没有练得登峰造极，江湖中能比得上他的人却已不多。

谁知两个小姑娘吃吃一笑，挺起了胸，两柄剑已藏到背后。

小姑娘虽然是小姑娘，胸膛上的两点已如花蕾般挺起。

常无意虽然无意，一双手也不能抓到小姑娘的胸膛上去。

曾珍娇笑道："这是我们的剑，你为什么要来抢我们的剑？"

曾珠道："一个大男人要来抢小孩子的东西，你羞不羞？"

曾珍道："羞羞羞，羞死了。"

常无意脸色发青，竟说不出话来。

谁知两个小姑娘身形一转，剑光乍分，竟毒蛇般刺向他的左右两胁。

常无意空手夺刃的功夫虽厉害，可是骤出不意，竟不敢去夺她们这一剑。

幸好他避开了。

两个小姑娘却偏偏得理不饶人。一左一右，联手抢攻，霎眼间又刺出三剑。

这三剑不但迅速毒辣，配合得更好，最后一剑如惊虹交错，眼看着就要在常无意的胸膛上对穿而过。

谁知常无意的身子突然一偏，两柄剑竟都被他挟入了胁下。

这一招用得真绝，也真险。

两个小姑娘用尽力气，也没法子将自己的剑从他胁下拔出来。

曾珠撇起了嘴，好像已经快哭出来的样子。

曾珠已真的流下了眼泪。

可是她们还在拼命地用力，想不到常无意的两胁突又松开。

两个小姑娘身子立刻往后倒，一跌倒在地上，索性不站起来了。

曾珠流着泪道："大人欺负小孩子，不要脸，不要脸。"

曾珠本来连一滴眼泪都没有流，现在却放声大哭起来。

轿子里的咳嗽声已停了，一个人喘息着道："住嘴。"

他虽然只说了两个字，却好像已用尽了全身力气，喘息更剧烈。

这两个字的声音虽微弱，却好像某种神奇的魔咒一样，简直比魔咒还灵。

两个小姑娘立刻不哭了，立刻擦干了眼泪，挺挺地站在一旁。

常无意却还站在那里，看着那顶轿子，仿佛已看得入了神。

只可惜他什么都看不见。

轿上的帘子拉得密密的，连一条缝都没有。轿子里的人又在不停地咳嗽。

这人究竟是个什么样的人？究竟得了什么样的病？

常无意没有问。

他终于转过身，慢慢地走回去。小马和张聋子正在等着他。

小马道："你看出了她们的剑法没有？"

常无意闭着嘴。

小马道："我也看不出。"

他在苦笑："这样的剑法我非但看不出，我简直连看都没看过。"

张聋子道："那绝不是武当剑法。"

小马道："当然不是。"

张聋子道：“也不会是点苍、昆仑、海南、黄山的。”

小马道：“废话。”

这的确是废话。

武林中的七大剑派的剑法，他们绝对一眼就能看出来。

张聋子道：“这不是废话。”

小马道：“哦？”

张聋子道：“连我们都没有看过的剑法，别人大概也不会看过。”

小马道：“嗯。”

张聋子道：“所以这种剑法也许根本没有在江湖中出现过！”

小马在听，常无意也在听。

张聋子道：“可是看这种剑法的辛辣老到，必定已存在很久了。”

小马道：“有理！”

张聋子道：“传授她们这种剑法的人，当然也是位绝顶的高手！”

小马道：“一定是。”

张聋子道：“从未在江湖中出现的绝顶高手有几个？”

小马道：“不多！”

张聋子道：“所以我们若是仔细想想，一定能想得出来的。”

蓝兰又进了轿子。老皮、香香和那两个小姑娘都躲得远远的，根本不敢靠近他们。

可是他们说话的声音还是很低。

张聋子的声音压得更低，道：“那两枚夺命针也绝不是老皮发出来的。”

小马同意。

张聋子道：“你那位蓝姑娘故意说是他，只因为她知道老皮一定会顺水推舟，承认下来！”

小马笑道：“这种好事他当然不会拒绝。否则就算是他干的，他也会死不认账。”

张聋子道：“暗器若不是老皮发出的，那么是谁呢？”

小马故意不开口，等他说下去。

张聋子道：“蓝姑娘为什么一定要把这件事推在他身上？而且还送他一朵至少要值好几百两银子的珠花？”

小马道：“不止几百两，至少两三千。”

张聋子道：“她为什么要做这种事？是不是因为她眼睛有毛病，看错了人？”

小马道：“我保证她眼睛连半点毛病都没有。”

张聋子吐了口气，道：“那么这件事就只有一个解释了。”

小马道：“你说。”

张聋子道：“暗器根本就是她自己发出来的，可是她不愿意别人知道她是位高手。为了掩饰自己的行藏，就只有把这笔账推在老皮的身上。”

小马道：“有理！”

张聋子道：“传授那姐妹两人剑法的，很可能就是她。”

小马道：“很可能。”

张聋子道：“她为什么要掩饰自己的行藏？会武功又不是件丢人犯法的事。”

小马看着他，过了很久，才悠然道：“我也想问你一件事！”

张聋子在看着他的嘴。

小马道：“她做的事，跟你有什么关系？”

张聋子一句话都不再说，掉头就走。

小马回头看看常无意。

常无意脸上全无表情，只说了一个字：

“走！”

夜色已深。山路也已渐渐崎岖，驴子已走不上去。

香香和曾珍姐妹始终跟着病人的轿子走。老皮也总是在她们的前后左右打转，好像很想找机会跟她们搭讪搭讪。

其实老皮并不能算是个色中的恶鬼，他最多也只不过是个普通的色鬼而已。

小马也并不是没有想到蓝兰。

蓝兰做的事，虽然跟张聋子没有关系，跟他却多多少少总有关系。

——蓝兰为什么要掩饰自己的武功？

——她弟弟究竟得了什么样的怪病？

——为什么只有一个人能医？

——她弟弟是个什么样的人？为什么一直都不肯露面？

他没有想下去，因为他忽然看见有三个人从前面的路上走过来。

夜色虽已深，可是月已将圆了。在月光下他还是可以看得很清楚。

三个人是二女一男。

男的赤足穿着双草鞋，头发乱得像鸡窝，远远就可以嗅到他身上的汗臭气。据小马判断，这个人至少已有十来天没有洗过澡。

可是两个女的却紧紧挟住他的臂，好像生怕他跑了。

她们都还很年轻。

不但年轻，而且很美。

她们穿得也很随便，一个穿着两边开衩的长袍，每走一步就会露出大腿来。

她的腿雪白、修长、结实，甚至连小马都很少见过这么诱人的腿。

另一个虽然没有露出腿，衣襟却是散开的，坚挺的乳房隐约可见。

三个人的态度都有点吊儿郎当的样子，就好像对什么事都不在乎。

这里是狼山。

可是看他们的样子，却好像在自己家里的花园里散步。

小马看着他们的时候，他们也在看着小马。

尤其是那个有双美腿的女孩子，一双眼睛简直就像是钉子钉在小马脸上了。

小马居然转过了脸。

他并不是怕事的人，也不是君子，只不过他还没有忘记那老婆婆的话。

——山上有群年轻人，叫嬉狼，又叫迷狼。

他们有时杀人，只要你不去惹他们，他们通常也不会来惹你。

小马并不想惹事。

他们果然也没有惹小马，对别的人更连看都没有看一眼。三个人手挽着手，迤然走入山路旁的一片树林里。

老皮还在看着那双美腿。

男的忽然回头瞪了他一眼，眼睛里就好像有把快刀，看得老皮竟忍不住打了个寒噤。

那位有双美腿的女孩子，却回头看着他笑了笑，又笑得他连骨头都酥了。

就在他们消失在树林中时，山路两旁，忽然出现了三十多个黑衣人。

夜狼来了。只有在黑暗中才会出现的，无论是人还是野兽，都比较神秘可怕些。

只有在黑暗中才会出现的人，多少总有点见不得人的地方。

他们黑衣、黑鞋、黑巾蒙面。每个人都有双狼一般的眼，每个人行动都很矫健。

最后走出来的一个人，却是个跛子。他的行动看来最迟钝，走得最慢。可是他一走出来，就像是利刀出鞘，自然带着种杀气。

小马带头，常无意殿后的一行人，圈子已在渐渐缩小。

珍珠姐妹已握住她们的剑。

老皮一双眼珠子滴溜溜乱转，好像已在准备夺路而逃。

跛足的黑衣人，慢慢地走出来，轻轻地咳嗽了两声，大家本来以为他正准备开口。

谁知他的咳嗽声一响起，各式各样的兵刃和暗器，就暴雨般向小马这一行人打了过来。

有刀，有剑，有枪，有软鞭，有长棍，有梭子镖，有连珠箭，有飞蝗石，甚至还有的用迷香。

江湖中上五门、下五门的兵刃暗器，在这一瞬间几乎全都出现了。

每一样兵刃和暗器，打的全都是对方不死也得残废的要害。

幸好这些人之中的高手并不太多。

珍珠姐妹挥剑急攻，香香的一只纤纤玉手往腰畔一带，竟抽出条一丈七八尺长的长鞭。

用迷香的有两个人。小马抢先冲过去，两拳就打碎了两个鼻子。

常剥皮身形飘忽如鬼魅。只要碰上他的人，立刻就倒了下去。

可是各色各样的兵刃和暗器，还是浪潮般一次又一次卷上来。

剑尖鞭梢上溅出的鲜血，在月光下看来就像是发光的。

但她们究竟是女孩子，手已经渐渐软了，已经开始在喘息。

老皮更不停地在惊呼怪叫，也不知是不是已受了伤。

小马和张聋子已冲过来，挡在病人和蓝兰的轿子前面。

抬轿的大汉手挥铁棒，虽然打碎了好几个头颅，自己也挂了彩。

张聋子沉声道："这样子不行！"

小马又挥拳打碎了一个鼻子，道："你说应该怎么办？"

张聋子道："擒贼先擒王！"

他用的是柄奇形弯刀，真的和鞋匠削皮时用的差不多。

一刀斜斜挥出，一条手臂断落。

小马道："你要我先去对付那个跛子？"

张聋子点点头。

跛足的黑衣人一直袖手旁观，忽然又咳嗽两声，道："退。"

这一个字说出口，所有还没有倒下去的黑衣人立刻退回黑暗中。

跛足的黑衣人也早已看不见。

好像从未发生过任何事。

刚才还血肉横飞的战场，忽然间就已变得和平而安静。

若不是地上的那些伤者和死人，就像是根本没有发生过任何事。

香香和珍珠姐妹已坐了下去，就坐在血泊中，不停地喘息。

老皮更好像整个人都软了，索性躺了下去。

只听蓝兰在轿子里问："他们走了？"

小马道："嗯！"

蓝兰道："我们伤了几个人？"

常无意道："三个！"

受伤的是两个轿夫和曾珍。老皮虽然叫得最凶，身上却连一点伤都没有。

蓝兰道："我这里有刀伤药，拿去给他们！"

她从帘子里伸出手，手里有个玉瓶。她的手比白玉更晶莹圆润。

小马伸手去接，她的手忽然轻轻握了握他的手。纵有千言万语，也比不上她这轻轻一握。

他心里竟不由自主起了种说不出的微妙感觉，一切的艰辛和危险，仿佛都有了代价。

她仿佛也明白他的感觉。

她只轻轻说了句："替我谢谢你的朋友。"

她并没有谢他，她只不过要他替她谢谢朋友。

因为他是不必谢的，因为他们就等于一个人。

小马接过玉瓶，心里忽然充满温馨。

——一个没有根的浪子，只要能得到别人一点点真情，就永远也不会忘记。

可是天地间充满了的却是悲伤和凄凉。

一轮将圆未圆的明月还高挂在天上。冷清清的月光，照着这满地血泊的战场。

香香长长吐出口气，道："不管怎么样，我们总算把他们打退了！"

张聋子道："只怕未必！"

香香变色道："未必？难道……难道他们还会来！"

张聋子没有回答。

他也希望他们已真的退走，只可惜他知道，夜狼们绝不是这么容易就会被击退的。

第九章

奇异的欲望

常无意神情也很沉重，道："扎好伤势，就立刻往前闯。"

曾珍道："我们总该先休息一阵子！"

常无意道："你若想死，尽管一个人留下来！"

曾珍也闭上了嘴。轿夫们正在互相包扎伤势，其中一人道："老牛伤得很重，就算还能往前走，也没法子再抬轿子了。"

常无意冷冷道："没有病的人并不一定要坐轿子的！"

蓝兰道："一定要坐！"

常无意道："你没有腿？"

蓝兰道："有！"

常无意道："那么你为何不能自己走？"

蓝兰道："因为我就算自己下来走，这顶轿子也不能留下来！"

常无意没有再问为什么。

他已明白这顶轿子里，一定有些绝不能抛弃的东西。

小马道："其实这根本不成问题，只要是人，就会抬轿子。"

老皮立刻抢着道："我不会！"

小马道："你可以学。"

老皮道："我以后一定会去学！"

小马道："用不着等到以后。你现在就可以学，而且我保证你一学就会。”

老皮跳起来，大叫道：“难道你想要我抬轿子！”

小马道：“你不抬谁抬？”

老皮看看他，看看张聋子，再看看香香和珍珠姐妹。

常无意他连看都不敢去看。

他已看出这些人，他连一个都指挥不了，所以抬轿子的就只有他。

已经无法改变的事，你若还想去改变，你就是个呆子。

老皮不是呆子。

他立刻站起来，笑道：“好，你叫我抬，我就抬，谁叫我们是老朋友呢？”

小马也笑了，道：“有时候我实在觉得你这人不但聪明，而且可爱。”

老皮道：“只可惜你是男的，否则……”

这句话他没有说完。

他不是呆子，可是现在已吓呆了！

黑暗中忽然又涌出一群黑衣人。这次来的竟比上次更多。

那跛足的黑衣人也出现了，远远地站在一棵大树下。

张聋子大声道：“在下张弯刀，算起来也是道上的，阁下……”

跛足的黑衣人好像也是个聋子，根本没听见他在说什么，只咳嗽了两声。

咳嗽一响，各式各样的兵刃和暗器又暴雨般打了过来。

这次兵器的种类更多，出手也更险恶，其中已有了高手。

常无意冷笑了一声，忽然从腰带里抽出一柄剑——软剑。

虽然是软剑，迎风一抖，就伸得笔直，而且精光四射，寒气逼人。

他本来显然并不准备动用这柄剑的，也不愿让人看见。

可是现在他已决心要下杀手!

这一战当然更凶险、更惨烈。

珍珠姐妹的剑法虽毒辣老到，可是两个人身上都已负了伤。

老皮也挨了一刀。

一刀砍在他背上，血流如注。伤得并不轻，他反而不叫了。

张聋子的弯刀斜削，专走偏锋，一刀刺出，必然见血。

可是常无意的剑更可怕。

黑衣人中，遇见他们的刀剑和拳头固然无救，有时无缘无故地也会倒下去。

倒下去的时候，全身上下都没有别的伤痕，只有眉心的一滴血。

谁也看不出这暗器是从哪里发出来的。

这种夺命追魂的暗器，就像是来自黑暗的源流，来自地狱。

跛足的黑衣人远远看着，直到他手下两个最勇猛剽悍的黑衣人，也无声无息地死在这种暗器下，他才挥手低叱："退！"

夜狼们立刻又消失在黑夜中。月光更凄冷，地上的死人更多。

这次蓝兰已不再问他们自己伤了几人。

她自己走了下来。刚才她已在帘子里看见，自己的人几乎已全都受了伤。

连小马都受了伤。

他用的本就是拼命的招式，夜狼中居然也有几个敢拼命的。

只有常无意还笔直站在那里，衣服上虽然全是血，却不是他自己的血。

夜狼们退走时，他手里的剑也看不见了。

香香扶着轿杆，眼睛里带着种奇怪的表情，吃吃地问道："他……他们还会不会来？"

一句话刚说完，就已倒下。

张聋子立刻冲过去，一只手捏住她鼻下唇上的人中，一只手把住她的脉。

常无意道："她并没有死，只不过中了迷香！"

张聋子松了口气，道："刚才我明明看见小马第一个就已将那个用迷香的人击倒，还踩碎了他的迷香，她怎么会被迷倒的？"

常无意冷冷道："你为什么不问她自己！"

张聋子当然无法问。

香香不但已完全失去知觉，而且连脸色都变成了死灰色。

张聋子的脸色也难看极了，忍不住又问道："谁知道她中的是哪种迷香？"

小马道："是种无药可解的迷香！"

他勉强笑了笑，安慰张聋子："幸好她中的并不深，绝不会死的！"

常无意冷冷道："可是那些人若是再来，她就死定了。"

他说得虽然难听，却是真话。

夜狼们若是再来，来势必定更凶，他们应战还来不及，绝没有人能分身保护她。

老皮哭丧着脸，道："那群狼若是再来，不但她死了，我们只怕都死定了！"

小马道："可是他们死的一定更多。"

他算过，现在夜狼们的死伤，至少已经在五十人以上。

曾珍倒在地上，声音发抖，却还在安慰自己："也许他们的人已经快死光，已不会再来！”

小马道：“也许！”

老皮道：“也许他们马上就会再来！”

小马瞪了他一眼，道：“你为什么总是喜欢说让人讨厌的话？”

老皮道：“因为我不说别人也一样讨厌我！”

蓝兰看着这些浑身沾血、几乎已精疲力尽的人，长长叹息了一声，黯然道：“现在我才知道，狼山真是个可怕的地方！”

其实狼山这地方又岂止是“可怕”二字所能形容的。

小马却大声道：“我倒看不出这地方有他妈的什么可怕！”

“他妈的”三个字本来是他的口头禅，近来他已改了很多，一气之下，又忍不住脱口而出。

蓝兰道：“你看不出？”

小马道：“我只看得出他们已快死光了，我们却还全都活着！”

只要还有一口气，他就绝不会泄气。

只要不泄气，就有希望。

蓝兰看着他，眼睛里渐渐有了泪。他不但自己绝不低头，永不泄气，同时也为别人带来了希望。

可是他们的情况却不太妙。

现在距离黎明还有段时间，夜狼们随时都可能重振旗鼓再来。

何况黎明后还有别的狼，至少还有君子狼。

君子狼据说比夜狼更可怕。

蓝兰道：“现在大家还能不能往前走？”

小马道：“为什么不能？”

他大声接着道：“大家的腿都没有断，没有不能往前走的！”

老皮道：“可是我……”

小马打断了他的话，道：“我知道你受了伤，你不能抬轿子，我抬！”

他虽然也受了伤，伤得也许并不比老皮轻，可是他胸膛还是挺着的。

有种人无论遭受到什么样的打击和折磨，都绝不会求饶。小马就是这种人。

他不但有永远不会消失的勇气，好像还有永远用不完的精力。

于是一行人又开始往前。

大家虽然都伤得不太轻，虽然都很疲倦，可是看见了小马，居然全都振作了起来。

香香还没有醒，所以蓝兰就下来走，让她坐在轿子里。

老皮一路上都在唉声叹气，直到小马说：“你若敢再鬼叫一声，我不但要打碎你的鼻子，还要你来抬轿子。”

珍珠姐妹受的伤虽重，可是她们毕竟还年轻，蓝兰的刀伤药又真的很灵。

所以她们居然还能够支持，听见了小马的这句话，居然还能笑。

——一个人只要还能笑，就有希望。

他们居然走出了很远。

——走得虽然远，还是走不出黑暗。

夜色仍深。

小马抬着轿子，健步如飞，蓝兰一直都在旁边跟着他。

不但跟着他，也在看着他，眼睛里充满了尊敬和爱恋。

张聋子关心的却只有一个人，不时凑到轿子旁边来，听她的动静。

香香还没有动静。

另一顶轿子里的病人咳嗽声也已停止，仿佛已睡着了。

蓝兰轻轻道：“看样子他们好像已不会再来了！”

小马道：“嗯！”

蓝兰道：“可是我们总得找个地方休息休息，否则大家都没法子再支持下去！”

她忽又嫣然一笑，道：“你当然除外，你简直好像是个铁打的人！”

小马在擦汗。

他并不是铁打的人。

他自己知道自己迟早总有倒下去的时候。

可是他不说，也不能说。

蓝兰迟疑着，忽然问道：“假如我嫁给你，你要不要？”

小马闭着嘴。

蓝兰道：“难道你还在想着她？她究竟是个什么样的女人？”

小马的脸色变了。

并不完全是因为她这句话而改变的，也因为他又看见了一个人！

他又看见了那个跛足的黑衣人。

崎岖的山路前面，有一块很高的岩石。

跛足的黑衣人就站在这块岩石上，一双眼睛在夜色中闪闪发光。

殿后的常无意已蹿了过来，压低声音道：“是闯过去，还是停下来？”

小马放下了轿子。

他知道闯不过去。

前面的这块岩石就挡在道路上最险恶之处，一夫当关，他们已经很难闯过。

何况岩石后还不知藏着多少人。

曾珠悄悄地问她姐姐："你怎么样？"

曾珍道："我只想宰了那王八蛋。"

曾珠道："你还能宰人？"

曾珍的回答很干脆："能！"

曾珠道："我们去不去宰？"

曾珍道："去！"

姐妹两个人忽然间就已从轿子旁边冲过去，冲过去时剑已出鞘。

年轻人总是不怕死的，她们不但年轻，简直还是孩子。

孩子更不怕死。

两个孩子，两柄剑，居然想闯上那岩石，宰了那个跛足的黑衣人。

别人想拉住她们，也来不及了。

跛足的黑衣人背负着双手，站在岩石上冷笑。

曾珍道："咱们宰了他，看他还笑不笑得出。"

曾珠道："他笑得比鸭子还丑，我宁可死，也不要看见！"

她们若是死了，当然就看不见了。

她们简直等于是在送死。

她们根本就是去送死！

这跛足的黑衣人虽然没有出手，可是看他的眼神，看他的气势，无论谁都应该看得出他是个高手，而且是高手中的高手。

他占据的岩石地势险恶，而且居高临下。

岩石后必定还有他手下的人。

这些问题珍珠姐妹虽然没想到，幸好还有人想到。

她们还没有抢攻上去，只听见"嗖"的一声，一条人影从她们身旁擦过，忽又停下。

她们还没看清这个人是谁，就已撞在这个人身上。

这个人没有动，她们却被撞得倒退了好几步，险些又一跤跌在地上。

这个人没有回头。

可是珍珠姐妹已看清了他的背影。只要看见他的背影，谁都可以认出他。

他是个很瘦很瘦的人，背稍稍有一点弯，腰干却很直。

他的手很长，垂下来的时候，几乎可达他的膝盖。

无论他背后发生了什么事，他都很少会回头的。

这个人是常无意。

曾珠叫了起来："你想干什么？"

曾珍道："你是不是有毛病？"

常无意不说话，也不回头。

他盯着岩石上这个跛足的黑衣人。

黑衣人还在冷笑，忽然道："你一定有毛病！"

常无意不开口。

黑衣人道："你救了她们，她们反而骂你。没有毛病的人，怎会做这种事？"

常无意不开口。

黑衣人道："其实你救不救她们都一样，反正你们都死定了。"

常无意忽然道："你有手，为什么不自己下来跟我动手？"

黑衣人道："因为我不必。"

这一句话说完，黑暗中就出现了一百个黑衣人——就算没有一百，也有七八十。

跛足的黑衣人道："你的剑很快。"

常无意又闭上了嘴。

跛足的黑衣人道："而且你有把好剑。"

常无意不否认。

无论谁都不能不承认，那柄剑确实是把很难看得到的好剑。

跛足的黑衣人道："抬轿子的那小伙子拳头好像也是双好拳头。"

小马的拳头并不好。

小马的拳头太喜欢揍人，尤其喜欢揍人的鼻子，这种习惯并不好。

而且他的拳头确实太快、太硬。

跛足的黑衣人道："可是我的兄弟们，却还想再试试你们的快剑和拳头。"

他又在咳嗽。

这种咳嗽的声音，当然和轿子里那病人咳嗽的声音不一样。

听见了他的咳嗽声，连珍珠姐妹的脸色都变了。

她们虽然不怕死，可是刚才那两次恶战的凶险惨烈，她们并没有忘记。

至少现在还没有忘记。

这一声咳嗽响起，就表示第三次恶战立刻就要开始。

这一战当然更凶险、更惨烈。

这一战结束后，能站着的还有几个人？

想不到就在他的咳嗽声响起的这一刹那间，远方也同时响起了一声鸡啼。

跛足的黑衣人眼神立刻变了。

猛一挥手，本来已准备往前扑的夜狼们，动作立刻停顿。

远山下已有白雾升起。

云雾凄迷处，又传来一种奇异的乐声，节奏明快而激烈，充满了火一样的热情。

无论情绪多低落的人，听见了这种乐声，心情都会振奋。

岩石上的跛足黑衣人却已不见了，夜狼又消失在黑夜中。

四面鸡鸣不已，黎明已将来临，可是看起来夜色却仍很深。

今夜的黎明为什么来得特别早？

乐声仍在继续。

小马放松了握紧的拳头，才发现掌心已经被冷汗湿透。

蓝兰长长吐出口气。

不管怎么样，这艰苦凶险的一夜，看来总算已过去。

常无意脸上虽然还是全无表情，收缩的瞳孔却已渐渐扩散。

他终于转回身，才发现珍珠姐妹一双发亮的眼睛正在盯着他。

她们蒙面的黑纱早已失落。

她们脸上的伤虽然还没有好，可是这双美丽的眼睛里，却充满了柔情和感激。

两个人忽然冲上去，一边一个抱住了常无意，在他脸上亲了亲。

曾珍道："原来你不是坏人！"

曾珠道："你也不是木头人！"

常无意脸上终于有了表情，谁也说不出那是种什么样的表情。

小马笑了，蓝兰也笑了。

两个人对望一眼，眼波中也充满了柔情蜜意。

生命毕竟还是可贵的。

人生中毕竟还是有许多温情和欢愉。

小马道："他的脸虽冷，一颗心却是热的！"

蓝兰看着他，眼波更温柔，道："你好像也跟他差不多。"

常无意忽然冷冷道："既然大家都还没有死，腿也没有断，为什么不往前走？”

曾珍嫣然道：“现在他无论多凶，我都不怕了。”

曾珠道：“因为现在我们已知道，他那副凶样子，只不过是故意装出来给别人看的！”

她们虽然将声音压得很低，却又故意要让常无意能听得见。

等常无意听见时，她们早已溜得远远的。

小马大笑，抬起了轿子。刚抬起轿子，笑声突又停顿。

他忽然发现黑暗中有三双眼睛在瞪着他。

三双狼一般锐利的眼睛，眼睛里仿佛还带着奇异的欲望。

有生命就有欲望。

可是欲望也有很多种，有的欲望能引导人类前进；有些欲望却能令人毁灭。

这三双眼睛里的欲望，就是种可以令人毁灭的欲望——不但要毁灭别人，也要毁灭自己。

人为什么要毁灭自己？是不是因为他们已迷失了自己？

小马已看出他们就是刚刚从路上迎面走过去的那三个人。

散漫落拓的长发少年。

修长美丽的腿。

雪白坚挺的酥胸。

——他们为什么去而复返？

小马故意不去看他们。其实他心里并不是不想多看看那双美丽的腿。

可是他能控制自己。

经过了一次情感上的痛苦折磨后，他已不再是昔日那一冲动起来就不顾一切的少年。

美腿的少女却还是在盯着他，忽然大声呼唤道："喂！"

小马忍不住道："你在叫谁？"

美腿的少女道："你！"

小马道："我不认得你。"

美腿的少女道："我为什么一定要认得你，才能叫你？"

小马怔住。

没有人一生下来就互相认得的，她说的话好像并不是没有道理。

美腿的少女又再叫："喂！"

小马道："我不叫喂！"

美腿少女道："你叫什么？"

小马道："别人都叫我小马！"

美腿的少女道："我却偏偏喜欢叫你喂，只要你知道我是在叫你就行了！"

小马又怔住。

人与人之间的称呼，本就没有一定的规则。既然有人可以用"先生、公子、阁下"这一类名称叫他，她为什么不能叫他"喂"！

这少女的思想和行为虽然很偏激，很奇特，跟大多数人都不同。

可是她好像也有她的道理存在。

美腿的少女又在叫："喂！"

这次小马居然认了："你叫我干什么？"

美腿的少女道："叫你跟我走！"

小马又怔了怔，道："为什么要我跟你走？"

美腿的少女道："因为我喜欢你！"

这句话更令人吃惊。

小马虽然一向是个洒脱不羁的人，想说什么，就说什么。

可是就连他也想不到她会说出这句话来。

蓝兰忽然道："他不能跟你走！"

美腿的少女道："为什么？"

蓝兰道："因为我也喜欢他，比你更喜欢他。"

这句话说出来，也同样令人吃惊。这种话本来随时都可以让两个人打起来。

谁知美腿的少女却好像觉得这种话很有道理，反而问道："他走了之后，你是不是会很伤心？"

蓝兰道："一定伤心得要命！"

美腿的少女叹了口气，道："伤心不好，我不喜欢要人伤心！"

蓝兰道："那么你就该走！"

美腿少女道："你们两个人可以一起跟我走！"

蓝兰道："为什么要跟你走？"

美腿的少女道："因为我们那里是个很快乐的地方。到了那里，你们一定比现在快乐得多。"

长发的少年已开了口，道："我们那里只有欢笑，没有拘束；只有音乐，没有……"

小马忽然打断了他的话，道："音乐？"

远方的乐声仍在继续。

小马问道："那就是你们的音乐声？"

长发少年道："朝拜祭礼时一定要有音乐！"

礼乐本就是分不开的。

小马的好奇心又被逗了起来，又问道："你们朝拜的是什么？"

长发少年道："太阳。"

小马道："现在还是晚上，晚上哪里有太阳？"

长发少年道："今天我们的朝拜祭礼比平时提早了些。"

小马道："为什么？"

长发少年笑了笑，拍了拍美腿少女的头，道："因为她喜欢你。"

小马立刻明白了。

他们朝拜的乐声一响起，就表示黎明已将来临。

夜狼们就像是鬼魂，黑夜一消逝，他们就必须消逝。

蓝兰抢着道："就算是你救了我们，他也不会跟你走的。"

美腿的少女道："你呢？"

蓝兰道："这里没有人会跟你走！"

美腿的少女道："我不喜欢勉强别人，可是只要你们来，无论谁我们都欢迎！"

她的声音中充满诱惑："你们只要跟着乐声走，就可以找到我们，找到你们平生绝没有享受过的快乐。我保证你们绝不会后悔的！"

她转过身，长袍的开襟吹起，她那双修长美丽的腿就完全裸露了出来。

老皮的眼睛发直，连眼珠子都好像快掉了下来。

另一个少女忽然走过去，走到珍珠姐妹面前。

她一直在盯着她们。

她的眸子里竟似有种令人无法抗拒的魔力，珍珠姐妹竟似已被她看得痴了。

她走到她们面前时，她们竟连动都不能动。她就抱住她们，在她们耳畔里轻轻说了几句话。

她的手在轻轻抚着她们的腰。

珍珠姐妹的目光蒙眬，眼皮沉滞，直到她走了很远都没有醒。

第十章

魔　女

现在三个人都已走了很久，蓝兰才轻轻吐出口气，道：“这两个女人简直是魔女。”

小马笑了笑，道：“你呢？”

蓝兰不理他，却去问珍珠姐妹，道：“她跟你们说了些什么？”

曾珍的脸红了，道：“她……她问我们是不是处女？”

她们当然还是处女。

蓝兰道：“她还说了些什么？”

曾珍的脸更红，吃吃地连一句话都说不出来。

蓝兰还想逼着她说，轿子里的病人又开始不停地咳嗽。

这次他咳得更厉害。本就有很多种病痛，都是在黎明前后发作得最剧烈。

蓝兰的眼睛里立刻充满了关切和忧虑，道：“不管怎么样，现在我们总得先找个地方歇下来！”

她看着常无意。

常无意居然没有反对。他也看得出这些人都需要休息。

可是在这狼山上，又有什么地方能够让他们安静休息？

这里几乎没有一寸土地是安全的。

蓝兰转向张聋子，道：“你到狼山来过？”

张聋子点点头。

多年前他就已来过，那时这座山上还没有这么多狼，所以他还能活着下山。

蓝兰道："这里的人虽然变了，山势总不会变的。"

张聋子承认。

蓝兰道："那么你就应该能想得出一个可以让我们歇下来的地方。"

张聋子道："我正在想。"

他已想了很久，想过了很多地方，只可惜他完全没把握。

突听一个人道："各位不必再想，再想也想不出的，但是我却可以带你们去！"

星月已消沉，东方已渐渐露出了鱼白。

这个人手里却还提着盏灯笼，施施然从岩石后走了出来。

他的衣着和样子看来都像是个生意人，也正是他们到狼山来看到过的最正常的人。

他看来甚至很和气，也很客气。

小马道："你是谁？"

这人笑了笑，道："各位请放心，我只不过是个生意人，不是狼。"

小马道："狼山上也有生意人？"

这生意人道："只有我一个！"

他又笑着解释："就因为只有我一个，所以我才能活得下去！"

小马道："为什么？"

这生意人道："因为我能跟那些狼大爷们做各式各样的生意。若是没有了我这么样一个人，他们有很多事都没有这么方便了。"

他再解释："那些狼大爷们只会杀人抢钱，不会做生意！"

小马道："你做的是什么生意？"

这生意人道："什么样的生意我都做。我替他们收货，替他们卖出去，我还替他们找女人！"

小马笑了："这件事的确重要得很。"

生意人笑道："简直比什么事都重要。"

小马道："所以他们舍不得杀你！"

生意人道："他们要杀我，只不过像捏死只蚂蚁。捏死只蚂蚁有什么用？"

小马道："没有用！"

这生意人道："所以这几年来我都太平得很！"

小马道："你准备带我们到哪里去？"

生意人道："太平客栈！"

小马道："狼山上也有客栈？"

生意人道："只有这一家。"

小马道："这家客栈是谁开的？"

生意人道："我开的。"

小马道："你那里真的很太平？"

生意人笑道："只要走进我那家客栈，我就负责各位太平无事！"

小马道："你有把握？"

生意人道："这是我跟他们约好的，连朱五太爷都答应了！"

无论谁都知道朱五太爷说出来的话就是命令，没有人敢违抗他的命令。

以前没有，以后也不会有。

这生意人道："朱五太爷有时也会要我替他做点事，而且他老人家也知道，要闯狼山的人，一定有急事，谁也不会在我那里住一辈子！"

小马道：“所以他们要下手，机会还多得很。”

这生意人道：“所以他们肯让我做点小生意，因为这对他们根本没有妨碍！”

小马道：“好，这趟生意你已做成了！”

生意人道：“现在还没有！”

小马道：“还没有？”

这生意人笑道：“不瞒各位说，我那里只接待一种人，我还得看看各位是不是那种人。”

小马道：“哪种人？”

生意人道：“有钱的人，很有钱的人！”

他又赔笑解释：“因为我那里无论什么东西都比别的地方贵一点！”

小马道：“贵多少？”

生意人道：“有些人说我那里连一杯酒都比别的地方贵一二十倍，其实他们是在冤枉我。”

小马道：“其实你比别的地方贵多少？”

生意人道：“只贵二十八倍。”

小马笑了，蓝兰也笑了。

生意人看着他们，道：“却不知各位究竟是哪种人？”

蓝兰道：“是有钱人，很有钱的人！”

她真的是。

她随随便便从身上拿出张银票，就是一万两银子，她随随便便就给了生意人，就好像给的只不过是张破纸。

小马道：“这够不够我们住半天？”

一万两银子已经可以买一栋很好的房子，在里面住上三五百日都不会有问题。

这生意人却道："只要各位吃得随便一点，喝的酒也不太多，勉强也许够了！"

小马大笑："现在我才相信你真的不是狼，是人。"

生意人道："为什么？"

小马道："因为只有人才会这么样吃人！"

太平客栈真的很像是间客栈。

只不过很像而已。

最像的地方就是挂在门口的一块大招牌，上面真的写着"太平客栈"四个大字。

除了这一点外，别的地方就不太像了。

最不像的是它的房子。

一栋东倒西歪的破屋子，只有一个满头癞痢的小伙计。

生意人道："这是我儿子！"

癞痢头的儿子，也是自己的好。

生意人道："我老婆已经被我赶走了，我老婆不是个好东西！"

老婆总是别人的好。

生意人道："我们这里有八间客房，还有个大饭厅。"

饭厅的确不太小，至少总比那些豆腐干一样的客房大一点。

生意人道："我们这里的酒菜都是第一流的，所以随便什么时候都有客人！"

这句话倒是真话。

现在才刚刚天亮，这里已经有了客人。

只有一个人。

一个又干又瘦的老头子，穿着件用缎子做成的棉袍子。

现在才九月，天气还很热。

他穿的却是件棉袍子，而且还穿棉袍子喝酒，喝了至少有三五斤酒。

可是他脸上连一颗汗珠子都没有。

他脸上在闪着光。

旱烟袋的火光！

一根五尺长的旱烟袋，比小孩子的手膀还粗，无论谁都应该看得出是纯钢打成的。

烟斗更可怕，里面补的烟丝就算没有半斤，也有六两。

照张聋子估计，这根旱烟袋至少有五十多斤重；照小马的估计，就有八九十斤了。

这么重的一根旱烟袋，被这么样一个又干又瘦的老头子拿在手里，却好像拿着根稻草一样。

他闪着光的脸虽然枯瘦蜡黄，布满了皱纹，却带着种说不出的慑人气概。

他就这么样随随便便地坐在那里，气派之大，已很少有人能比得上。

卜战！

狼山上最老的一匹狼！

每个人都已认出他是谁了。他一双炯炯有光的眼睛也在盯着这些人，忽然问："是谁杀了铁三角？"

"我！"

这个字并不是一个人说出来的，小马和常无意都在抢着认这笔账。

他们都看得出这匹老狼是来算账的，也看得出珍珠姐妹的剑，绝对接不住他这旱烟袋。

卜战在冷笑。

小马抢着道："我杀的人还不止铁三角一个，你要算这笔账，尽管来找我。"

卜战道："我听说过你！"

小马道："我就叫小马。"

卜战冷冷道："你不是马，你是头驴。"

小马也在冷笑。

卜战道："只有驴子才会做这种驴事，抢着要把别人的账算在自己身上。"

他不让小马开口，又道："你用的是拳头，铁三角却死在剑下。"

小马道："可是我……"

卜战又打断了他的话，道："他要宰你们，你们当然只有宰他，这本是天公地道的事！"

小马道："想不到你这人居然懂得公道两字。"

卜战道："这笔账本来并没有什么可算，只不过……"

他的手握紧："只不过他实在死得太惨，我老头子实在忍不住想看看，那种阴毒狠辣的剑法，是什么人使出来的……"

常无意闭着嘴，却抽出了剑。

一柄精光四射、寒气逼人的软剑，迎风一抖，就伸得笔直。

卜战道："好剑！"

常无意冷冷道："是好剑！"

卜战道："好，我等你！"

常无意道："等我？"

卜战道："等你睡一觉，等你走。"

常无意道：“你不必等！”

卜战道：“这里不是杀人的地方。”

常无意道：“我现在就可以跟你出去。”

卜战盯着他，霍然长身而起，大步走出了门。常无意已经在门外等着他。

珍珠姐妹还是痴痴迷迷的，这件事就好像跟她们完全没关系。

蓝兰压低声音，悄悄地问：“你看他有没有关系？”

小马握紧拳头，闭着嘴。

这一战是谁胜谁负，他完全没把握。

那生意人却笑道：“没关系，没关系，少了一个人，各位反而有好处。”

小马瞪着他，道：“有什么好处？”

那生意人道：“少了一个人的开销，各位至少可以多喝几杯酒！”

凌晨，有雾。

晨雾凄迷，连山风都吹不散。

卜战身上的棉袍子已被风吹了起来，他的人却峙立如山岳。

他一双脚不丁不八，就这么样随随便便往那里一站，气势已非同小可。

只有身经百战、杀人无数的好手，才能显得出这种气概。

常无意也没有动。

他的对手还没有动，他绝不先动。

卜战又端起旱烟管，深深吸了一口。烟袋里的烟丝又闪出了火光。

他冷冷地看着常无意，道：“我看得出你是个好手。”

常无意不否认。

卜战道：“所以你也应该看得出，我这烟斗里的烟丝，也是杀人的暗器。”

常无意看得出。

这种燃烧着的炽热烟丝，实在比什么暗器都霸道可怕。

卜战道：“我出手绝不会留情，你也尽管把那些阴毒的剑招使出来。”

常无意冷冷道：“我会使出来的！”

卜战道：“我若也死在你剑下，我那些徒子徒孙们绝不会再来找你们的麻烦！”

常无意道：“很好！”

卜战冷笑道：“你就算剥了我的皮，我也绝不怨你。”

常无意道：“你的皮可以留着。”

卜战道：“哦？”

常无意道：“因为你的皮并不厚。”

他剥皮，可是他只剥一种人的皮。

皮厚的人！

卜战又盯着他看了很久，道：“很好！”

很好！

这就是他们说的最后两个字。

就在这一瞬间，五尺一寸长、五十一斤重的旱烟袋已横扫出去。

旱烟袋通常只不过是点穴、打穴的兵器，用的招式跟判官笔点穴差不多。

可是他这根旱烟袋施展起来，不但有长枪大戟的威力，其中居然还夹杂着铁拐、金鞭、宣花巨斧一类重兵器的招式。

那些炽热的烟丝，随时都可能打出来。烟斗中闪动的火光，也可以炫人眼目。

小马心里在叹气。

就连他都没有看见过这么霸道的外门兵器。他实在有点替常无意担心。

现在卜战已攻出十八招，常无意却连一招都没有回手。

旱烟袋虽然并没有沾上他一点，可是这种现象并不好。

他的剑法本来一向是招招抢攻，绝不留情的，此刻竟似已被逼得出不了手。

一柄又轻又狭的软剑，要想在这种霸道的招式下出手，实在不是件容易事。

忽然间，“蓬”的一声响，一片发光的烟丝，随着大烟斗的泰山压顶之势，向常无意打了下去。

常无意仿佛已被逼入了死角，他的剑仿佛已根本无法出手。

谁知就在这时，他偏偏出手了。

他的剑忽然又变得柔若游丝，笔直的剑光变成了无数个光圈。

闪动的光圈，一圈圈绕上去，火热的烟丝立刻消失不见。

又是“叮”的一声响，剑光击上烟斗，火星四散，剑锋居然又笔直地弹了出去。

小马立刻明白了他的意思。

他一定要卜战先将他逼入死地才出手。

高手交锋，有时就正如大军对决，要先置之死地而后生。

因为对方的势比他强，气比他盛，他只有用这种法子。

小马心里很佩服。

他忽然发现常无意这两年来不但多了把好剑，剑法也精进了许多。

真正高明的剑招，有时并不在剑上，而在心里。

这一剑并不以势胜，而以巧胜；并不以力胜，而以智胜。

他胜了！

第十一章

狼君子

剑锋弹出，贴着烟管弹了出去。

卜战凌空翻身，衣袂飞舞，一根五十一斤重的旱烟袋，却已不在手里。

他不能不撒手。

若是不撒手，剑锋势必要削断他的手。

没有了兵刃，总比没有手好。

可是高手交锋，连兵器都撒了手，也是种不可忍受的奇耻大辱。

卜战身子落地时，脸上已无人色，连那种不可一世的气概都没有了。

常无意剑已入腰，剑已入鞘。

卜战忽然厉声道："再拔出你的剑来。"

常无意冷冷道："你还要再战？"

卜战道："剑是杀人的，不战也可杀人！"

常无意道："我说过，你可以留下你的皮。人若死了，哪里还有皮可以留得下来！"

卜战的手虽然握得很紧，却在不停地发抖。

他忽然变得苍老而衰弱。

他只有走。

虽然他想死，也许他真的宁愿死在常无意剑下，怎奈常无意的剑已入鞘。

死，毕竟不是件容易的事。

虽然他已是个老人，生命已无多，也就因为他已是个老人，才懂得生命值得珍惜。

雾已淡了，卜战的身影已消失在雾里。旱烟袋虽然还留在地上，烟斗里的火光却已熄灭。

蓝兰眼睛里却在发着光，道："这次他一走，以后只怕就绝不会再来！"

小马道："非但他不会再来，他的徒子徒孙也不会。"

他们都看得出这匹老狼不但有骨头，而且骨头还很硬。

站在他们旁边的生意人忽然笑道："现在人虽然没有少，各位还是可以多喝两杯酒！"

小马故意问："为什么？"

生意人赔笑着道："因为这位大爷的剑法，我实在很佩服！"

突听身后一个人道："我也很佩服！"

他们转回身，才发现屋里又多了一个人，一个儒服高冠、手摇折扇的君子。

狼君子毕竟还是来了。

九月十三，晨。

晴有雾。

太平客栈的饭厅里，看起来好像真的很太平。

大家都太太平平地坐着，看起来都好像很客气的样子。

尤其是狼君子更客气。

最不客气的是小马，眼睛一直瞪着他，拳头随时都准备打出去。

温良玉好像根本没看见，微笑着道："这一夜各位都辛苦了。"

小马道："哼！"

蓝兰嫣然笑道："辛苦虽然辛苦了一点，现在大家总算还都很太平。"

温良玉道："郝老板！"

生意人立刻赶过来，赔着笑道："小的在！"

温良玉道："先去做些点心小菜来，再去温几斤酒，账算我的！"

郝生意道："是！"

小马忽然冷笑，道："郝生意的生意虽然做成了，你的好生意却还没有做成，何必先请客？"

温良玉笑道："生意归生意，请客归请客，怎么能混为一谈？"

小马道："就算生意做不成，客你也要请？"

温良玉道："各位远来，在下多少总得尽一点地主之谊。"

小马道："好，拿大碗来！"

蓝兰柔声道："你一夜没有睡，肚子又是空的，最好少喝点。"

小马道："不喝白不喝，喝死算了！"

温良玉拊掌笑道："正该如此，现在若不多喝些，没有了拳头时，喝酒就不太方便了！"

小马道："你真的想要我这双拳头？"

温良玉微笑。

小马道："好，我给你！"

一句话没说完，他的拳头已打了过去。

他的拳头不但准，而且快。

快得要命！

谁知温良玉却好像早就算准了这一招，身子一滚，连人带凳子都到八九尺外。

他并没有生气，还是带着微笑道："酒还没有喝，难道阁下就已醉了？"

蓝兰道："他没有醉！"

温良玉并不反对，也不争辩，道："也许他只不过天生喜欢揍人而已！"

蓝兰笑了笑，笑得很迷人，道："你又错了。"

温良玉道："哦？"

蓝兰道："他并不是真的喜欢揍人，他只不过真的喜欢揍你。"

温良玉道："哦？"

蓝兰道："不但他喜欢揍你，这里的人只怕个个都很想揍你。"

常无意道："我不想！"

蓝兰道："你真的不想？"

常无意道："我只想剥他的皮！"

温良玉居然还是不生气，还是带着笑道："听说令弟的病很重。"

蓝兰道："嗯。"

温良玉道："令弟真的是姑娘嫡亲的弟弟？"

蓝兰道："嗯。"

温良玉道："这位马公子也是？"

蓝兰摇摇头。

温良玉道："那么令弟的一条命，难道还比不上他的一个拳头？"

蓝兰道："只可惜他的拳头是长在他自己的手上的。"

温良玉笑了笑，道："姑娘这么说，就未免太谦虚了。"

蓝兰道："为什么？"

温良玉道："姑娘的暗器功夫精绝，在下平生未见。"

他一句话就揭破了她的秘密。

蓝兰的脸色居然没有变，道："阁下果然好眼力。"

温良玉道："姑娘身旁的几位小妹妹，也全都是身怀绝技的高手，若想要什么人的一个拳头，只不过像是探囊取物而已！"

蓝兰也笑了笑，道："我们现在若是想要你的一个拳头，是不是也像探囊取物呢？"

温良玉笑得已有点不太自然，道："看来在下这趟生意是真的做不成了！"

蓝兰淡淡道："好像是的。"

温良玉道："却不知姑娘何时离开这里？"

蓝兰道："我们反正又不会在这里住一辈子，迟早总是要走的。"

温良玉道："很好，在下告辞。"

他抱拳站起，展开折扇，施施然走出去。

小马忽然大喝道："等一等！"

喝声中，他的人已挡住了门。

温良玉神色不变，道："阁下还有何见教？"

小马道："你还有件事没有做。"

温良玉道："什么事？"

小马道："付账！"

温良玉又笑了。

小马道："生意归生意，请客归请客，这话是你自己说的！"

温良玉并不否认。

小马道："不管你说出来的话算不算数，你不付账，就休想走出这扇门！"

温良玉立刻就轻摇着折扇，施施然走回去，慢慢地坐下，悠然道："我只希望你能明白几件事。"

小马在听着。

温良玉道："我睡足了，你们却极需休息；我很有空，你们却急着要过山。这么样耗下去，对你们并没有好处。"

他微笑着，又道："这里是太平客栈，谁也不许在这里出手伤人。你们自己若是破坏了这规矩，狼山上就没有你们存身之地了！"

小马的脸都气红了。

他生气，只因为他知道温良玉并不是在唬他。

这是真话。

张聋子道："这次客你真的不请了？"

温良玉道："现在各位既然已不再是我的客人，我为什么还要请？"

张聋子道："好，你不请，我请！"

温良玉大笑，折扇一挥，急风扑面，刺得人眼睛都张不开。

等到大家眼睛再张开时，他的人已不见了。

蓝兰忍不住叹了口气，道："好功夫！"

郝生意笑道："姑娘好眼力。除了朱五太爷外，狼山上就数他功夫最好！"

蓝兰道："你见过朱五太爷？"

郝生意道："当然见过。"

蓝兰道："要怎样才能见到他？"

郝生意迟疑着，反问："姑娘想见他？"

蓝兰道："听说他是个很了不起的人，而且一诺千金，所以我想……"

她眼睛里闪着光："假如我们能见到他，假如他答应放我们走，就绝不会有人来阻拦我们了。我们要想平安过山，也许这才是最好的法子。"

郝生意道：“这法子的确不错，只有一点可惜！”

蓝兰道：“哪一点？”

郝生意道：“你永远也见不到他的。狼山上最多也只不过有五六个人知道他住在哪里！”

蓝兰道：“你也不知道？”

郝生意赔笑道：“我是个生意人，我只知道做生意。”

酒菜已来了。

一碟炒合菜、几个炒蛋、几张家常饼、一小盘卤牛肉、一锅绿豆稀饭，再加上半坛子酒。

郝生意笑道：“这一顿我特别优待，只算各位一千五百两银子。”

他笑得很愉快。

因为他知道这竹杠一敲下去，不管敲得多重，别人也只有挨着。

小马看看张聋子，道：“你几时发了财的，为什么抢着要请这顿客？”

张聋子苦笑，道：“我只不过急着要那小子赶快走！”

因为他急着要照顾香香。

小马总算没有再开口。

小马了解张聋子，他并不是个很容易就会动感情的人。

现在他已老了。老年人若是对年轻的女孩子有了感情，通常都是件很危险的事，可是小马并不想管这件事。他一向尊重别人的情感——

无论什么样的情感，只要是真的，就值得尊重。

香香已被抬进了屋子，一间并不比鸽子笼大多少的破屋子。

她还没有醒。

珍珠姐妹本是应该来照顾她的，可是她们自己也睡着了。

张聋子没有睡着，一直都坐在她的床头，静静地看着她。

轿子里的病人还在轿子里，他们直接将轿子抬入了最大的一间客房。

据蓝兰道："我弟弟不能下轿子，只因为他见不得风。"

这屋里好像并没有风。

小马刚躺下去，又跳起来，他忽然发觉心里有很多事都应该找个人聊聊。

张聋子并没有陪他聊的意思，一点这种意思都没有。

他只有去找常无意。

轿夫睡在后面的草棚里，所以他们每个人都能分配到一间客房。

破旧的木板房，破旧的木板床，床上铺着条破旧的草席。

常无意躺在床上，瞪着小马。

他看得出小马有事来找他，可是别人不先开口，他也绝不开口。

小马迟疑着，在他床边的凳子坐下，终于道："这次是我拖你下水的！"

常无意冷冷道："拖人下水，本来就是你最大的本事。"

小马苦笑道："我知道你不会怪我，可是我自己现在都有点后悔了！"

常无意道："你也会后悔？"

小马点点头，居然还叹了口气，道："因为我现在虽然已经跳在水里，却连自己究竟是在干什么都不知道！"

常无意说道："我们是在保护一个病人过山去求医。"

小马道："那病人究竟是个什么样的人？为什么不肯露面？真的是因为见不得风？还是因为他见不得人？"

他又叹了口气，道："现在我甚至连他是不是真的有病，都觉得有点可疑了！"

常无意盯着他，冷冷道："你几时变得如此多疑的？"

小马道："刚才变的。"

常无意道："刚才？"

小马道："刚才你跟卜战交手时，我好像看见那顶轿子后面有人影一闪！"

常无意道："是个什么样的人？"

小马道："我没看清楚。"

常无意道："他是要蹿入那顶轿子，还是刚蹿出来？"

小马道："我也没看清楚。"

常无意冷冷道："你几时又变成了瞎子？"

小马苦笑道："我的眼力并不比你差，可是那条人影的动作实在太快，简直比鬼还快！"

常无意道："也许你是真的见了鬼！"

小马道："所以我还想再去见见。"

常无意道："你想去看看那顶轿子里究竟是什么人？"

小马道："现在大家好像都已睡着了，只有蓝兰可能还留在那屋里。"

常无意道："就算她还在那里，你也没有法子把她支开。"

小马道："我们甚至可以霸王强上弓，先揭开那顶轿子来看看再说！"

常无意盯着他，道："你真的想去？"

小马道："不去的是小狗！"

常无意忽然间就从床上跳了起来，道："不去的是王八蛋。"

第十二章

法　师

太平客栈里一共有八间客房，最大的一间在东边，三面都有窗。

窗子都是关着的，关得很严，连缝隙都被人用纸条在里面封了起来。

小马在外面轻轻敲了敲窗子，里面连一点动静都没有。

常无意已找来一根竹片，先用水打湿了，从窗隙里伸进去，划开了里面的封条。

先用水打湿，划纸时才不会有声音，然后他们就挑开了窗里的木闩。

对他们来说，这并不是什么困难的事。

他们并不是君子。

屋子居然已被收拾得很干净，床上已换了干净的被单。

可是床上没有人。

蓝兰并没有在这里。只有那顶轿子摆在屋子中间，里面也没有声音。

小马和常无意对望了一眼，同时蹿过去，闪电般出手，拉开了轿上的帘子。

两个人的手忽然变得冰冷。

这顶轿子竟是空的，连条人影都没有。

他们浴血苦战，拼了命来保护的，竟只不过是顶空轿子。

——如果轿子里一直没有人，怎能会有咳嗽的声音传出来？

——如果轿子里的人真有病，现在到哪里去了？

常无意沉着脸，道："你刚才看见的不是鬼！"

小马握紧双拳，道："可是我们真的遇见个女鬼！"

常无意道："蓝兰？"

小马道："她不但是个女鬼，还是个狐狸精！"

这次常无意对他说的话居然也表示很同意。

小马道："你看她这样做究竟有什么目的？"

常无意道："我看不出。"

小马道："我也看不出。"

常无意道："所以我们现在就应该回去睡觉，假装根本不知道这回事！"

鬼总是要现形的。

狐狸精也迟早会露出尾巴来。

他们又找来几条纸，封上了刚才被他们挑破的窗子，才悄悄地开门走出去。

做这种事的时候，他们一向很小心。他们并不是君子，也不是好人。

门外静悄悄的，不见人影。小马悄悄地返回了自己的房间，刚推开门，又怔住。

他房里居然有个人。

木板床上的破草席不知何时不见了，已换上了雪白干净的被单。

蓝兰就躺在这床薄被里，看着他。

她身子显然是赤裸着的，因为她的衣服都摆在床头的凳子上。

她的眼波蒙眬，仿佛已醉了，更令人醉。

小马却好像没看见屋里有她这么样一个人，关上门就开始脱衣裳。

蓝兰的眼波更醉，悄悄地问：“刚才你到哪里去了？”

小马道：“我喝得太多，总得放点出来！”

蓝兰嫣然道：“现在你还可以再放一点出来！”

小马故意装不懂：“你不睡在自己房里，到我这里来干什么？”

蓝兰道：“我一个人睡不着！”

小马道：“我睡得着！”

蓝兰道：“你是不是在生气？生谁的气？”

小马不开口。

蓝兰道：“难道你也怕常剥皮剥你的皮？”

小马不否认。

蓝兰道：“可是他只说不许男人碰女人，并没有说不许女人碰男人，所以……”

她笑得更媚：“现在我就要来碰你了！”

她说来就来，来得很快。

一个暖玉温香的身子，忽然就已到了小马怀里。

她的嘴唇是火烫的。

小马本来想推开她，忽然又改变了主意——

被人欺骗总不是件好受的事。

这岂非也是报复方法的一种。

他报复得很强烈！

蓝兰火烫的嘴唇忽然已冰冷，喘息已变为呻吟。

她是个真正的女人，男人梦想中的女人。

她具有一个女人所能具备的一切条件，甚至比男人梦想中还好很多。

她的嘴唇热了很多次，又冷了很多次。

小马终于开始喘息。

她的呻吟也渐渐地变为喘息，喘息着道："难怪别人说你是条汉子，你真的是！"

这是句很粗俗的话，可是在此时此刻听来，却足以令人销魂。

小马的心已软了。

——她至少没有出卖他。

——她本来可以跟狼君子谈成那笔生意的。

——她对他的热情并不假。

现在他想起的，只有她的好处。

屋子里平和安静，紧张和激动都已得到松弛。这本就是男女间情感最容易滋生的时候。

他忽然问："轿子里为什么没有人？"

这句话一问出来，他已经在后悔。只可惜话一说出来，就再也收不回去。

想不到的是，蓝兰并没有吃惊，反问道："你是不是想看看我二弟？"

小马道："只可惜我看不见！"

蓝兰道："那只因为他并不在你去看的那顶轿子里。"

——她知道他们去看过？

小马道："他在哪里？"

蓝兰道："他在我房里那顶轿子里。他病得很重，我对他不能不特别小心！”

小马冷笑。

蓝兰道：“我故意将一顶空轿子摆在最好的那间客房里，却将他抬入了我的房间。我到这里来的时候，就叫珍珠姐妹去守着他。”

小马冷笑。

蓝兰道：“你不信？”

小马还是在冷笑。

蓝兰忽然跳起来，道：“好，我带你去见他！”

不管她是女鬼也好，是狐狸精也好，这次她居然真的没有说谎。

她房里真的有顶轿子，轿子里真的有个人。

她轻轻抓起帘子，小马就看见了这个人。

现在是九月。

九月天气并不冷。

轿子里却铺了虎皮。就算在最冷的天气，一个人躺在这么多虎皮里，都会发热。

这个人却还在发冷。

他还是年轻人，可是脸上却完全没有一点血色，也没有一点汗。

他还在不停地发抖。

他很年轻，可是头发眉毛都已开始脱落，呼吸也细若游丝。

无论谁都看得出他真的病得很重，很重很重。

小马也看得出。

所以现在他心里的感觉，就好像一个刚偷了朋友的老婆，这朋友却还是把他当好朋友的人。

虽然并不完全像，至少总有点像。

蓝兰道："这是我弟弟，他叫蓝寄云。"

小马看着他苍白憔悴的脸，很想对他笑笑，却笑不出。

蓝兰道："这就是拼了命也要保护我们过山的小马。"

蓝寄云看着小马，目光充满了感激，忽然伸出手握住小马的手道："谢谢你。"

他的声音衰弱如游丝。

他的手枯瘦而冰冷，简直就像是只死人的手。

握住了这只手，小马心里更难受，吃吃地想说几句安慰他的话，却连一个字都说不出。

病人又开始在咳嗽，连眼泪都咳了出来。

小马也看得快掉眼泪了，终于挣扎着说出五个字："你……你多保重。"

病人勉强笑了笑，也想说话，可是眼帘已慢慢阖起。

蓝兰轻轻地放下帘子。小马早已悄悄地退了出去，只恨不得找个地洞钻下去。

蓝兰出来的时候，他眼睛还是红红的，忽然道："我不是汉子，我是条猪！"

蓝兰柔声道："你不是。"

小马道："我是！"

蓝兰嫣然道："你又不肥，怎么会是猪？"

小马道："我是条瘦猪！"

他抬起手，好像准备重重地给自己两个耳光。

蓝兰已握住他的手，将面颊贴在他胸膛上："我知道你心里难受，我心里也很难受，可是……"

她又抬起头，仰视着他："可是只要我们能保护他平安过山，我们……"

小马打断了她的话，大声道："我若做不到这件事，我就自己一头撞死！"

蓝兰的手轻轻抚着他的手，嘴唇也轻轻吻着他的脸。

他忽然发现她的手冰冷，嘴唇也冰冷，而且在发抖。

现在并不是刚才，激情刚过去的时候，她的手和唇为什么会这么冷？

小马道："你还在气？"

蓝兰道："嗯。"

小马道："我……"

蓝兰道："我不是在气你！"

小马道："你在气谁？"

蓝兰道："我再三吩咐她们，叫她们守在这里，可是现在她们居然连人影子都看不见了。"

小马这才想到房里只有她弟弟一个人，珍珠姐妹果然已不见人影。

她们实在不该走的。

蓝兰道："就算她们有什么急事，也不该两个人一起走的！"

小马道："也许她们很快就会回来。"

她们没有回来。

过了很久很久，她们还是不见人影。

找遍了整个太平客栈，都找不到她们的人。

非但找不到她们，连老皮都不见了。

九月十三，正午。

晴，时多云。

阳光从远山外照过来，照进窗户，照在常无意苍白冷酷的脸上。

张聋子站在窗口发呆，小马和蓝兰坐在屋子里发呆。

他们在等老皮和珍珠姐妹的消息，这三个人却连一点消息都没有。

常无意冷冷道："我早就说过他根本不是人。"

小马苦笑道："但我却可以保证，珍珠姐妹绝不是被他拐走的。"

常无意冷笑道："不是？"

小马道："他还没有这么大的本事。"

他站起来，又坐下，忽然问道："你还记不记得那个有双漂亮大腿的女孩子？"

常无意当然记得。

那么美的腿并不是时常都能看得到的。只要是男人，想不看都很难。

小马道："你还记不记得她说的话？只要我们去找她，她随时都欢迎。"

她说这句话的时候，她的腿正好是完全裸露的，仿佛也在对他们表示欢迎。

蓝兰叹了口气，道："那女人实在是个魔女。我若是男人，说不定也会忍不住要去找她。"

他们还记得老皮看着那双腿时眼睛里的表情，也记得另外一个女孩子对珍珠姐妹做的事。

她们不喜欢用暴力，可是这种原始而邪恶的诱惑，却远比暴力更可怕。

小马也在叹息，道："其实我早就应该知道他们受不了这种诱惑的。"

常无意道："我只知道一件事。"

小马道："什么事？"

常无意道："多了他们三个人并不算多，少了他们三个也不算少。"

小马道："难道你准备就这么样把他们抛下？"

常无意道："难道你还想去找他们？"

小马道："我想。"

常无意道："你还想不想过山？"

小马闭上了嘴。

忽然间，一个女孩子，吃吃地笑着，摇摇晃晃地走进来。

她还年轻，长得也很美，身上穿着件用麻袋改成的长袍，却已有一半被鲜血染红。

可是她笑得仍然很开心，一点都看不出受了伤的样子。

她开心地笑着，向每个人打招呼，就好像跟他们是老朋友一样打招呼，看来对任何人都没有恶意。

小马心里在叹息。

他看得出她也是一匹狼，一匹完全迷失了自己的嬉狼。

她的瞳孔扩散，眼睛里充满了一种无知的迷惘，忽然走过去，一屁股坐在小马身上，轻抚着小马的脸，梦呓般低语。

"你长得真好看。我喜欢好看的男人，我喜欢……我喜欢。"

小马没有推开她。

一个人能够有勇气说出自己心里喜欢的事，绝不是罪恶。

他忍不住问："你受了伤？"

她衣襟上的血还没有干，却不停地摇头，道："我没有，我没有。"

小马道："这些血是哪里来的？"

她痴笑着，道："这不是血，是我的奶，我要给我的宝贝吃奶。"

染血的衣襟忽然被掀开，露出了鲜血淋漓的胸膛。

她纤巧坚挺的乳房竟已剩下一半。

小马的手冰冷。

她还在吃吃地笑。

这种痛苦本不是任何人所能忍受的，她却好像完全感觉不到。

“你猜我另外一半到哪里去了？”

小马猜不出，也不愿猜。

“到法师肚子里去了。”

她笑得又甜又开心：“他是我的宝贝，他喜欢吃我的奶，我也喜欢给他吃。”

小马冰冷的手紧按着自己的胃，几乎已忍不住要呕吐。

——狼山上还有个头目叫法师。他是个和尚，从来不吃肉，猪肉、牛肉、鸡肉、羊肉、鹿肉，他都不吃。

他只吃人肉。

蓝兰已开始在呕吐。

剩下的一半乳房还是坚挺着的，她忽然送到小马面前。

“我也喜欢你，你也是我的宝贝，我也要给你吃我的奶。”

小马叹了口气，忽然挥拳打在她下颚间。

她立刻晕了过去。

小马看着她倒下，苦笑道：“我本不该这么对你的，可是我想不出别的法子。”

要解决她的痛苦，这的确是种最直接、最有效的法子。

郝生意终于也出现了，看着晕倒在地上的少女，摇头叹息，喃喃道：“好好的一个女孩子，为什么偏偏要吃草？”

小马道：“她吃草？”

郝生意道：“吃得很多。”

小马更奇怪：“吃什么的人我都见过，可是吃草的人……”

郝生意道："她吃的不是普通那种草。"

小马道："是哪种？"

郝生意道："是种要命的毒药。"

他叹息着解释："这里的山阴后长着种麻草，不管谁吃了后，都会变得疯疯癫癫、痴痴迷迷的，就好像……"

小马道："就好像喝醉酒一样？"

郝生意道："比喝醉酒还可怕十倍。一个人酒醉时心里总算有三分清醒，吃了这种麻草后，就变得什么事都不知道，什么事都做得出了。"

小马道："吃这种草也有瘾？"

郝生意点点头，道："据说他们那些人连一天不吃都不行。"

小马道："他们那些人是些什么人？"

郝生意道："是群总觉得什么事都不对劲，什么人都看不顺眼的大孩子。"

——他们吃这种草，就是为了要麻醉自己，逃避现实。

小马了解他们，他自己心里也曾有过这种无法宣泄的忧郁和苦闷。

一种完全属于年轻人的忧郁和苦闷。

可是他没有逃避。

因为他知道逃避绝不是解决问题的好法子，只有辛勤的工作和不断的奋斗，才能真的将这些忧郁苦闷忘记。

他俯下身，轻轻地掩起了这少女的衣襟。

想到那个吃人肉的法师，想到那个人的可恶与可恨，他的手又冰冷。

他忽然问："你见过法师？"

郝生意道："嗯。"

小马道："什么人的肉他都吃？"

郝生意叹道："如果他有儿子，说不定也已被他吃了下去。"

小马恨恨道："这种人居然还能活到现在，倒是件怪事。"

郝生意道："不奇怪。"

小马冷笑道："你若有个儿子女儿被他吃了下去，你就会奇怪他为什么还不死了。"

郝生意道："就算我有个儿子女儿被他吃了下去，我也只有走远些看着。"

他苦笑，又道："因为我不想被他吃下去。"

小马没有再问，因为这时门外已有个人慢慢地走进来。

一个态度很严肃的老人，戴着顶圆盆般的斗笠，一身漆黑的宽袍长垂及地，雪白的胡子使得他看来更受人尊敬。

郝生意早已迎上去，恭恭敬敬地替他拉开了凳子，赔笑道："请坐。"

老人道："谢谢你。"

郝生意道："你老人家今天还是喝茶？"

老人道："是的。"

他的声音缓慢而平和，举止严肃而拘谨，无论谁看见这样的人，心里都免不了会生出尊敬之意。就连小马都不例外。

他实在想不到狼山上居然也会有这种值得尊敬的长者。

他只希望这老人不要注意到地上的女孩子，免得难受伤心。

老人没有注意。

他端端正正地坐着，目不斜视，根本没有看见任何人。

郝生意道："今天你老人家喝香片，还是喝龙井？"

老人道："随便什么都行，只要泡浓些，今天我吃得太多太腻。"

他慢慢地接着道："看见年轻的女孩子，我总难免会吃多一点的，小姑娘的肉不但好吃，而且滋补得很。"

小马的脸色变了，冰冷的手已握紧。

第十三章

太阳湖之祭

老人却连看都不看他一眼，态度还是那么严肃而拘谨。他用一只手慢慢地解开了系在下颚的丝带，脱下了那顶圆盆般的斗笠，露出了一颗受过戒的光头，看来又像是位修为功深的高僧。

小马忽然走过去，拉开他对面的椅子坐下，道："你不喝酒？"

老人摇头。

小马道："据说吃过人肉后，一定要喝点酒，否则肚子会疼的。"

老人道："我的肚子从来不疼。"

小马冷冷道："现在说不定很快就会疼了。"

老人终于抬头看了他一眼，慢慢地摇了摇头，道："可惜可惜。"

小马道："可惜什么？"

老人道："可惜我今天吃得太饱。"

小马道："否则你是不是还想尝尝我的肉？"

老人道："我用不着尝，我看得出。"

他慢慢地接着道："人肉也分好几等，你的肉是上等。"

小马笑了，大笑。

郝生意则端着茶走过来。满满一大壶滚烫的浓茶，壶嘴里还在冒着热气。

小马忽然问他："这地方是不是真的从来没有人打过架？"

郝生意立刻点头，道："从来没有。"

小马道："很好。"

两个字出口，他已一脚踢飞了桌子，挥拳痛击法师的鼻子。

法师冷笑，枯瘦的手掌轻挥，本来就像是纸带般卷着的指甲，忽然刀锋般弹起，急划小马的脉门。

想不到小马的另一只拳头已打在他肚子上。

这并不是什么奇妙的招式，只不过小马的拳头实在太快。

"卜"的一声，拳头打在肚子上，就好像打鼓一样。

接着又是"卜"的一声，法师的凳子忽然碎裂。

他的人却还是凌空坐着，居然连动都没有动。小马的拳头竟好像并不是打在他身上，而是打在凳子上的。

常无意皱了皱眉。

他看得出这正是借力打力、以力化力的绝顶内功。能将功夫练到这一步的人并不多。

只可惜小马的拳头又已经打在他肚子上。

这一拳他已受不了，"砰"地撞上墙壁，再跌下。

小马冲过去，拳头如雨点，打他的鼻子，打他的肚子，打他的肩胁和腰。

他不停地打，法师不停地呕吐，连鲜血、苦水、胆汁都一起吐了出来。

他整个人都被打软了，只能像野狗趴在地上般挨揍。

小马总算住了手。

因为他的手已经被蓝兰用力抱住。

法师已经不能动，郝生意的脸色也发了白，喃喃道："好快的拳头，好快的拳头。"

小马道："以后你可以告诉别人，这里总算有人打过架了。"

郝生意叹了口气，道："这里本来是你们唯一可以太太平平睡一觉的地方，你为什么一定要坏了这里的规矩？"

小马道："因为这只不过是你们的规矩，不是我的。"

郝生意苦笑道："你也有规矩？"

小马道："有。"

郝生意道："有什么规矩？"

小马道："该揍的人我就要揍，就算有刀架在我脖子上，我也非揍他一顿不可。"

他冷冷地接着道："这就是我的规矩，一定比你的规矩好。"

郝生意道："哪点比我好？"

小马扬起他的拳头，道："只要有这一点，就已足够了。"

郝生意不能不承认，任何人都不能不承认，世上的规矩，本就至少有一半是用拳头打出来的。

我的拳头比你硬，我的规矩就比你好。

小马瞪着郝生意，道："我还有件事要告诉你。"

郝生意只有听。

小马道："破坏规矩的是我，跟别人没有关系。所以他们在这里歇着的时候，若有人来找他们麻烦，我就来找你。"

他板着脸，慢慢地接着道："这一点你最好不要忘记。"

他知道郝生意一定不会忘记的，他的拳头就是保证。

蓝兰忍不住问道："我们在这里歇着，你呢？"

小马道："老皮是我的朋友，珍珠姐妹对我也不错。"

蓝兰道："你还是想去找他们？"

小马看着地上的女孩，道："我不想让他们留在这里吃草。"

蓝兰道："可是我们也需要你。"

小马道："现在最需要别人帮助的绝不是你们。至少你们在这里还很太平，何况现在本来就是大家应该睡一觉的时候。"

蓝兰道："你可以不睡？"

小马道："我可以。"

他不让蓝兰开口，很快地接着又道："有朋友要往火坑里跳，只要能拉他一把，不管要我怎么样都可以。"

蓝兰道："这也是你的规矩？"

小马道："是。"

蓝兰道："就算拿刀架在你脖子上，你也绝不破坏你自己的规矩？"

小马道："是的。"

郝生意忽然又出现了，将手里的一壶酒摆在小马面前，道："喝完了这壶酒再走还来得及。"

小马笑了，道："你是不是还想做我最后一笔生意？"

郝生意道："这是免费的。"

小马道："你也有请客的时候？"

郝生意道："我只请你这种人。"

小马道："我是哪种人？"

郝生意道："有规矩的，有你自己的规矩。"

他替小马斟满一杯："这种人近来已不多，所以我也不必担心会时常破费。"

小马大笑，举杯饮尽，道："可惜你今天至少还得再破费一次。"

郝生意道："哦？"

小马道："日落时我一定会回来，就算爬，也要爬回来。"

蓝兰咬着嘴唇，悠悠地问："回来喝他免费的酒？"

小马凝视着她，道：“回来做我已答应过你的事。”

常无意忽然冷冷道：“你若死了呢？”

小马道：“死了更好。”

蓝兰道：“更好？”

小马道：“再凶的狼也比不上厉鬼。我活着时是个凶人，死了后一定是个凶鬼。”

他微笑着，又道：“如果有个凶鬼保护你们过山，你们还有什么好担心的？”

蓝兰也想笑，却笑不出。

她替小马斟满了一杯，道：“你有把握能在日落前找到嬉狼的狼窝？”

小马道：“本来没把握，可是现在我已有了带路的人。”

蓝兰看着地上的女孩，道：“她能找到她自己的窝？”

小马道：“我有把握能让她清醒。”

蓝兰叹口气，道：“她伤得不轻，清醒后一定会很痛苦。”

小马道：“但是痛苦也能使人保持清醒。”

痛苦也能使人清醒。

人活着，就有痛苦，那本是谁都无法避免的事。

你若能记住这句话，你一定就会活得更坚强些，更愉快些。

因为你渐渐就会发觉，只有一个能在清醒中忍受痛苦的人，他的生命才有意义，他的人格才值得尊敬。

泉水从高山上流下来，小马将晕迷的女孩浸入了冰冷清澈的泉水里。

她伤得不轻。

冰冷的泉水流入她的伤口，一定会让她觉得痛苦难忍。

可是痛苦却已使她清醒。

阳光灿烂，她忽然开始在泉水中挣扎打滚，就像是条忽然被标枪刺中的鱼。

鱼不会呼号。

她的呼号声却使他不忍卒听。

小马在听，也在看。

他的心肠并不硬。他这么样做，只因为他觉得这个女孩无论身体和灵魂都应该洗一洗——

不是用水洗，是用痛苦来洗。

就好像黄金一定要在火焰中才能炼得纯，就好像凤凰一定要经过烈火的洗礼，才会变得更辉煌美丽。

呼号和挣扎终于停止。

她静静地漂浮在水面上。等到她再能睁开眼睛时，她就看见了小马。

她的眼睛也已清醒。

清醒使得她的眼睛看来更美，美而清纯。

在迷途时她也许是个妖女、荡女，清醒时她却只不过是个寂寞而无助的小女孩。

看见了小马，她居然露出了惊惶羞涩的表情。

妖女和荡女们，是绝不会有这种表情的，即使在身子完全赤裸时都不会有。

小马笑了，忽然道："我姓马，别人都叫我小马。"

女孩吃惊地看着他，道："我不认得你。"

小马道："可是刚才你还记得我的，你不该忘得这么快。"

女孩看看他，再看看自己。

刚才的事，她并没有完全忘记。

一个刚从噩梦中惊醒的人，绝不会很快就将那场噩梦忘记的。

——是噩梦中的她才是真正的自己？还是现在？

她已有点分不清了。

她已在噩梦中过得太久。

小马了解她的感觉：“现在你是不是已经想起来了？是不是觉得很害怕？”

女孩忽然从水中跃起，扑向小马，仿佛想去扼断小马的脖子，挖出小马的眼睛。

小马只有一个脖子，一双眼睛。

幸好他还有一双手。

他的手一伸出，就抓住了她的脉门。她整个人立刻软了下去。

小马用自己的衣服包住了她，轻轻地把她搂在怀里。

女孩咬着牙道：“我要杀了你，我迟早一定要杀了你。”

小马道：“我知道你并不是真的要杀我，因为你真正恨的并不是我，而是你自己。”

他在笑，笑得很温柔。

可是他说的话却像是一根针，一针就能刺入人心：“我也知道你现在一定已经后悔，因为你做那些事，本来只为了要寻找快乐的，可是找到的却只有痛苦和悔恨。”

他看得出她的痛苦表情，可是他的针却刺得更深：“只要你在清醒的时候，你一定时时刻刻都在恨自己，所以你才会拼命虐待自己，折磨自己，报复自己，却忘了这么样做无论对谁都没有好处。”

现在他的针已刺得很深了，已经深得可以刺及她心里的结。

他感觉得到。

她的身子颤抖，眼泪已流下。

一个已无药可救的人，是绝不会流泪的。

他轻抚着她的头发："幸好现在你还年轻，要想重新做人，还来得及。"

她忽然仰起脸，用含泪的眼睛看着他，就好像溺水的人忽然看见根浮木。

"真的还来得及？"

"真的。"

泉水又恢复了清澈，水中的血丝已消失在波浪里。绝没有任何污垢血腥能留在泉水里，因为它永远奔流不息。

他们沿着泉水往山深处走。

"泉水的源头，是个湖泊。"

女孩说："我们都叫它太阳湖。"

"那就是你们祭祀太阳的地方？"

女孩点点头。

"每天早上太阳升起的时候，第一道阳光总是照在湖水上。"

她眼睛里带着种梦幻般的憧憬："那时候湖水看来就好像比太阳还亮，我们赤裸着跃入湖水，就好像被太阳拥抱着一样。"

她的声音中也充满了美丽的幻想，绝没有一点邪恶淫猥之意。

"然后我们就开始在初升的太阳下祭祀，祈祷它永远存在，永远不要将我们遗弃。"

"你们用什么祭祀？"小马问。

"在平常的日子里，我们通常都用花束！"

女孩轻轻地说："从远山上采来的鲜花。"

"什么时候是不太平常的日子？"

“每个月的十五。”

“那一天你们用什么做祭礼？”

“用我们自己。”

她又解释：“那一天我们每个人都要将自己完全奉献给太阳。”

小马还是不懂。

“你们怎么奉献？”

“我们选一个最强壮的男孩，他就象征着太阳神。每个女孩子都要将自己奉献给他，直到太阳下山时为止。”

她慢慢地接着道：“然后我们就会让他死在夕阳下。”

她说得很平淡，就好像在叙说着家常。

小马却觉得自己的胃又在收缩。

“那个男孩自己愿意死？”他问。

“当然愿意！”

女孩道：“世上绝没有任何一种死法有那么光荣，那么美丽。”

她的声音中忽然充满悲伤：“只可惜我已没有这种机会了。”

“你？”

“那一天男孩们当然也要选一个最美丽的女孩子，做他们的女神！”

“然后每个男孩都要跟她……跟她……”

小马实在想不出适当的字句来说这件事。

“每个男孩都一定要将自己的种子射在她身体里。”

她替他说了出来。

“因为男人的种子比血更珍贵。每个人都要将自己最珍贵的东西奉献出来，让她带给太阳！”

她说得还是很平淡。小马的拳头却已握紧。

他忽然发现他们之中一定有个极邪恶的人在操纵着他们，利用这些年轻人的无知和幻想，将一件极邪恶的事蒙上层美丽的外衣。他们不但肉体在受着那个人的摧残，心灵也受到了损伤。

小马握紧拳头，只恨不得一拳就将那个人的鼻子打进他自己的鼻眼里。

女孩又继续说："后天就是十五了，这个月大家选出的女神本来是我。"

"现在呢？"

"现在他们已换了一个人来代替我！"

她显然很伤心："他们选的居然是个从外地来的陌生女人！"

"所以你又生气，又伤心，就拼命地吃草，想忘记这件事？"

女孩承认。

小马忽然笑了笑，大笑。

女孩吃惊地看着他："你为什么笑？"

小马道："因为我觉得很滑稽。"

女孩道："什么事滑稽？"

小马道："你。"

女孩道："我很滑稽？"

小马道："一个本来已经死定了的人，忽然能够不死了，无论谁都会觉得开心得要命，你反而偏偏觉得很伤心。"

他摇着头笑道："我这一辈子都没有听过比这更滑稽的事！"

女孩道："那只因为你不懂！"

小马道："我不懂什么？"

女孩道："不懂得生命的意义！"

小马道："如果你就这么糊里糊涂地死了，你的生命有什么意义？"

女孩叹了口气，道："这本来就是件很玄妙神奇的事，我也没法子跟你解释。”

小马道：“你知道有谁能解释？”

女孩道：“有一个人。”

她眼睛里又发出了光：“只有一个人，只有他才能引导你到永生。”

小马的拳头握得更紧，因为他一定要控制住自己的怒气。

他试探着问：“这个人是谁？”

女孩道：“他就是太阳神的使者，也就是为我们主持祭礼的人！”

小马道：“我能不能见到他？”

女孩道：“你想见他？”

小马道：“想得要命。”

女孩道：“你是不是也有诚心想加入我们，做太阳神的子民？”

小马道：“嗯。”

女孩道：“那么我就可以带你去见他！”

小马跳起来：“我们现在就去。”

这时黑夜还没有来临，满天夕阳如火。

“每天黄昏太阳下山时，最后一道阳光也总是照在湖水上。”

“那时你们也有祭祀？”

“嗯。”

“主持祭礼的也是那位太阳神的使者？”

“通常都是！”

小马看着自己紧握的拳头，喃喃道：“我只希望今天千万不要例外！”

第十四章

梦中的女人

夕阳满天，夕阳满湖。

在夕阳下看来，这一片宁静的湖水中仿佛也有火焰在燃烧着。

湖水上漂浮着一条船。

小小的船上，堆满了鲜花。各式各样的鲜花，从远山采来的鲜花。

湖畔只有一个人。

一个好像是用黄金铸成的人，金色的长袍，金色的高冠，脸上还戴着黄金面具。

他独立在满天夕阳下，满湖夕阳边，看来真是说不出的庄严、辉煌而高贵。

小马看见了这个人。

小马已来了，带着紧握的拳头来了，但他却看不见这个人的庄严和高贵。

他只看见了这个人的邪恶和无耻。

——世上有多少邪恶和无耻的事，都披着高贵美丽的外衣？

小马握紧拳头冲过去：“你就是太阳神的使者？”

使者点点头。

小马指着自己的鼻子：“你知道我是谁？”

使者又点点头，道：“我知道，我正在等着你。”

他的声音中绝没有一点太阳的热情，却带着种奇异的魅力。

他慢慢地接着道：“你若是诚心来皈依，我就收容你，引导你到极乐和永生。”

小马道：“死就是永生？”

使者道：“有时是的。”

小马道：“那么你为什么不去死？”

他的人冲了上去，他的拳头已击出，迎面痛击这个人的鼻子。

就算明知这个鼻子是黄金铸成的，他也要一拳先把它打成稀烂再说。

他一共打碎了多少鼻子，他已记不清。

他只记得像这样一拳打出去，是很少会打空的——

就算打不中鼻子，至少也可以打肿一只眼睛，打碎几颗牙齿。

他这一拳并没有什么奇诡的变化，也不是什么玄妙的招式。

这一拳的厉害，只有一个字——

快！快得可怕。

快得令人无法闪避，无法招架。

快得不可思议。

追风刀李奇是江湖中有名的快刀，据说他的刀随时可以在一刹那间，把满屋子飞来飞去的苍蝇和蚊子都削成两半。

有一次他很想把小马也削成两半，从小马的脖子上开始削。

他的刀锋已经到了小马的脖子上。

可是小马的脖子没有断，因为小马的拳头已经先到了他鼻子上。

他这出手一拳当然比不上小李飞刀，小李飞刀是“出手一刀，例不虚发”的。

可是他也差不了太多。

假如有人替他计算过，他出拳击中的比例大约是九成九。

那意思就是说，他一百拳打出去，最多只会落空一次。

想不到他这一拳居然又打空了。

他的拳头刚击出，这位太阳神的使者已经像风一样飘了出去。

就在这天下午，还不到半天工夫，他的拳头已经打空了两次。

这实在是他一辈子都没有遇见过的事。

他忽然发现这位太阳神使者的轻功身法，竟好像比狼君子还要高。

使者正在看着他，悠然道：“你打空了。”

小马道：“这一次打空了，还有第二次。”

使者道：“你还想再试试？”

小马道：“只要你的鼻子还在脸上，我的拳头还在手上，我们就永远没完！”

他又准备冲过去。

使者立刻大叫：“等一等！”

小马道：“等什么？”

使者道：“等我先让你看一个人！”

小马道：“看谁？”

使者道：“当然是个很好看的人，我保证你一定很想看她。”

他说得好像很有把握。

小马已经开始有点被他打动了。

使者道：“你见过了她之后，如果还想打碎我的鼻子，我绝不还手！”

小马不信，却更好奇，忍不住问：“这个人究竟是谁？”

使者道：“严格说来，现在她已经不能算是人。”

小马道：“不是人是什么？”

使者道：“是女神！”

——那一天男孩们当然也要选一个最美丽的女孩子，作他们的女神。

——现在他们选的居然是个从外地来的陌生女人。

小马的拳放松，又握紧。

他心里忽然有了种不祥的预兆，又忍不住问：“她在哪里？”

使者转过脸，遥指着湖上的花船：“就在那里！”

夕阳已将消沉，在这将消沉、还未消沉的片刻间，也正是它最美丽的时候。

花舟在满湖夕阳中飘荡，看来就像是一个美丽的梦境。

可是这美丽的梦，忽然就变成了噩梦。

满船鲜花中，已有个人慢慢地站了起来。

一个女人。

一个完全赤裸着的美丽女人。

她披散的头发柔美如丝缎，她光滑的躯体也柔美如丝缎。

她的乳房小巧玲珑而坚挺，她的腰肢纤细，双腿笔直。

这正是男人梦想中的女人，一个只有在梦境中才能找寻的女人。

但是对小马来说，这个梦却是个噩梦。

多少有辛酸、有甜蜜的往事？

多少永难忘怀的回忆？

多少欢聚？

多少寂寞？

他消沉堕落是为了谁？

——小琳。

他悲伤痛苦是为了谁？

——小琳。

他流浪天涯，是为了寻找谁？

——小琳。

小琳在哪里？

——小琳就在这里。

这个从鲜花中站起来的女人，这个已准备将自己奉献给太阳神的女人，就是他魂牵梦萦、铭心刻骨、永难忘怀的小琳。

小马的手冰冷，全身都已冰冷。

此时此刻，他心里是愤怒？

是悲伤？

是痛苦？

什么都不是。

此时此刻，他心里竟忽然变成了一片空白。他的灵魂，他的血，都仿佛一下子被抽光。

只有真正经历过真正悲痛和打击的人，才能了解他这种感觉。

小琳呢？

她仿佛已完全没有感觉。

她痴痴地站在花舟上，痴痴地站在鲜花中，她的灵魂，她的血，好像也被抽光了。

早已被抽光了。

她也在看着小马，却好像已完全不认得这个人。

小马忽然大喊，用尽全身力气大喊："小琳！小琳！"

她听不见。

她已不是她自己，她已奉献给太阳神。

小马冲过去，跃入湖中。

没有人阻拦。

花舟就在湖心，他用尽全身力气游过去，花舟却已到了另一方。

他再游过去，花舟又已远。

这花舟就像是梦中的花，风中的烟，水中的月，他能看得见，却永远捉不住。

夕阳已消沉。

黑暗的夜，不知在什么时候已回归大地。远山、湖水，都已沉没在黑暗中。

那刚才还在夕阳下发着光的太阳使者，也变成了一条黑暗的影子。

可是他仍在湖畔，冷冷地看着小马在湖水中挣扎、追逐、呼喊。

只可惜他的呼喊永无回应，他追逐的也仿佛是个永远追不上的幻影。

夜色更深，更黑暗。

湖水冰冷。

他突然觉得心里一阵刺痛，直刺入他的四肢，他的骨髓。

他沉了下去，沉入了冰冷的湖水里。

没有水了，有火。

火焰在燃烧。

燃烧着的火焰闪动不息，让人几乎很难张得开眼睛。

可是小马终于张开了眼睛。

火焰中仿佛也有一个人的影子，火焰又像是鲜花，人仍在花中。

“小马！小马！”

他想扑过去，扑向火焰。

——飞蛾为什么要扑火？

只因它的愚蠢？

还是因为它宁死也要追求光明？

他想扑过去，可是他不能动。他全身上下，手足四肢都已不能动。

幸好他还能看，还能听。

而他第一个看见的人竟是老皮。

老皮正站在火焰旁，笑嘻嘻地看着他。

也不知是因为火焰的闪动，还是因为他的眼花了，现在这个老皮，看来已不像是他以前认识的那个老皮。

以前的老皮虽然皮厚，虽然赖皮，但看起来却是个蛮像样的人，高大挺拔，相貌堂堂。

——一个人若是长得很不像样，怎么能在外面冒充“神拳小诸葛”？怎么能在外面混吃混喝，招摇撞骗？

可是现在这个老皮样子却变了，竟变得有七分像疯子，三分像白痴。

以前的老皮一向很讲究穿衣服。在这种“只重衣冠不重人”的社会里，要想做一个骗子，几件好行头是万万不可少的。

可是他现在居然只穿着条短裤。

小马看着他，心里又想做一件事——

一拳打扁这个人的鼻子。

只可惜他连拳头都握不紧。

老皮忽然笑嘻嘻地问："你看我怎么样？"

小马只能用一个字答复："哼！"

老皮道："可是我自己觉得好极了，简直从来都没有这么好过！"

他笑起来更像白痴："到了这里后，我才知道从前的日子都是白活的！"

小马道："滚！"

老皮道："你叫我滚，我就滚！"

他居然真的往地上一躺，居然真的滚走了。

看着他像野狗般在地上打滚，小马的心里是什么滋味？

不管怎么样，这个人总是他的朋友。现在这个人还能不能算是人？

再想到小琳，想到她很快就会遭遇到的事，小马更连心都碎了。

他没有流泪，也没有呼喊，只因为他发现那太阳神的使者正在火焰后冷冷地看着他，道："现在你有两条路可走！"

小马只有听。

使者道："如果你真心皈依我，现在还来得及；如果你想死，也方便得很！"

小马真的很想死。

他已救不了老皮，也救不了小琳。他恨不得能立刻投入火焰，让自己全身的骨骼血肉都化作灰烬。

可是他又想起了丁喜的话。

丁喜是他的好朋友，是他的兄弟，丁喜一向被人认为是"聪明的丁喜"。

丁喜曾经对他说："死，并不是解决问题的法子，只有懦夫才会用死来解脱！"

"只要你活着，只要你有决心、有勇气，无论多艰苦困难的事，都一定有法子解决的！”

火焰中仿佛又出现了丁喜的笑容，笑得那么讨人喜欢，又笑得那么坚强勇敢。

小马忽然道：“我不想死。”

第十五章

狼山之王

使者道："那么你就该明白一件事！"

小马在听。

使者道："现在你的命，已经是我的。"

小马道："我明白。"

使者道："你准备用什么来换回你的命？"

小马道："你要什么？"

使者道："蓝兰！"

小马很意外："你想要她？"

使者道："很想！"

小马道："你不想要轿子里那个人？"

使者道："更想！"

小马的心往下沉。

他并不是很不聪明的人，他当然已明白使者的意思："你要我用他来换小琳？"

使者不否认："只要你跟你的朋友站在我这一边，他们绝对逃不出我的掌心。"

小马并没有答应。

他不敢答应得太快，他不敢让对方有一点怀疑。

过了很久，他才试探着问："你要我替你做事，当然要先放我走。"

使者道："当然！"

小马的心在跳："你相信我？"

使者道："我相信！"

小马的心跳得更快，道："你认为我是个随时都会出卖朋友的人？"

使者道："我知道你不是，但他们并不是你的朋友，老皮却是的，还有小琳。"

他悠然接着道："我相信你绝不会为了他们牺牲小琳。"

小马的心又往下沉。

使者道："所以只要你答应我，我立刻放你走。十五日出之前，你若不带他们来，那么你的小琳就……"

他没有说下去，也不必说出来。

小马更不愿听，忽然问道："我只有一点想不通。"

使者道："你可以问。"

小马道："你们最恨的本来是我！"

使者不否认。

小马道："轿子里那个人，却只不过是个陌生的过路客，而且还有重病。"

使者道："嗯。"

小马道："但现在你们却宁可为了他而放过我，他对你为什么如此重要？"

使者回答得很干脆："他值钱！"

小马道："多值钱？"

使者道："多得你连做梦都想不到。"

小马没有再开口，他想吐。

他看见老皮爬过来，正在吻使者的脚。

他想不通一个人为什么会在一日间就变得如此可怕。

使者道：“你应该感激我，我没有让你吃草，可是我已经给你吃了另外一种药！”

小马的指尖冰冷，忍不住问：“什么药？”

使者道：“当然是毒药。”

小马道：“毒药也有很多种。”

使者淡淡道：“十五的日出之前，你若还没有把人带来，你就会知道那是种什么样的毒药了！”

九月十三，夜。

夜已深，有雾。

太平客栈的窗内有灯，从雾中看过去，灯光朦胧如月色。

小马冲进来时，郝生意正在算账。

房子里没有别的人，他的算盘打得“叮当”响，这正是他一天中最愉快的时候。

他做生意没有亏过本。

小马冲过去，大声问：“人呢？”

郝生意没有抬头，道：“什么人？”

小马道：“我那些朋友！”

郝生意道：“那些人已经走了。”

小马道：“什么时候走的？”

郝生意道：“当然是算过账才走的，已经走了很久，他们急着赶路！”

小马怔住。

他并没有打算出卖他的任何一个朋友。他回来找他们，只因为现在正是他最需要朋友的时候。

他实在已被逼得无路可走。

郝生意终于抬头看了他一眼，道："你不想去追他们？"

小马道："你知道他们走的是哪条路？"

郝生意道："不知道。"

他掩起账簿，叹了口气，淡淡地接着道："我只知道无论他们走的是哪条路，都是条死路，所以你就算追上他们也没有用。"

小马瞪着他，突然出手，一把揪住他的衣襟，把他整个人从柜台后抓出来。

郝生意的脸白了，勉强笑道："我说的是老实话。"

小马知道他说的是老实话，就因为他说的是老实话，所以小马才难受。

因为他已经没法子再自己骗自己。

他不能出卖别人，也不能牺牲小琳。

没有人能替他解决这难题，也没有任何人能够帮助他。

现在他就算追上了他们，又有什么用？郝生意看看他的脸色，试探着道："我知道你一定又遇上了麻烦，而且麻烦一定不小！"

小马的脸色惨白。

郝生意立刻接下去，道："我们总算也是朋友，我也很想帮帮你的忙。只可惜这里是狼山，无论谁在这里遇上了麻烦，都绝对没有人能替他解决的。"

小马忽然道："也许还有一个人！"

郝生意道："谁？"

小马道："狼山之王。"

郝生意勉强作出笑脸，道："只要有朱五太爷的一句话，当然什么问题都可以解决了，只可惜……"

小马道："只可惜我找不到他？"

郝生意叹道："非但你找不到，简直就没有人能找得到。"

小马道："我知道一定有个人能找到他的。"

郝生意道："谁？"

小马道："你！"

郝生意的脸色已发白，道："不是我。"

小马道："你带我去，我绝不会害你，朱五太爷也绝不会怪你，因为我只不过是送礼去的！"

郝生意道："送礼？送什么礼？"

小马道："送我的这双拳头！"

他握紧拳头，对准郝生意的鼻子："否则我就将这双拳头送给你！"

郝生意居然没有闪避，反而挺起胸，道："你就算打死我，我也没法子带你去！"

小马道："我并不想打死你，死人不会带路，没有鼻子的人却一样可以带路！"

郝生意的鼻尖已冒出冷汗，苦着脸道："没有鼻子的人也一样找不到他老人家。"

小马道："如果连眼珠子也掉一个呢？"

郝生意道："那……那……"

小马道："也许那也没什么了不起，可是男人身上，有样东西是万万不能少的！"

郝生意满头大汗滚滚而落，连一个字都说不出了。

他当然知道男人身上最不能少的是什么，每个男人都知道。

小马道："现在你是不是已经想起他在哪里了？"

郝生意吃吃道："有一点，好像有一点，你总得让我慢慢地想。"

小马道："你要想多久？"

郝生意还没有开口，门外已有个人冷冷道："你就算让他再想三年，他也想不起来的。"

说话的是个女人，这女人好大的一双脚。

人都有脚。

女人也是人，当然都有脚。有的脚好看，有的难看，有的底平趾敛，就像是用白玉雕成的；有的却像是发了霉的萝卜干。

这女人的一双脚却简直像是两条小船。鞋子脱下来，就算不能载人过河，至少也可以做孩子的摇篮。

如果你没有见过这个女人，我保证你连做梦都想不到天下会有这么大的一双脚，而且居然是长在一个女人身上的。

现在小马总算见到了。见到了之后，还几乎有点不太相信。

这个女人当然就是柳金莲。

柳金莲不但脚大，嘴也不小，就好像随时都准备一口把小马吞下去。

小马只想吐。

柳金莲上上下下把他打量了几遍，才接着道："你想找朱五太爷，只有一个人能带你去找。"

小马立刻问："谁？"

柳金莲伸出一根胡瓜般的手指，指着脸上一堆又像是肥肉，又像是鼻子的东西，道："我。"

小马心里在叹气，却还是忍不住问道："你肯带我去？"

柳金莲道："只要你答应我一件事！"

小马道："什么事？"

柳金莲道："你们杀了章长腿，你总得赔个老公给我。"

小马又一把抓起了郝生意，道："这个人不但会说话，而且会赚钱，做老公正是再好也没有的了！"

他的话还没说完，郝生意已经在拼命摇头，道："我不行，我是个……"

小马没有让他把话说完，随手拿了块抹布，塞住了他的嘴，道："我就把他赔给你做老公，你看好不好？"

柳金莲道："不好！"

小马道："你想要个什么样的男人？"

柳金莲道："我要的就是你！"

这句话刚说完，她的人已经向小马扑了过来，就像是一座山忽然压下来了一样。

可是她的身法居然很轻快，两条膀子一伸开，又像是老鹰扑小鸡。

幸好小马不是小鸡。

小马的拳头已经闪电般击出，往她脸上那堆又像是肥肉、又像是鼻子般的东西打了过去。

只可惜小马忘了一件事。

他忘了柳金莲不但有双大脚，还有张大嘴——

比他的拳头还大得多。

他一拳击出，柳金莲就已张开嘴等着。

他这一拳竟打进了柳金莲的嘴。

小马叫"愤怒的小马"。

愤怒的小马当然喜欢打架，为了各式各样的原因，跟各式各样的人打过架。

所以各门各派，各种奇奇怪怪的招式，他大多都见过。

可是他没想到柳金莲这一招。

他只觉得自己的拳头好像一下子打进了一堆烫烂泥里。

更糟的是，烂泥里还有两排牙齿，一下子就把他脉门咬住。

接着，他的人也被抱了起来，抱得好紧。

他已连气都透不出。

现在他才真正明白什么事比死更可怕了。

被柳金莲这么样一个女人抱着，已经比死更可怕三百倍。

如果再真的被迫做了她的老公，那情况简直令人连想都不敢想。

只可惜现在他连死都死不了。

如果一个人的嘴里含着个拳头，还能不能笑得出来？

柳金莲能，她的笑声简直可以令人把三个月以前吃的饭都吐出来。

她的手还在乱动。

小马的头已经被搁在她胸膛上的肥肉里。他眼睛虽然看不见，却可以感觉到她正抱着他往最左边的一间房里走。

那间房里有张最大的床，会发生些什么事？也许有很多人都能想象得到。

幸好这一次什么事都没有发生，因为一进了那间房，柳金莲就倒下去。

忽然间就像是一座山一样倒了下去。

鲜血箭一般从她颈子后面的大血管里喷出来，喷在墙上。

她还想扑上来，心口又挨了一刀。

这一刀更狠，更重。

小马的手根本不能动，手里根本没有刀。

是谁杀了她?

“是我！”

有个人手里有把刀——菜刀。

能够用菜刀就杀死柳金莲的人，是个什么样的人?

当然是个绝不会让柳金莲提防的人，是那种绝不会让任何人觉得危险的生意人。

刀锋上还有血，刀就在郝生意的手里。

小马先看见这把刀，才看见郝生意的手。

他看见过郝生意很多次，每次都只注意到那张会做生意的笑脸。

这是他第一次注意到郝生意的手，一只有七根手指的手。

五根手指紧紧握着刀柄，两根歧指就像是路标般指向两方。

小马长长吐出口气：“原来是你！”

郝生意道：“就是我！”

九月十三，四更后。

雾浓。

小马和郝生意并肩走在浓雾中，寸步不离。

他实在不敢离开这个人半步。这个人很会做生意，实在太诡秘难测，太难以捉摸。

先开口的是郝生意：“你知道我生平最倒霉的事是什么?”

小马道：“是认得那个老太婆?”

郝生意叹了口气，道："只不过我平生最走运的事，也是认得了她。"

小马道："哦？"

郝生意道："若不是她，现在我已经只能到十八层地狱里去做生意。"

小马道："所以你一定要报她的恩？"

郝生意道："所以你现在还活着。"

如果真的做了柳金莲那种女人的老公，除了一头撞死外，还能怎么办？

小马心里虽然感激得要命，嘴里却绝对连一个"谢"字都不肯说出来。

他只问："现在我们走的是什么路？"

郝生意道："那就得看你了。"

小马道："看我？"

郝生意道："你若走得对，这就是狼山唯一的一条活路。"

小马道："我若走得不对？"

郝生意道："那么你跟我就都要被打下十八层地狱，万劫不复。"

小马当然明白他的意思，却还是忍不住要问："除了阎王之外，还有谁能把我们打下十八层地狱？"

郝生意道："还有一个王。"

他说得已经很明显，小马却非要打破砂锅问到底不可。

"还有一个什么王？"

"狼山之王。"郝生意声音里充满尊敬，"在狼山上，他的权力远比阎王还大得多。"

第十六章

朱五太爷

每条路都有尽头，这条路的尽头，已在山巅。

云雾已到了足底，仰面就是青天。旭日正在东方升起，彩霞满天。

小马的心一跳：“今天是十几？”

郝生意道：“十四。”

小马仰起脸：“前面是什么地方？”

郝生意道：“前面就是狼山之王的王宫。”

小马已完全信任这个人，可是他看见的却绝不像是座王宫。

山巅居然还有花，一丛丛不知名的小花，掩映着一道竹篱，篱后仿佛有间木屋。

一个白发苍苍的跛足老人，正弯着腰，在慢慢地扫着石径上的落花。

现在已到了花落时节，斜斜的石径上落花缤纷。他们踏着落花走上去，郝生意远远就停下脚，道：“我只能送你到这里。”

小马道：“到了这里，我就一定可以见到他？”

郝生意道：“不一定。”

他勉强笑了笑道：“这世上本就没有绝对一定可以做得到的事。我已尽了力，你是不是可以见得到他，就全得看你自己了。”

小马也勉强笑了笑，道：“我明白。如果我见不到他，这里就是我的葬身之地。”

风中充满了干燥枯叶和百花的芬芳，青天下远山如翠。

一个人能死在这里，也算是死得其所了，可是小琳呢？

郝生意看着他的笑，忽然压低声音，道：“我还可以泄漏一点秘密给你。”

小马在听。

郝生意道：“要想见朱五太爷，对那扫花的老人，就得特别尊敬。”

小马没有再说什么，却伸出了手。

那只长着七根手指的手，指尖发冷。

郝生意道：“祝你顺利。”

小马道：“祝你好生意。”

扫花的老人弯着腰扫花，始终没有抬起头。

小马大步走过去，抱拳躬身：“我姓马，我特地来求见朱五太爷。”

扫花的老人听不见。

小马道：“我此来并无恶意，我是来送礼的。”

扫花的老人还是没有抬头，却忽然道：“跪下来说话，再爬着进去。”

小马并没有忘记郝生意的叮咛，他已经对这老人特别尊敬。

现在他居然还能忍住气，道：“你叫谁跪下来？”

老人道：“叫你。”

小马忽然大吼：“放你妈的屁。”

他已经准备不顾一切冲出去，他的拳头已握紧。

谁知道这扫花的老人反而笑了，抬头看着他，一双衰老疲倦的眼睛里也充满笑意。

小马的拳头无法再打出去。

老人喃喃道："有意思，有意思。"

小马不懂："什么事有意思？"

老人道："我已有五十一年没听过'放你妈的屁'这五个字，现在忽然听见，实在很有意思。"

小马的脸有点红了。不管怎么样，这老人的年纪已经大得可以做他爷爷，他实在不应该太无礼。

老人又道："走进去再向左，就可以看见一扇门。敲三次门，就推门进去。"

他又弯下腰去扫地，扫那永远扫不尽的落花。

小马很想说几句有礼貌的话，却连一句都说不出。

等他走入竹篱，再回头时，却已看不见竹篱外弯着腰扫花的人影。

门也在花丛中。

小马敲门三次，就推开门走进去。

木屋不大，窗明几净。一个人坐在窗下，背对着他，仿佛在看一卷画。

小马躬身问："朱五太爷？"

这人既不承认，也不否认，却反问道："你来干什么？"

小马道："来送礼。"

这人道："什么礼？"

小马道："一双拳头。"

这人道："你的拳头？"

小马道："是。"

这人道："你这双拳头有什么用？"

小马道："这双拳头会打人，打你要打的人。"

这人道："人人的拳头都会打人，我为什么偏偏要你的？"

小马道："因为我打得比别人快，也比别人准。"

这人道："你先打两拳试试。"

小马道："好。"

他居然毫不考虑就答应，而且说打就打，先冲过去，再转身打这人的鼻子。

这并不是因为他特别喜欢打人的鼻子，只不过因为他从不愿在别人背后出手。

先冲到这人面前再转身，出手当然要慢一步。

这一拳打空了。

这个人凌空跃起，再飘飘落下。

小马失声道："是你。"

他认得这个人。

这个人不是朱五太爷，是卜战，"老狼"卜战。

卜战看着他，眼睛居然也有笑意，道："你从不在背后打人？"

小马道："嗯。"

卜战道："好，好汉子。"

他忽然指着后面一扇门，道："敲门五次，推门进去。"

这扇门后的屋子比较长，也比较宽。

屋角有张短榻，短榻上斜卧着一个人，也是背对着门的，却不知是睡是醒。

小马再躬身问："朱五太爷？"

这人道："不是。"

小马道："你是谁？"

这人道："是个想挨揍的人。"

小马道："我若想见朱五太爷，就得先揍你一顿？"

这人道："不错。"

他还是斜卧在短榻上，背对着小马："随便你揍我什么地方都行。"

小马道："好。"

他又握紧拳头冲过去。

他可以打这人的后颈和背脊，也可以打这人的屁股和腰。

这都是人身上的关节要害。

现在全都是空门，只要挨上一拳，就再也站不起来。

但是小马打的并不是这些地方。他打的是墙，这人对面的墙。

一拳头打过去，木板墙立刻被打穿个大洞，碎裂的木板反激出来，弹向这人的脸。

这人当然没法子再躺在那里，身子一挺，已凌空跃起。

小马也一跃而起，凌空挥拳，痛击这人的脸。

这一次他打的不是鼻子。

仓促间他没把握能打准这人的鼻子，脸的目标总比较大些。

这人再想闪避，怎奈力已将尽而身子悬在半空中，也没法子再使新力。

只听"轰"的一声，他的人已被打得飞了出去，撞在木板墙上。

本来已被打穿个大洞的木板墙，破的洞更大了。这人穿洞飞出，小马也跟着穿过去，里面的一间屋子更大。

一个人远远地坐在几边喝茶，满头苍苍白发，赫然竟是那扫花的老人。

刚才被一拳打进来的人，现在又已从墙上的破洞中穿出去。

扫花的老人道："他不好意思见你。"

小马道："为什么？"

扫花的老人道："刚才他还在吹牛，只要你不在背后出手，绝对过不了他这一关。"

他眼睛里又有了笑意："你果然没有失信，果然没有在他背后出手。"

小马道："他也没有失信。"

扫花的老人不懂。

小马道："他想挨揍，现在已挨了揍。"

扫花的老人大笑："好小子，不但有种，而且还有趣。"

小马道："我是个好小子，你呢？"

扫花的老人道："我只不过是个老头子。"

小马盯着他，道："是老头子？还是老太爷？"

扫花的老人微笑道："老头子通常就是老太爷。"

小马眼睛里闪着光："是朱五太爷？"

扫花的老人不说话了，只笑。

小马也不再问。他忽然跳起来，一拳打出去，打这老人的鼻子。

他并没有失约，并没有在背后出手。可是他出手的时候，也没有打声招呼。

他要让这老人一点防备都没有。这种打法，非但不能算英雄，简直有点赖皮。

可是他一定要试试这老人的武功。

像这么样一拳打出去，无论谁要闪避招架都不容易。

何况这老人背后就是墙，根本已没有退路。

他对自己这一拳本来很有信心，可是这一拳却偏偏又打空了。

他一拳击出，扫花的老人已到了墙上，就像是一张纸一样，轻飘飘地飞了上去，轻飘飘地贴在墙上，看着小马微笑。

小马没有再打第二拳。

他向后退，退出去好几步，找了张椅子坐下。

扫花的老人道："怎么样？"

小马道："很好。"

扫花的老人道："谁很好？"

小马道："你很好，我不好。"

扫花的老人道："你哪点不好？"

小马道："我那么样出手很不好，比起在背后出手已差不了多少。"

扫花的老人道："可是你出手了。"

小马道："因为我想试试你。"

扫花的老人道："你试出了什么？"

小马道："我的拳头一向很少打空，今天却已打空了三次。"

扫花的老人道："哦？"

小马道："第一次是温良玉，第二次是个见鬼的太阳神使者。"

扫花的老人道："那两个人本就是狼山上数一数二的高手。"

小马道："但是他们比你还差得多。"

扫花的老人道："哦？"

小马道："自从我上了狼山，你是我遇见的第一高手。"

扫花的老人道："哦？"

小马道："可是我的拳头也不错。"

扫花的老人承认："很不错。"

小马道："而且我拼命。"

扫花的老人道："我看得出。"

小马道："所以你若肯收下我这双拳头，对你还是很有用。"

扫花的老人道："当然很有用。"

小马道："你肯收？"

扫花的老人道："我也很想收下来，只可惜你这双拳头并不是送给我的。"

小马道："我是送给朱五太爷的。"

扫花的老人道："不错。"

小马道："你就是朱五太爷，朱五太爷就是你。"

扫花的老人笑了，就在这时，后面忽然响起了一声金锣。

扫花的老人微笑道："这一次你虽然又看错了人，可是朱五太爷已准备见你。"

小马怔住。

扫花的老人道："还有一点你一定要记住。"

小马只有听。

扫花的老人道："我绝不是狼山上的第一高手。在朱五太爷面前，我简直连出手的机会都没有。"

小马几乎不能相信世上真有武功比他高出那么多的人，却又不能不信。

扫花的老人道："所以你在他面前，千万不能放肆，更不能出手，否则必死无疑。"

他说得很郑重，忽又笑了笑："普天之下，能见到他真面目的人并不多，所以你进去无论是死是活，也都可以算不虚此行了。"

屋后还有一扇门，锣声又一响，门大开。

小马在门外怔住，此刻他面对着的，竟是间七丈宽、二十七丈长的大厅。

他走入竹篱时，实在想不到那几间木屋后竟有这么样一个地方。

大厅里空无一物，四壁洁白如雪，二十七丈外却又有扇门。

门上挂着珠帘，一个人坐在珠帘后。

小马看不见他的脸，甚至连他的衣冠都看不清楚，却已觉得有种慑人的气势，如杀人的剑气般直逼眉睫而来。

后面的门已关起，扫花的老人留在门外。

小马正想往前走，四壁后突然传出一声鸣雷般的暴喝："站住。"

小马只有停住。

他是来求人的，不是来打架的。至少有九个人的性命都被捏在珠帘后这个人的手里，他怎么能轻举妄动。

一声暴喝后，大厅里立刻又变得死寂如坟墓，过了很久，珠帘后才有声音传出。

声音苍老而有威。

"你已知道我是谁？"

"是的。"

小马当然已知道，除了朱五太爷外，谁有这样的威风？这样的气势？

朱五太爷道："你要见我？"

小马道："是。"

朱五太爷道："你姓马？"

小马道："是。"

朱五太爷道："愤怒的小马？"

小马道："是。"

朱五太爷道："昔年镖局连营，五犬开花，就是被你和丁喜破了的？”

小马道：“是。”

朱五太爷道：“好，看座。”

雪白的墙壁间，忽然出现了一扇门。

两条巨人般的彪形大汉，秃顶光头，耳戴金环，抬着张虎皮交椅进来。

朱五太爷道：“坐下。”

小马坐下，两条大汉还留在他身后没有走，墙上的门却已消失了。

朱五太爷道：“五犬开花，气焰不可一世，天下豪杰共厌之，你能击破他们的连营，弱了他们的气势，所以你今日才有座。”

小马道：“我知道。”

朱五太爷道：“可是有座未必就有命！”

小马道：“我知道。”

朱五太爷道：“我也知道你并不珍惜你自己这条命。”

小马沉默。

朱五太爷道：“你已中了太阳化骨散的毒，最多也只能活到明日午时。”

小马沉默。

朱五太爷道：“你的朋友都已陷入绝境，你的情人已落入太阳神使者手里，这次你们同上狼山的人，要想活着下山，已难如登天。”

小马只有沉默，因为他已无话可说。对这位狼山之王，他实在不能不佩服。

他本来以为这个人只不过是个孤僻古怪、妄自尊大的垂死老人，隐士般独居在山巅，任凭他的属下欺瞒摆布。

现在他才明白，只有这个人，才是狼山真正的主宰。狼山上发生的每件事，没有任何一件能瞒过他的。

朱五太爷道："现在你自知已无路可走，所以你才来找我，想用你的一双拳头，换回你们的十条命。"

他忽然冷笑，接着又道："你有没有见过只凭在神前烧一炷香，就能换得终生幸运的人？"

小马道："没有见过。"

朱五太爷道："我就是这里的神。"

小马道："我的拳头却不是一炷香。"

朱五太爷道："你的拳头是什么？"

小马道："是个忠心的伙伴，也是件杀人的利器。"

朱五太爷道："哦？"

小马道："你并不是真的神，你的力量毕竟有限。能够多一个忠心的伙伴，多一件杀人的利器，迟早总是有用的。"

他一定要说服这个人，所以又接着道："死人却没有用，十个死人也比不上一把快刀，我的拳头远比刀更快。"

朱五太爷道："你怎么知道我这里没有比你更快的拳头？"

小马道："至少我还未见过。"

朱五太爷道："你想见？"

小马道："很想。"

朱五太爷道："你回头看看。"

小马回过头，就看见那两条大汉，神话中巨人般的大汉。

第十七章

燃　烧

他们当然也有拳头。

他们的拳头都已握紧，就像是钢铁打成的。

朱五太爷道："你左边的那个人叫完颜铁。"

这个人身材虽较矮，却还是有九尺开外。脸上横肉绷紧，全无表情，左耳上戴着个碗大的金环，秃头闪闪发光。

朱五太爷道："他是童子功，十三太保横练，左拳击出重五百斤，右拳重五百七十斤。"

小马道："好，好拳。"

朱五太爷道："你右边的那个，叫完颜钢。"

这个人的身材更高，容貌几乎和左边那人完全相同，只不过金环戴在右耳。

朱五太爷道："他也是从小的童子功，金钟罩、铁布衫的功夫。刀枪难入，他的右手一拳重四百斤，左拳一击却至少有七百斤重。"

小马道："好，好拳头。"

朱五太爷道："他们都是胡儿，单纯质朴，毫无心机。"

小马道："我看得出。"

朱五太爷道："他们不但已将拳头奉献给我，连他们的命也奉献给我。"

小马道：“我也看得出。”

朱五太爷道：“有了他们，我为什么还要你？”

小马道：“因为我既不单纯，又有心机，所以我比他们有用。”

朱五太爷道：“可是现在他们这两双拳头若是同时击下，你会怎么样？”

小马道：“不知道。”

他真的不知道。这两双拳头一击，纵然没有两千斤的力气，也差不了太多。

要对付他们，他实在没把握，但他也知道自己绝无选择的余地。

朱五太爷道：“你想不想试试他们的拳头？”

小马道：“很想。”

九月十四，晨。

晴。

大厅里没有窗户，也没有阳光。

这宽阔的大厅，四面墙壁虽然粉刷得雪一般白，却终年不见日色。

阴惨惨的灯光，也不知是从哪里照过来的。

朱五太爷道：“你真的很想？”

小马道：“真的。”

朱五太爷道：“你不后悔？”

小马道：“一言既出，永无反悔。”

朱五太爷道：“好。”

这个字说出口，完颜兄弟的铁拳已击下，铁拳还未到，拳风已震耳。

完颜铁右拳打小马的左颚，完颜钢的左拳打小马的右颚。

他们每个人只击出一拳，这两拳合并之力，已重逾千斤。

小马没有动，快拳必重，重拳必快。

这两拳既然重逾千斤，当然快如闪电。一拳击出，力量一发，就如野马脱缰，弩箭离弦，再也难收回去了。

小马看准了这一点，他并不是那种很有心机的人，可是他打架的经验实在太丰富。

他既然不动，这两拳当然全力击出。

就在这时候，他忽然动了，他的人忽然游鱼般滑了出去。

他几乎已能感觉到拳头已触及他的脸。

他一直要等到这千钧一发、生死刹那间，他才肯动。除了经验外，这还得有多么大的勇气。

只听“蓬”的一声，双拳相击，完颜铁的右拳，正打在完颜钢的左拳上。

没有人能形容那是种多么可怕的声音。

除了两只铁拳相击声外，其中还带着骨头碎裂的声音。

但是这两个神话中巨人般的大汉，却连一点声音都没有发出来。

他们还是山岳般站在那里，横肉绷紧的脸虽已因痛苦而扭曲，冷汗如雨。

但是他们连哼都没有哼一声。

小马身子滑出，骤然翻身，忽然一拳击向完颜铁的左胁，完颜铁并没有倒下去。

他还有一只拳头，反手挥拳迎了上去。

小马的拳头并没有变化回避，他是个痛快的人，喜欢用痛快的招式。

又是“蓬”的一声，声音更可怕，更惨烈。

小马的身子飞出，凌空翻了两个筋斗才落下。

完颜铁居然还没有倒下去，可是他也已站不住了。

他的全身都已因痛苦而痉挛，满头黄豆般的冷汗滚滚而落，他的双手垂下，拳骨已完全碎裂。

但他还是没有哼一声，他宁死也不能丢人，不能替他的主人丢人。就算他要死，也只能站着死。

小马忍不住道："好汉子！"

完颜钢双眼怒凸，瞪着他，一步步走过去，他还有一只拳头。

他还要拼！孤军奋战，不战至最后一人，绝不投降。因为他们有勇气，还有一份对国家的忠心。

这个人也一样。

只要还有一分力气，他就要为他的主人拼到底。

就是明知不敌，也要拼到底。

小马在叹息。

他一向敬重这种人，只可惜现在他实在别无选择。

他也只有拼，拼到底。

完颜钢还没有走过来，他已冲过去，他一拳击出，笔直如标枪。

这一拳并不是往完颜钢拳头上打过去的，是往他鼻子上打过去的。

要从这巨人的铁拳下去打他的鼻子，实在太难、太险。

小马这么做，也并不是因为他特别喜欢打别人的鼻子。

他敬重这个人的忠诚，他要为这个人留一只拳头。

这一拳没有打空。

完颜钢的脸上在流着血，鼻梁已碎裂。

虽然他的眼睛里满是金星，已看不见他的对手，但是他还想再拼。

小马却已不再给他这种机会，小马并不想这个人为了别人毁灭自己。

他再次翻身，一拳打在这个人的太阳穴上。

完颜钢终于倒了下去，只剩下他的兄弟一个人站在那里，脸上不但有汗，仿佛还有泪。

一种无可奈何的痛泪。

既然败了，就只有死，他本来想死的。

可是朱五太爷没有要他死，他就不能死。他只有站在那里，忍受着战败的痛苦与屈辱。

他希望小马也过来一拳将他打晕。

小马却已转过身，面对着二十丈外珠帘中端坐的那个人。

人在珠帘内，仍然望之如神。

小马忽然道："你为什么一定要这样做？"

朱五太爷道："怎么样做？"

小马道："你本来早就可以阻止他们的，你早就该看得出他们没有机会！"

朱五太爷并不否认。完颜兄弟第一拳击出后，他就已应该看得出。

小马道："但是你却没有阻止，难道你一定要毁了他们？"

朱五太爷冷冷道："一个没有用的人，留着又有何益？毁了又有何妨？"

小马握紧双拳，很想冲过去，一拳打在这个人的鼻子上。

如果只有他一个人，一条命，他一定会这么样做的，可是现在他绝不能轻举妄动。

朱五太爷道："其实他们刚才本可毁了你的！"

小马不否认。

朱五太爷道：“刚才的胜负之分，只不过在刹那之间，连我都想不到你敢用那样的险招。”

小马道：“要死中求活，用招就不能不险！”

朱五太爷道：“你好大的胆！”

小马道：“我的胆子本来就不小。”

朱五太爷沉默了很久，才说出一个字：“坐。”

小马坐下。等他转身坐下时，才发现完颜兄弟已悄悄退下去，连地上的血迹都看不见了。

这里的人做事的效率，就像是老农舂米，机动而迅速。

他坐下很久，朱五太爷才说道：“这一次我要你坐下，已不是为了你以前做的事，而是为了你的拳头。”

小马道：“我知道。”

朱五太爷道：“只不过有座还是未必就有命。”

小马道：“你还不肯收下这双拳头？”

朱五太爷道：“我已看出你这双拳头，的确是杀人的利器！”

小马道：“多谢！”

朱五太爷道：“只不过杀人的利器，未必就是忠心的伙伴。”

他慢慢地接着道：“水能载舟，也能覆舟。若将杀人的利器留在身旁，而不知他是否忠心听命，那岂非更危险？”

小马道：“要怎么样你才相信我？”

朱五太爷道：“我至少还得多考虑考虑。”

小马道：“你不能再考虑。”

朱五太爷道：“为什么？”

小马道：“你有时间考虑，我已没有。你若不肯助我，我只有走。”

朱五太爷道：“你能走得了？”

小马道：“至少我可以试试看！”

朱五太爷忽然笑了，道：“至少你应该先看看你的朋友再走。”

小马的全身冰冷，心又沉下。他的朋友也在这里？

他忍不住问：“你要我看谁？”

朱五太爷淡淡道：“你并不是第一个到这里来送礼的人，还有人的想法也跟你一样！”

小马道：“还有谁来送礼？送的是什么？”

朱五太爷道：“是一把剑！”

小马道：“常无意？”

朱五太爷道：“不错。”

小马动容道：“他的人也在这里？”

朱五太爷道：“他来得比你早，我先见你，只因为你不说谎。”

小马怔住。

朱五太爷道：“坐。”

小马只有再坐下。

常无意既然也已到了这里，他怎么能走？

他忽然发现自己竟已完全被这个人控制在掌握中，别无去路。

锣声又响起，门大开。常无意赫然就在门外，苍白疲倦的脸，看起来已比两日前苍老了十岁。

这一夜间他遭遇到什么事？遇到过多少困境？多少危险？

此时此刻，忽然看见他，就好像在他乡异地骤然遇见了亲人——

一个身世飘零、无依无靠的人，这时是什么心境？

小马看着他，几乎已忍不住有热泪夺眶而出。

常无意脸上却连一点表情都没有，只冷冷地说了句：“你也来了？”

小马忍住激动，道：“我也来了！”

常无意道：“你还好？”

小马道：“还好！”

常无意慢慢地走进来，再也不说一个字，甚至连看都不再看他一眼。

小马也只有闭上嘴。

他很了解常无意这个人，就像是焦煤一样。平常是冷的，又黑、又硬、又冷。可是只要一燃烧起来，就远比任何可以燃烧的东西炽热。不但炽热，而且持久。

也许它连燃烧起来都没有发光的火焰，可是它的热力，却足以让寒冷的人们温暖。

现在他既然已到了这里，别的人呢？

是在寒冷危险中？还是平安温暖？

现在常无意也已面对珠帘。

他并没有再往前走，他一向远比任何人都能沉得住气。

珠帘中的人也仍然端坐，就像是一尊永远受人膜拜的神像。

常无意在等着他开口。

朱五太爷忽然问道：“你杀人？”

常无意道：“不但杀人，而且剥皮。”

朱五太爷道：“你能杀什么样的人？”

常无意道：“你属下也有杀人的人，有些人他们若不能杀，我能杀。”

朱五太爷道："你说得好像很有把握。"

常无意道："我有把握。"

朱五太爷道："只可惜再利的口舌也不能杀人。"

常无意道："我有剑。"

朱五太爷道："剑在哪里？"

常无意道："通常都在别人看不见的地方，到了要杀人时，就在那人的咽喉间。"

朱五太爷沉默了，过了很久，又说出了他刚才说过的两个字："看座。"

第十八章

杀人者死

小马坐的是张虎皮交椅。

交椅的意思，通常并不是张普通的椅子，当然也不是宝座。

可是交椅的意思，和宝座也差不了太多。

交椅通常都很宽大，两边有舒服的扶手。大部分人坐上去，都会觉得宛如坐入云堆里。

云是飞的，是飘的。

椅子不是，无论哪种椅子都不是。

这张椅子却像是飞进来的，飘进来的，谁都看不见抬椅子的人。

因为抬椅子的人实在太矮、太小。大家只看得见这张宽大沉重的虎皮交椅，却看不见他们。

他们的腰绝不比椅子脚粗多少，看来就像是七八岁的孩子。

他们绝不是七八岁的孩子，他们的脸上已有了皱纹，而且有了胡须。

他们的腰上，束着二道腰带，一条金，一条银，光华灿烂，炫人眼目。

交椅放下，大家才能看见他们的人。

朱五太爷道："只要是剑，都能伤人。"

常无意道："是。"

朱五太爷道："一柄剑是否可怕，并不在于它的长短。"

常无意道："是。"

朱五太爷道："一寸长，一寸强，一寸短，一寸险。"

常无意道："是。"

朱五太爷道："人也一样！"

常无意道："是。"

朱五太爷道："这两人都是侏儒，可是他们从十岁已开始练剑，现在他们已四十一。"

练剑三十年，这柄剑必是利剑，练剑三十年，这个人如何？

常无意道："我知道他们。"

朱五太爷道："哦？"

常无意道："昔年天下第一剑客燕南天，身高一丈七寸，但是剑法之轻灵变化，举世无敌！"

没有人不知道燕南天，没有人不尊敬他。

一个人经过许多年的渲染传说，很多事都会被夸大。燕南天也许并没有一丈七寸，但他人格的伟大高尚，却是没有人能比得上的。

常无意道："当今最高的大剑客，号称巨无霸，他的剑法却比不上白玉京。"

朱五太爷道："我知道他已败在'长生剑'下十三次。"

常无意道："你也应该知道，当今江湖中练剑的人，最高大的也不是他。"

朱五太爷道："我知道。"

常无意道："当今江湖中练剑的人，最矮小的却无疑必是玲珑双剑！"

朱五太爷道："你知道得倒不少。"

常无意道："这两人就是玲珑双剑，死在他们剑下的，至今最少有一百一十七人！”

朱五太爷道：“差不多。”

常无意道：“他们的腰带，就是他们的剑。玲珑双剑，金银交辉，金剑长三尺七寸，银剑长四尺一寸。人短剑长，凌空飞击，很少人能通过他们的剑下！”

朱五太爷道：“的确很少。”

常无意道：“要破他们的剑，只有一种法子！”

朱五太爷道：“什么法子？”

常无意道：“要他们根本无法拔出他们的剑！”

这句话有十三个字。

说到第一个字时，他的剑已出鞘。

说到第二个字时，他的剑已在金剑咽喉上。

说到第三个字时，他的剑又已到了银剑的咽喉间。

说到第四个字时，剑锋又到了金剑的咽喉。

说到第十二个字时，他的剑锋已在这兄弟两人的咽喉间移动六次。

说到第十三个字时，他的剑已入鞘。

玲珑双剑呆住了。

他们的剑根本无法出鞘。纵然一个人的剑能有机会出鞘，另一个人的咽喉也已被刺穿。

他们并不是完颜兄弟那种纯真质朴的人，他们已看到完颜兄弟的教训。

他们谁也不希望看到自己的兄弟像狡兔已死的走狗般，死在别人剑下。

他们的冷汗已湿透衣裳。

大厅中又一阵死寂。

朱五太爷终于不能不承认："好，好快的剑！"

常无意并不谦虚。

小马更不是个谦虚的人，立刻道："我的拳头也不慢。"

朱五太爷道："却不知是你的拳快，还是他的剑快？"

小马道："不知道。"

朱五太爷道："你们不想试试？"

小马道："也许我们迟早总会试一试，可是现在——"

朱五太爷道："现在怎么样？"

小马道："现在我只想要我的朋友安全无恙，太平过山。"

朱五太爷道："他们太平过了山，你的拳头，他的剑，就都是我的？"

小马看着常无意。

常无意道："是。"

朱五太爷大笑，道："好朋友，果然不愧是好朋友。"

他的笑声笑得突然，结束得也突然。可是笑声一发，珠帘就开始摇荡，珠玉拍击，叮当作响，直到笑声停顿很久，还在不停地响。

小马又看了看常无意，两个人心里都明白，这位狼山之王的气功，的确已到登峰造极、骇人听闻的地步。

就算他们的一双拳头、一柄剑同时攻过去，也未必是这人的敌手。朱五太爷忽然又问："你们是九个人上山的，三个人到了太阳湖，你们在这里，还有四个人在哪里？"

常无意道："在一个安全之地。"

朱五太爷道："那地方真的安全？"

常无意闭上了嘴，他实在没把握。

朱五太爷道："在这狼山上，真正的安全之地只有一处。"

小马忍不住问："太平客栈？"

朱五太爷冷笑。

小马道："不是太平客栈是哪里？"

朱五太爷道："是这里。"

他冷冷地接着道："普天之下，绝没有任何人敢在这里惹是生非。纵然丁喜和邓定侯到了这里，也绝不敢放肆无礼。"

小马道："除此之外呢？"

朱五太爷道："除此之外，无论他们在哪里，随时都可能有杀身之祸。"

小马的心悬起。

他知道这绝不是恫吓，他忍不住问常无意："现在他们究竟是否平安？"

"是的。"

回答他这句话的人不是常无意，而是狼山之王。

小马的心又下沉。

常无意的指尖在颤抖，掌心已有了冷汗。

这是他握剑的手，他的手一向干燥而稳定，可是现在他竟已无法控制自己。

因为他已听懂了朱五太爷这句话的意思。

小马也懂。

既然只有这里才是狼山上的唯一安全之地，既然朱五太爷能确定张聋子、香香和蓝家兄妹都依旧平安无恙，那么他们现在当然也都已到了这里。

过了很久，小马才长长吐出口气，道："他们是怎么来的？"

"是我带来的。"

回答这句话的，既不是常无意，也不是朱五太爷。

门开了一线，一个人悄悄地走进来，竟是郝生意。

小马的拳头握紧，道："想不到你又做了一票好生意。"

郝生意苦笑道："这次我做的却是件赔本生意，虽然没赔钱，却赔了不少力气。"

小马冷笑道："赔本的生意你也做？"

郝生意道："只此一次，下不为例。"

他叹了口气，接着道："他们都是我的好客人。我总不能让他们糊里糊涂就死在那山洞里。"

小马道："什么山洞？"

郝生意道："飞云泉后面的一个山洞。"

小马道："你怎知他们在那里？"

郝生意道："这位常先生虽然觉得那地方又平安、又秘密，却不知那地方才是真正有死无生的绝地。"

他又叹了口气，道："狼山上没有人不知那地方。前面飞泉险洞，滑石密布，无论谁都很难从里面攻出来，后面更无路可退，若有人攻进去，你让他们往哪里走？"

常无意脸色铁青。

小马忍不住道："那么秘密的地方，你能找得到，倒也不容易。"

郝生意立刻同意："若不是有人带路，实在很难找得到。"

小马道："带路的人是谁？"

常无意不开口，郝生意抢着道："一定是猎狗。"

小马道："猎狗？"

郝生意道："猎人首先放狗出去把老虎引到有陷阱的地方，老虎才会掉下去。这种狗，就叫猎狗。"

小马道："你知道那条猎狗是什么人？"

郝生意道："当然知道。"

小马道："是谁？"

郝生意道："就是我。"

这次小马握紧的拳头居然没有打出去。

他的拳头只打人，不打狗。这个人的确是条狗，甚至比狗都不如。

郝生意居然还振振有词，道："我答应过那老太婆，要报她一次恩，我也答应过朱五太爷，绝对听他老人家的话，现在我两样都做到了。"

小马道："哦？"

郝生意道："你们要我带你们来见朱五太爷，我已带你们来了，因为朱五太爷正好要我带你们来见他，所以我不但还了那老太婆的情，也没有违抗朱五太爷的命令。"

他长长吐出口气，叹道："我是个生意人，要做生意，就得两面讨好，谁都不能得罪的。"

小马忍不住问："你为什么要杀柳大脚？"

郝生意道："要杀她的不是我。"

小马道："是谁？"

郝生意道："只有朱五太爷才能叫我杀人。"

小马道："柳大脚得罪了他？"

郝生意道："我是个生意人，只管做生意，别的事我从来不问。"

小马道："杀人也是生意？"

郝生意道："不但是生意，而且通常都是好生意。"

常无意突然道："这种生意我也常做。"

郝生意笑道："我看得出。"

常无意道："只不过我通常只杀人，不杀狗。"

郝生意笑得已有点勉强，道："这附近好像没有狗。"

常无意道："有一条。"

郝生意退后几步，笑得更勉强，道："你既然从不杀狗，这次当然也不会破例。"

常无意冷冷道："偶尔破例一次也无妨。"

郝生意笑不出了，骤然翻身，想夺门而出。

门还没有拉开，剑已飞来。四尺长的软剑标枪般飞了过去，从他的背后穿入，前胸穿出，"夺"的一声，活生生将他钉死在门上。

他死得实在很冤。

因为他做梦也想不到竟有人敢在这里出手！

没有惨呼。

剑锋一下子就已穿透心脏。

大厅中一片死寂，过了很久，朱五太爷才缓缓道："你好大的胆子。"

常无意不开口，小马抢着替他回答："他的胆子本来就不小。"

朱五太爷道："你竟敢在这里杀人！"

小马又抢着道："他本来不敢的，只不过他也不愿意坏了自己的规矩。"

朱五太爷道："什么规矩？"

小马道："他一向不喜欢别人骗他，骗了他的人，从来也没有活过半个时辰的。"

朱五太爷道："你知不知道这里的规矩？"

小马道："什么规矩？"

朱五太爷道："杀人者死。"

小马道："这是条好规矩。"

朱五太爷道："所以我也不愿有人坏了这条规矩。"

小马道："我也不愿意。"

朱五太爷道："那么现在你就替我杀了他！"

小马道："是。"

他转过身，面对常无意："反正我早就想试试，究竟是我的拳头快，还是你的剑快。"

剑已拔下，剑锋还在滴着血。

拳头也已握紧。

常无意的脸色铁青，全无表情。

小马道："快擦干你剑上的血。"

常无意道："为什么？"

小马道："因为我若杀不了你，你就会杀了我。我不想让一柄上面还带着狗血的剑刺入我喉咙里去，我连狗肉都不吃。"

常无意道："有理。"

他就在那张铺着虎皮的交椅上擦干了他剑锋上的血。

小马却已转过身，面对珠帘，道："不行，绝对不行。"

朱五太爷道："什么事不行？"

小马道："我不能杀他。"

朱五太爷道："为什么？"

小马道："因为我忽然想起了一件事。"

朱五太爷道："什么事？"

小马道："你这里的规矩，是杀人者死。"

朱五太爷道："不错。"

小马道："他杀的却不是人，是狗。"

一个人若是连自己都承认自己是条狗，别人为什么还要把他当作人？

小马道："我想你这里总不会有'杀狗者死'这条规矩。"

无论什么地方都不会有这条规矩。

朱五太爷忽然大笑，笑声振动珠帘，珠帘摇荡间，锣声又响起。

门大开。

四个人抬着两顶轿子大步走进来，还有两个人走在后面。

后面的两个人是香香和张聋子，轿子里的当然无疑就是蓝家兄妹。

朱五太爷道："你们果然都不愧是好朋友，不管怎么样，我总得让你们先见上一面。"

小马想再问："见过一面之后又如何？"

但是他没有问。

他已经感觉到这次事件很不单纯。其中有很多关键，都是他上山时没有想到的，而且随时随刻都可能有变化，每个变化也全都出他意料之外。

现在他既然已上了山，凭一口气上了山，就好像一个人已经骑上了虎背。

这是他自己心甘情愿的，他只有骑在虎背上，等着看以后的变化。

就算他被这头老虎吃下去，连皮带骨都吃下去，他也只有认命。

可是他绝不能看着被他拖上虎背的这些朋友，被吃下去，尸骨无存。

幸好他现在还有一条命。

不管以后的事还有什么变化，他都已准备将这条命送给他的朋友，送给他心爱的人。

——只要死得有代价，死又何憾?

——可是为了自己的朋友，为了自己心爱的人，就算自己只能多活一天，就绝不能死。

——所以他现在绝不能死，他还要活着为他们的生存奋斗下去。

香香走得很慢，显得很虚弱。

张聋子寸步不离，一直跟随在她身旁，目光一直没离开过她。

她却连看都没有看他一眼，就好像自己身旁根本没有这么样一个人。

他不在乎，他关心的是她，不是自己。

世上有很多种感情都很难解释，他这种情感显然就是其中之一。

他落拓江湖，潦倒一生，现在年纪已老大，自知配不上香香。

只不过他也是人，在度过了空虚孤独的半生之后，他也想找一个精神上的安慰和寄托。

他对香香的感情，并不完全是男女间的爱，更不是占有，而是一种奉献和牺牲。

小马不但了解这种感情，而且尊敬。

因为他知道这是真的，无论哪种感情，只要是真的，就值得尊敬。

第十九章

图穷匕现

抬轿子进来的四条大汉，黑衣白刃，剽悍矫健，已不是他们上山时带来的轿夫。

轿子停下，香香赶过去掀起第一顶轿子的垂帘，蓝兰就扶着她的手走下来。

经过了这么多天的危难劳顿后，她居然完全没有一点疲倦憔悴之色，反而显得更容光焕发、明艳照人。

她来的时候，一定已经在轿子里着意修饰过。

因为她不但美丽而且聪明，她知道一个女人最大的武器，就是她的容貌和风姿，小马一向很佩服她。

他从未在任何时候看见她有一点令人不愉快的样子。

蓝兰只用眼角瞟了他一眼，就面对珠帘，盈盈一拜，道："我叫蓝兰，特地来拜见朱五太爷！"她的声音柔媚，风姿优美。

朱五太爷纵然已老了，毕竟是个男人。她相信只要是男人，就无法抗拒她的魅力。

这就是她唯一可以用来对付朱五太爷的武器。

朱五太爷却完全没有反应。

蓝兰又道："我虽然是个平凡无用的女人，但有时说不定也有能替你老人家效力的地方。只要你老人家吩咐，不管什么事，我都遵命！"

这句话说得并不露骨，可是其中的风情，只要是男人，就应该明白。

她相信朱五太爷也一定不会拒绝的，她已经准备用最优美的姿态走过去。

只要能接近珠帘中的这个人，不管什么事都有希望了。

想不到这一次她的武器居然完全失效。

朱五太爷只冷冷地说了两个字："站住！"

蓝兰只有站住，却还想再作一次努力，柔声道："我只不过想看看你老人家的风采，难道连这一点你老人家都不准？"

朱五太爷道："你看见了面前的石阶？"

蓝兰当然看见了。

——入门两丈外，就有几层石阶，光可鉴人。

朱五太爷道："无论谁只要上了这石阶一步，格杀勿论！"

石阶远离珠帘至少有二十丈，他为什么一定要和别人保持这么远的距离？

蓝兰没有问，也不敢问。

她使出的武器已无效，这一战她已败了。

朱五太爷道："你的兄弟有病？"

蓝兰轻轻叹息，道："他病得很重，所以只求你老人家……"

她说话的时候，谁也没有注意到张聋子正在悄悄往前走，几乎已接近了石阶。

这句话她没有说完，因为朱五太爷忽然又大喝一声："站住！"

喝声振动了珠帘，也震住了人的心。

张聋子却忽然一箭步往前面冲过去，大声道："你骗不到我的，你……"

他平时行动虽然蹒跚迟钝，轻功却不弱，说出这七个字，他已冲出十余丈。

就在这时，摇荡的珠帘后，也有个人蹿了出来，身法快如鬼魅，出手更快。

大家还没有看清他的人，他身子还在半空，已一脚踢在张聋子胸膛上。

张聋子武功本不差，昔年也是身经百战的好手，却没有避开这一脚。

他的人竟被踢得飞起来，滚了几滚，滚下石阶。

香香立刻扑过去，扑在他身上，失声道："你这是为了什么？"

张聋子本来紧咬着牙，现在想开口说两句话。一开口，鲜血就箭雨般喷出，落在脸上。

香香立刻用衣袖去擦，一面擦，一面流泪，他脸上的血擦干了，她已泪流满面。

张聋子看着她，不停地咳嗽，居然还勉强笑了笑，挣扎着说出两句话："我实在想不到……想不到我死的时候，居然还有人为我流泪。"

小马也扑过来，压低声音问："你为什么要这样做？"

张聋子不停地咳嗽喘息，又说出了两个字："因为……"

这就是他说出的最后两个字。

香香痛哭失声。

她了解他对她的感情，可是她不敢表露，因为他只不过是个落拓的老人，衰老的皮匠。

现在她才明白，一个人的爱是否值得接受，并不在他的身份和年纪，而在于那份感情是不是真的。

可惜现在已太迟了。

小马没有泪，常无意也没有。

他们都盯着站在珠帘前的一个人，刚才一脚踢死张聋子的人。

这个人居然也是个侏儒，却极健壮。一双腿虽然不到两尺，却粗如树干。

常无意忽然冷冷道："好厉害的飞云脚！"

这人咧开嘴笑笑，不开口。

珠帘后却又传出朱五太爷的声音："他不会说话，他是个哑巴。"

常无意道："据说江湖中有两个最厉害的哑巴，叫西北双哑！"

朱五太爷道："不错！"

常无意道："他就是西方星宿海、天残地缺门下的无舌童子？"

朱五太爷道："想不到你们还有点见识。"

常无意冷冷道："张聋子能死在这种名人脚下，总算死得不冤。"

朱五太爷道："我说过，无论谁只要超过这石阶一步，格杀勿论！"

常无意道："我还记得你说过的一句话！"

朱五太爷道："什么话？"

常无意道："杀人者死！"

朱五太爷道："你想为你的朋友报仇？"

常无意道："是。"

朱五太爷道："你迟早会有机会的。可是现在，你若敢踏上石阶一步，我叫你立刻万箭穿心而亡！"

"万箭穿心"这四个字说出口，珠帘两旁的墙壁上忽然出现了两排小窗，无数柄强弓硬弩已对准了常无意的心脏，箭头闪闪发光。

常无意整个人都已僵硬。

这看来空无一物的大厅，其实却到处都有杀人的埋伏！

蓝兰叹了口气，柔声道："张先生虽然死了，能死在名人手中，美人怀里，也算死得其所，死而无憾了！"

小马忽然大笑，道："说得好，说得有理！"

他的笑声听起来实在比哭还让人难受。

蓝兰道："人死不能复生，何况每个人迟早都要死的。"

小马的笑声突然停顿，大吼道："那么为什么你不让你弟弟去死？"

蓝兰道："因为他是我弟弟！"

她的声音还是很平静，慢慢地接着道："也因为我相信你，一定会护送他平安过山的！"

小马闭上了嘴。

蓝兰道："他是个可怜的孩子，从小就多病，连一天好日子都没有过。若是这么样死了，叫我这做姐姐的怎么能安心？"

她的声音已哽咽，美丽的眼睛里也有了泪光，又面对珠帘拜下，道："你老人家若是要了他这条命，简直和踩死蚂蚁一样。所以我只求你老人家开恩放了我们，让我们过山去求医。"

朱五太爷冷冷道："我很想放了他，只可惜他不是蚂蚁，蚂蚁不坐轿子。"

蓝兰道："他一直躲在轿子里，没有出来拜见你老人家，绝不是因为他敢对你老人家无礼！"

朱五太爷道："那是因为什么？"

蓝兰道："因为他实在病得太重，见不得风！"

朱五太爷道："这里哪里有风？"

蓝兰不能不承认："没有。"

朱五太爷道："他为什么不出来？"

蓝兰道："因为……因为外面总比轿子里冷得多。"

朱五太爷忽然大笑，道："说得好，说得有理！"

他的笑声忽又停顿，厉声道："你们替我去把他揪出来，看他死不死得了！"

一句话还没有说完，四壁间已出现了六个人，其中不但有玲珑双剑，还有卜战和那扫花老人。

无舌童子的身子也凌空飞起，蹿了过来。

常无意早就在等着他。

他的人一过石阶，常无意立刻迎了上去，剑光一闪，直刺咽喉。

他的剑走偏锋，奇诡迅急。

可是星宿海门下的弟子，武功更奇秘怪异，半空中居然还能再次拧身。

常无意这一剑刺空了，无舌童子的飞云脚已踢向他胸膛。

霎眼间两人已打了十余招，使出的都是致命的招数!

他们自己心里都知道，两个人只要一交上手，就有个人必死无疑。

小马迎向那扫花的老人。

老人道："你是个好男儿，我不想杀你！"

小马道："多谢多谢。"

老人道："我也不喜欢杀人！"

小马道："客气客气。"

老人道："这是什么话？"

小马道："你白天在这里扫花，晚上到哪里去了？"

老人道："你说我到哪里去了？"

小马道："去杀人！"

他淡淡地接着道："也许你不喜欢自己动手，可是你喜欢看人杀人！”

——夜狼围攻，浴血苦战，一个跛足的黑衣人，远远地站在岩石上。

小马道：“你白天扫花，晚上杀人，这种日子也过得未免太忙了些，你累不累？”

老人已沉下脸，冷冷道：“扫花和杀人都是种乐趣，我怎么会累！”

小马居然同意，道：“一个人做的若是自己喜欢做的事，就不会觉得累的。”

老人道：“你喜欢干什么？”

小马道：“喜欢打你的鼻子，一拳不中，还有第二拳，就算打上三千六百拳，我也不会累的！”

这句话说完，他已经打出了七八拳。

七八拳打出后，他才发现这老人的身法轻灵飘忽，要想打中他鼻子，实在不容易。

小马不怕累，可是他却不能不替蓝兰和轿子里那病人担心，因为玲珑双剑已经过去了，老狼卜战还在旁边掠阵。他根本没法子分身去救他们，何况还有两排强弓大箭。

小马也不怕死。

对他来说，真正可怕的并不是他现在的对手，也不是老狼卜战和玲珑双剑，更不是这些大箭长弓。

真正可怕的只有一人——朱五太爷！

只有他才是狼山上的主宰，几乎也可以算是小马这一生所见过的第一高手。

他的气功固然可怕，他的阴沉更可怕。

——你们都是好朋友，不管怎么样，我总得让你们先见上一面。

现在小马终于明白了这句话的意思。

——见过一面后怎么样？

——死！

死也有很多种死法，他选择的必定是最残酷可怕的一种。

从一开始，他就没有打算要小马的拳头、常无意的剑。

从一开始，他就没有打算让他们其中任何一个人活着回去。

病人还在轿子里，蓝兰一直没有离开过这顶轿子。

她看见玲珑双剑向这顶轿子走过来。

小马在拼命，常无意也在拼命，为她和她那重病的兄弟拼命。

她却好像没有看见。

她的笑还是那么迷人，声音还是那么动听："两位小弟弟，你们今年已经有多大年纪？"

她知道玲珑双剑绝不会回答这句话的，因为侏儒们一定都不愿意别人提起他们的年纪，他们自己当然更不愿提。

她问话的重点并不在这里。

所以她不等他们开口，立刻又问："你们有没有见过一个真正美丽的女人，而且完全脱光了衣服的？"

玲珑双剑也许见过，也许没见过，但他们毕竟也是男人。

若有一个真正美丽的女人脱光了衣服，无论什么样的男人都不会拒绝去看的。

蓝兰忽然唤："香香！"

香香还在流泪。

蓝兰道："你自己认为你自己是不是很难看？"

香香摇头。

蓝兰道："那么你为什么不让他们看看？"

香香虽然还在流泪，却很快就站了起来，很快就让自己完全赤裸了！

在这么样的心情下，她的动作当然绝不会美，可是她身材却实在很美。

那坚挺的乳房，纤细的腰，浑圆修长的腿，都不是任何男人常常能看得到的。

蓝兰自己好像也很欣赏，轻轻叹了口气，道："你们看她美不美？"

玲珑兄弟同时道："美！"

蓝兰道："你们为什么不多看看？"

玲珑兄弟道："我们想看你！"

蓝兰嫣然道："我已经是个老太婆了，没什么好看的，可是你们如果一定要看，我……"

她垂下头，开始解衣服的扣子，她的衣扣中也藏着暗器。

谁知她的暗器还没有发出，玲珑双剑的剑已挥出。

他们根本没有看香香，他们一直都在盯着蓝兰的手。

蓝兰叹了口气，道："我看错了你们，原来你们这里连大带小、连老带少，都不是男人！"

她的暗器还是发了出来，却已被剑光击落。

玲珑双剑就是双生兄弟，心意相通，金银两剑合璧，天衣无缝。

蓝兰并不是弱不禁风的女人，她会武功，而且武功不弱。

可是她也没法子抵挡这两把剑。

她的发髻已被削落，金色的剑光如毒蛇般缠住了她，银色的剑光有几次都已几乎穿透她咽喉。

她已经开始在喘息，大叫道："小马，你还不快来救我？"

小马想过来，有几次他都已几乎可破那跛足老人的招式，可是卜战的旱烟袋又迎面击来。

沉重的烟斗、炽热的烟丝，他只有退。

他看出蓝兰的情况更危急，可是他完全无能为力。

蓝兰的声音已颤抖，道："你们真的忍心杀我？"

玲珑双剑不理她。

金色的剑光绵密如丝，封住了她所有的退路，银色的剑破空一刺，眼见就要透胸而过。

朱五太爷忽然道："留下她！"

银光立刻停顿，剑锋还在她眉睫间。

朱五太爷道："我要的是轿子里的那个人！"

玲珑双剑道："要死的，还是活的？"

朱五太爷的回答只有一个字："杀！"

狼山上的人，本就视人命如草芥。朱五太爷若说要杀一个人，这个人就死定了。

小马也只有看着。

他答应过蓝兰平安护送这个人过山的，他已为这个人流过汗，流过血。

只可惜他是人，不是神!

人力毕竟是有限的，人世间本就有许多无可奈何的事。

你若遇见了这种事，流汗也没有用，流泪也没有用，流血更没有用。

"杀"这个字说出口，抬轿子进来的那四条黑衣白刃大汉，刀已拔出。

四把刀，两柄剑，同时刺入了那顶轿子，分别由四面刺了进去。

无论轿子里的人往哪边去躲，都躲不开的。就算他是条生龙活虎般的好汉，也避不开。

何况轿子里这个人已病重垂危，命如游丝，连手都抬不起。

蓝兰整个人都软了，用手蒙住了眼睛。

轿中人是她的兄弟，这四把刀、两柄剑刺入，她兄弟的血立刻就要将这顶轿子染红。

她当然不忍看，也不敢看。

奇怪的是，她的手指间居然还留着一条缝，居然还在指缝间偷看。

她没有看见血，也没有听见惨呼。

刀剑刺入，轿子里居然连一点反应都没有。轿子外面的六个人脸色却变了，手足也已僵硬。

只听“咯、咯、咯”几声响，六个人同时后退，刀剑又从轿子里抽出。

四把百炼精钢打成的快刀，刀头竟已被折断。玲珑双剑的剑也已只剩下半截。

朱五太爷冷笑道：“果然不出我所料，果然好功夫！”

他突然又大喝：“看箭！”

弓弦声响，乱箭齐发，暴雨飞蝗般射了过来，射入轿子。

轿子里还是全无反应，几十根箭忽然又从里面抛出，却已只剩下箭杆。

箭头呢？

只听“嗤”的一声响，十道寒光自轿子里飞出，打入了珠帘左边的第一排窗口。

窗口里立刻响起了惨呼，溅出了血珠。

这变化每个人都看得见。小马也看见了，心里却不知是什么滋味。

现在他才知道，他们流血流汗、拼命保护的这个人，才是真正的高手，武功远比任何人想象中都要高得多。但他却实在想不通这个人为什么要装成病重垂危的样子？

为什么要躲在轿子里？

他故意要小马他们保护他过山，究竟为的是什么？

朱五太爷忽又大喝："住手！"

小马立刻住手。

他本就不愿再糊里糊涂地为这个人拼命了。

他忽然发现自己这几天做的事，简直就像是条被人戴上眼罩去拉磨的驴子。

常无意也已住手。

他的心情当然也跟小马差不多。朱五太爷说的话就是命令，他的属下当然更不敢不住手。

大厅里立刻又变得一片死寂，过了很久，才听见蓝兰轻轻叹了口气，道："我早就劝过你们，不要去惹他的，你们为什么不听？"

轿子里的人在咳嗽。

朱五太爷冷笑道："神龙已现首，阁下又何必再装病？"

蓝兰道："他本来就有病！"

朱五太爷道："什么病？"

蓝兰道："心病！"

朱五太爷道："他病得很重？"

蓝兰点点头，叹息着道："幸好他的病还有药可治。"

朱五太爷道："哦？"

蓝兰道："治他的病，并不在山那边！"

朱五太爷道："在哪里？"

蓝兰道："就在这里，我们就是上山来求药的，所以我们故意让你把我们逼入绝路，故意让你认为我们已不能不到这里来。"

朱五太爷道："你们千方百计，为的就是要来见我？"

蓝兰不否认。

朱五太爷道："既然如此，他为什么还要躲在轿子里？"

蓝兰道："我问问他！"

她转过身，靠近轿子，轻轻问道："朱五太爷想请你出来见见面，你看怎么样？"

轿子里的人"嗯"了一声，蓝兰立刻掀起了垂帘。扶着她的手、慢慢地走下轿子的人，正是小马在太平客栈里见过的那个年轻人。

他脸色还是那么苍白，完全没有血色。在这还没有寒意的九月天气，他身上居然穿着件貂裘，居然没有流汗。

貂裘的皮毛丰盛，掩住了他半边脸，却还是可以看出他的眉目很清秀。

蓝兰看着他，眼睛里流露出无限温柔，道："你走不走得动？"

这年轻人点点头，面对着珠帘，道："现在你已看见了我！"

朱五太爷道："看来阁下好像真的有病。"

他脸上的表情别人虽然看不见，但是每个人都能听得出他的声音很激动，只不过正故作镇定而已。

年轻人叹了口气，道："只可惜你虽然看得见我，我却看不见你！"

朱五太爷道："你为何不过来看看？"

年轻人道："我正想过去！"

他居然真的走了过去，走得虽然很慢，脚步却没有停。

走过石阶时，他的脚步也没有停。

——无论谁只要走上这石阶一步，格杀勿论！

这句话他好像根本没听见。

珠帘旁的窗口里，箭又上弦，闪闪发光的箭头，都在对着他。

他好像根本没看见。

卜战、无舌、夜狼、玲珑双剑，这些绝顶高手，在他眼中也好像全都是死人！

卜战他们并没有动，因为朱五太爷还没有发出命令。

第二十章

真　相

这是不是因为他故意要留下这个人，由自己来出手对付？

因为他才是狼山上的第一高手，只有他才能对付这年轻人。

他那惊人的气功，江湖中的确已很少有人能比得上。

这年轻人深藏不露，武功更深不可测。

他们这一战是谁胜谁负？

没有人能预料，可是每个人手里都捏着把冷汗。不管他们谁胜谁负，这一战的激烈与险恶，都必将是前所未见的。

年轻人已走近珠帘，朱五太爷居然还是端坐在珠帘里，动也不动。

他是不是已有成竹在胸？

小马的拳头又握紧，心里在问自己："别人敢过去，我为什么不敢？难道我真是条被人牵着拉磨的驴子？"

别的事他都可以忍受，挨穷、挨饿、挨刀子，他都不在乎。

可是这口气他实在忍不下去。

这世上本就有种人是宁死也不能受气的，小马就是这种人。

他忽然冲了过去，用尽全身力气冲了过去，冲过了石阶。

没有人拦阻他，因为大家的注意力，都集中在那年轻人身上。

等到大家注意到他时，他已箭一般冲入了珠帘，冲到朱五太爷面前。

一个人年纪渐渐大了，通常都会变得比较孤僻古怪。

朱五太爷变得更多。

近年来除了他的贴身心腹无舌童子外，连群狼中和他相处最久的卜战，都不敢妄入珠帘一步。

——妄入一步，乱剑分尸。

以他脾气的暴烈，当然绝不会放过小马的。

小马是不是能撑得住他的出手一击？

常无意也准备冲过去，要死也得和朋友死在一起！

谁知朱五太爷还是端端正正地坐在那里，动也没有动。

小马居然也没有动。

一冲进去，他就笔笔直直地站在朱五太爷面前，就好像突然被某种神奇的魔法制住，变成了个木头人。

难道这个珠帘后真的有种神秘的魔力存在？

可以将有血有肉的人化为木石？

还是因为朱五太爷已练成了某种神奇的武功，用不着出手，就可以置人于死地？

这世上岂非本就有很多令人无法思议，也无法解释的事！

对这些事，无论任何人都会觉得有种不可抗拒的恐惧。

常无意紧握着他的剑，一步一步走过去。

他心里也在怕，他的衣衫已被冷汗湿透，但是他已下定决心，绝不退缩。

想不到他还没有走入珠帘，小马就已动了。

小马并没有变成木头人，也没有被人制住，却的确看见了一件不可思议的怪事。

一闯入珠帘，他就发现这位叱咤风云、不可一世的狼山之王，竟是个死人，不但是死人，而且已死了很久。

珠帘内香烟缭绕，朱五太爷端坐在他的宝座上，动也没有动，只因为他全身也已冰冷僵硬。

他脸上的肌肉也已因萎缩而扭曲，一张本来很庄严的脸，已变得说不出的邪恶可怖，谁也不知道他已死了多久。

他的尸体还没有腐烂发臭，只因为已被某种神秘的药物处理过。

因为有个人要利用他的尸体发号施令，控制住狼山上的霸业。

刚才在替他说话的，当然就是这个人。

他绝不能让任何人知道这秘密，所以绝不能让任何人接近这道珠帘。

他能够信任的，只有一个无舌的哑巴，因为他非但没有舌头，也没有欲望。

现在小马当然也明白张聋子为什么要冒死冲过来了！

——他天生就有双锐眼，而且久经训练。就在这道珠帘被“站住”那两个字的喝声振动时，发现了这秘密。

——“站”字是开口音，可是说出这个字的人，嘴却没有动。

他看出端坐在珠帘后的人已死了，却忘了死人既不能说话，说话的必定另有其人，这个人当然绝不会再留下他的活口。

小马怔住了很久，只觉得心里有种说不出的悲哀。为这位纵横一世的狼山之王悲哀，为人类悲哀。

不管一个人活着时多有权力，死了后也只能受人摆布。

他叹息着转过身，就看见了一个远比他更悲伤的人。

那个身世如谜的年轻人，也正痴痴地看着朱五太爷，苍白的脸上，泪流满面。

小马忍不住问："你究竟是谁？"

年轻人不开口。

小马道："我知道你一定不姓蓝，更不会叫蓝寄云。"

他的目光闪动，忽然问："你是不是姓朱？"

年轻人还是不开口，却慢慢地跪了下去，跪在朱五太爷面前。

小马突然明白："难道你是他的……他的儿子？"

只听一个人在帘外轻轻道："不错，他就是朱五太爷的独生子朱云。"

朱五太爷仍然端坐在他的宝座上，从珠帘外远远看过去，仍然庄严如神。

他的独生子还是跪在他面前，默默地流着泪。

卜战远远地看着，眼睛里仿佛也有热泪将要夺眶而出。

小马道："你和朱五太爷已是多年的伙伴。"

卜战道："很多很多年了。"

小马道："但是你刚才并没有认出朱云就是他的独生子。"

卜战道："朱云十三岁时就已离开狼山，这十年都没有回来过。"

无论对任何人来说，十年间的变化都太大。

小马道："他为什么要走？为什么不回来？"

卜战道："他天生就是练武的奇才，十三岁时，就认为自己的武功已不在他父亲之下，就想到外面去闯他自己的天下。"

小马道："可是他父亲不肯让他走？"

卜战道："一个人晚年得子，当然舍不得让自己的独生儿子离开自己身边。”

小马道：“所以朱云就自己偷偷溜走了？”

卜战道：“他是个有志气的孩子，而且脾气也和他父亲同样固执。如果决定了一件事，谁都没法子让他改变。”

他叹息着，又道：“这十年来，虽然没有人知道他在哪里，可是我和他父亲都知道，以他的脾气，在外面一定吃了不少苦。”

小马转向蓝兰：“这十年来他在干什么，也许只有你最清楚。”

蓝兰并不否认：“他虽然吃了不少苦，也练成了不少武功绝技。为了要学别人的功夫，什么事他都可以做得出来。”

一个人的成功本就不是偶然的。

他能够有今日这样的武功，当然也经过了一段艰苦辛酸的岁月。

蓝兰道：“可是他忽然厌倦了，他忽然发现一个人就算能练成天下无敌的功夫，有时反而会觉得更空虚寂寞。”

她的神情黯然，慢慢地接着道：“因为他没有家人的关怀，也没有朋友。他的武功练得愈高，心里反而愈痛苦。”

小马了解这种情感。

没有根的浪子们，都能了解这种情感。

若是没有人真正关心他的成败，成败岂非也会变得全无意义？

小马凝视着蓝兰，道：“你不关心他？”

蓝兰道：“我关心他，可是我也知道，他真正需要的安慰与关怀，绝不是我能给他的。”

小马道：“是他的父亲？”

蓝兰点点头，道：“只有他的父亲，才是他这一生中真正唯一敬爱的人。可是他的脾气实在太倔强，非但死也不肯承认这一点，而且总觉得自己是溜出来的，已没有脸再回去。”

卜战道：“我们都曾下山去找他。”

蓝兰道："那几年他还未曾体会到亲情的可贵，所以一直避不见面。等他想回来的时候，已经听不见你们的消息。"

——人世间岂非本就有很多事都是这样子的？

否则人生中又怎么会有那许多因误会和矛盾造成的悲剧。

一点点误会和矛盾，可能造成永生无法弥补的悲剧。

这也就是人生中最大的悲剧。

蓝兰道："他救过我们蓝家一家人的性命，我当然不能看着他受苦，所以我就偷偷地替他写了很多封信，千方百计托人带到狼山上来，希望朱五太爷能派人下山去接他的儿子。"

卜战道："我们为什么都不知道这回事？"

蓝兰叹息道："那也许只因为我所托非人，使得这些信都落入了一个恶贼的手里。"

她接着又道："可是当时我们都没有想到这一点，因为我的信发出不久，狼山上就有人带来了朱五太爷的回音。"

卜战道："什么回音？"

蓝兰道："那个人叫宋三，看样子很诚恳，自称是朱五太爷的亲信。"

卜战道："我从未听说过这个人。"

蓝兰道："他这姓名当然是假的，只可惜我们以后永远都不会知道他究竟是谁了。"

卜战道："为什么？"

蓝兰道："因为现在他连尸骨都已腐烂。"

她又补充着道："他送来的是个密封的蜡丸，一定要朱云亲手剖开，因为蜡丸中藏着朱五太爷给他儿子的密函，绝不能让第三者看见。"

父子间当然应该有他们的秘密，这一点无论谁都不会怀疑。

蓝兰道："想不到蜡丸中藏着的，却是一股毒烟和三枚毒针。"

小马抢着问道："朱云中了他的暗算？"

蓝兰苦笑道："有谁能想得到父亲会暗算自己的儿子？幸好他真的是位不出世的武林奇才，居然能以内力将毒性逼出了大半。"

小马道："宋三呢？"

蓝兰道："宋三来的时候，已经中了剧毒，他刚想逃走，毒性就已发作，不到片刻，连骨带肉都已腐烂。"

小马握紧拳头，道："好狠的心，好毒辣的手段。"

蓝兰道："可是虎毒不食子，那时我们已想到，叫宋三送信来的，一定另有其人，他不愿让朱五太爷父子重逢，因为他知道朱云一回去，必将继承朱五太爷的霸业。"

她叹息着道："我们同时还想到了另外更可怕的一点。"

小马道："哪一点？"

蓝兰道："这个人既然敢这样做，朱五太爷纵然还没有死，也必定病在垂危。"

卜战立刻同意，恨恨道："朱五太爷雄才绝顶，他若平安无恙，这个人就算有天大的胆子，也绝不敢这么做的。"

蓝兰道："父子连心，出于天性，到了这时候，朱云也不能再固执。"

她又叹了口气，道："可是我们也想到了，这个人既然敢暗算朱五太爷的独生子，在狼山上一定已有了可以左右一切的势力。如果我们就这么样闯上山来，非但一定见不到朱五太爷，也许反而害了他老人家。"

卜战替她补充，道："因为那时你们还不能确定他的死活，朱云纵然功力绝世，毒性毕竟还没有完全消除，出手时多少总会受到影响的。"

蓝兰道："可惜我们也不能再等下去，所以我们一定要另外想个万无一失的法子。"

小马道："所以你们想到了我。"

蓝兰点点头道："我们并不想欺骗你，只不过这件事实在太秘密，绝不能泄露一点消息。"

小马也叹了口气，点头道："其实我也并没有怪你，这本来就是我心甘情愿的。"

常无意冷冷道："现在我只想知道一件事。"

小马道："什么事？"

常无意道："主使这件阴谋的究竟是谁？"

小马没有回答，蓝兰和卜战也没有。可是他们心里都同时想到了一个人——"狼君子"温良玉。

他本是朱五太爷的心腹左右，在这种紧要关头，却一直没有出现过。

珠帘后的宝座下还有条秘道，刚才替朱五太爷说话的人，一定已从秘道中溜了。

这个人是不是温良玉？他能逃到哪里去？

"不管他逃到哪里去，都逃不了的。"

"可是我们就算要追，也绝不能走这条秘道！"

"为什么？"

"以他的阴险和深沉，一定会在秘道中留下极厉害的埋伏。"

卜战毕竟老谋深算："这一次我们绝不能再因为激动而误了大事。"

大家都同意这一点。每个人都在等着朱云的决定，只有小马没有等。他不愿再等，也不能再等。

他又冲了出去，蓝兰在后面追着他问："你想去哪里？去干什么？"

小马道："去揍一个人。"

蓝兰道："谁？"

小马道："一个总是躲在面具后的人。"

蓝兰的眼睛里发出光，又道："你认为他很可能就是温良玉？"

小马道："是的。"

外面有光，太阳的光，阳光正照在湖水上。

九月十四，黄昏前。

晴。

太阳已偏西，阳光照耀着湖水，再反射到那黄金的面具上。

"就是他？"

"是的。"

小马有信心："除了温良玉之外，我想不出第二个人。"

朱云没有反应，欢乐的事虽然通常都令人疲倦，却还比不上悲伤。

一种真正的悲伤非但能令人心神麻痹，而且能令人的肉体崩溃。愤怒却能令人振奋。

小马冲出来，瞪着对岸的太阳神使者："你居然还在这里？"

使者道："我为什么要走？"

小马道："因为你做的事——你用朱五太爷的尸体，号令群狼；你不愿他们父子相见，暗算朱云；为了摧毁他们的下一代，你假借太阳神的名，利用年轻人反叛的心理，让他们耽于淫乐邪恶……"

这些事小马根本不必说出来，因为这太阳神的使者根本不否认。

小马道："这些事你做得都很成功，只可惜朱云还没有死，我也没有死。"

使者道："他没有死，是他的运气；你没有死，是我的运气。"

小马道："是你的运气？"

使者道："因为朱云不是你的朋友，小琳和老皮却是的。"

小琳就在他身后，老皮也在。使者道："而且你还有双拳头，还有个会用剑的朋友，朱云却只剩下半条命。"

小马道："你要我杀了他，换回小琳？"

使者道："这世上喜新厌旧的人并不少，也许你会为了蓝兰而牺牲小琳，只不过我相信你绝不是这种人。"他知道小马不能牺牲小琳，却可以为小琳牺牲一切，"我也可以保证，以你的拳头和常无意的剑，已足够对付朱云。"

小马的拳头没有握紧。他不能握紧，他的手在发抖，因为他没有想到一件事，他没有想到那个会跪在地上舐人脚的老皮，竟忽然扑起来，抱住了这太阳神的使者，滚入了湖水里。

在滚入湖水前，老皮还说了两句话："你把我当朋友，我不能让你丢人。"

"朋友。"

多么平凡的两个字，多么伟大的两个字！

对这两个字，朱云最后下了个结论。

"现在我才知道，无论多高深的武功，也比不上真正的友情。"

人世间若是没有这样的情感，这世界还成什么世界？人还能不能算是人？

满天夕阳，满湖夕阳。

小马和朱云默默相对，已久无语。

先开口的是朱云："现在我也知道你才是个真正了不起的人，因为你信任朋友，朋友也信任你，因为你可以为朋友死，朋友也愿意为你死。"

小马闭着嘴。

朱云道："谁都想不到老皮这么样是为了你，我也想不到，所以我不如你。"

他叹息，又道："我也知道我对不起你，可是我至少也可以为你做几件事。"

小马并没有问他是什么事，发问的是蓝兰。

朱云道："我可以保证，狼山上从此再也没有恶狼，也没有吃草的人。"

小马站起来，说出了他从未说过的三个字。

他说："谢谢你！"

小琳已清醒。

夕阳照着她的脸，纵然在夕阳下，她的脸也还是苍白的。

她没有面对小马，只轻轻地说："我知道你在找我，也知道你为我做的事。"

小马道："那么你——"

小琳道："我对不起你。"

小马道："你用不着对我说这三个字。"

小琳道："我一定要说，因为我已经永远没法子再跟你在一起，我们之间已经有了永远无法弥补的裂痕，在一起只有痛苦更深。"

她在流泪，泪落如雨："所以你若真的对我还有一点儿好，就应该让我走。"

所以小马只有让她走。

看着她纤弱的身影在夕阳下渐渐远去，他无语，也已无泪。

蓝兰一直在看着他们，忽然问："这世上真有永远无法弥补的裂痕？"

常无意道："没有。"

他脸上还是全无表情："只要有真的情，不管多大的裂痕，都一定可以弥补。"

蓝兰道："这句话你是对谁说的？"

常无意道："那个像驴子一样笨的小马。"

小马忽又冲过去，冲向夕阳，冲向小琳的人影消失处。

夕阳如此艳丽，人生如此美好，一个人只要还有机会，为什么要轻易放弃？

七杀手

第一章

奇人之约

01

杜七的手放在桌上，却被一顶马连坡大草帽盖住。

是左手。

没有人知道他为什么要用帽子盖住自己的手。

杜七当然不止一只手，他的右手里拿着块硬馍，他的人就和这块硬馍一样，又干、又冷、又硬！

这里是酒楼，天香楼。

桌上有菜，也有酒。

可是他却动也没有动，连茶水都没有喝，只是在慢慢地啃着这块他自己带来的硬馍。

杜七是个很谨慎的人，他不愿别人发现他被毒死在酒楼上。

他自己算过，江湖中想杀他的人至少有七百七十个，可是他现在还活着。

黄昏，黄昏前。

街上的人正多，突然有一骑快马急驰而来，撞翻了三个人、两个摊子、一辆独轮车。

马上人腰悬长刀，精悍矫健，看见了天香楼的招牌，突然从马鞍上飞起，凌空翻身，箭一般蹿入了酒楼。

楼上一阵骚动，杜七没有动。

佩刀的大汉看见杜七，全身的肌肉都似已立刻僵硬，长长吐出口气，才大步走过来。

他并没有招呼杜七，却俯下身，将桌上的草帽掀起一角，往里面看了一眼，赤红的脸突然苍白，喃喃道："不错，是你。"

杜七没有动，也没有开口。

佩刀的大汉手一翻，刀出鞘，刀光一闪，急削自己的左手。

两截血淋淋的手指落在桌上，是小指和无名指。

佩刀大汉苍白的脸上冷汗雨点般滚落，声音也已嘶哑："这够不够？"

杜七没有动，也没有开口。

佩刀大汉咬了咬牙，突又挥刀。

他的左手也摆在桌上，他竟一刀剁下了自己的左手："这够不够？"

杜七终于看了他一眼，点点头，道："走！"

佩刀大汉的脸色已因痛苦而扭曲变形，却又长长吐出口气，道："多谢。"

他没有再说一个字，就踉跄冲下了酒楼。

这大汉行动矫健，武功极高，为什么往他帽子里看了一眼，就心甘情愿地砍下自己一只手？而且还像是对杜七很感激？

这帽子里究竟有什么秘密？

没有人知道。

黄昏，正是黄昏。

两个人匆匆走上了酒楼，两个锦衣华服、很有气派的人。

看见他们，酒楼上很多人都站起来，脸上都带着尊敬之色，躬身为礼。

附近八里之内，不认得“金鞭银刀，段氏双英”的人还不多，敢对他们失礼的人更没有几个。

段氏兄弟却没有招呼他们，也没有招呼杜七，只走过来，将桌上的草帽掀起一角，往帽子里看了看，脸色突然苍白。

兄弟两人对望了一眼，段英道：“不错。”

段杰已经垂下手，躬身道：“大驾光临，有何吩咐？”

杜七没有动，也没有开口。

他不动，段英段杰也都不敢动，就像呆子般站在他面前。

又有两个人走上酒楼，是“丧门剑”方宽、“铁拳无敌”铁仲达，也像段氏兄弟一样，掀开草帽看了看，立刻躬身问：“有何吩咐？”

没有吩咐，所以他们就只好站着等。他若没有吩咐，就没有人敢走。

这些人都是威震一方的武林豪客，为什么往帽子里看了一眼后，就对他如此畏惧？如此尊敬？

难道这帽子里竟藏着某种可怕的魔力？

黄昏，黄昏后。

酒楼上已燃起了灯。

灯光照在方宽他们的脸上，每个人的脸上都在流着汗，冷汗。

杜七还是没有吩咐他们做一点事，他们本该乐得轻松才对。

可是看他们的神色，却仿佛随时都可能有大祸临头一样。

夜色已临，有星升起。

楼外的黑暗中，突然响起一阵奇异的吹竹声，尖锐而凄厉，就像是鬼哭。

方宽他们的脸色又变了，连瞳孔都似已因恐惧而收缩。

杜七没有动。

所以他们还是不敢动，更不敢走。

就在这时，突听“轰”的一响，屋顶上同时被撞破了四个大洞。

四个人同时落了下来，四条身高八尺的彪形大汉，精赤着上身，却穿着条鲜红如血的扎脚裤，用一根金光闪闪的腰带围住。腰带上斜插着十三柄奇形弯刀，刀柄也闪着金光。

这四条修长魁伟的大汉，落在地上却轻如棉絮，一落下来，就守住了酒楼四角。

他们的神情看来也很紧张，眼睛里也带着种说不出的恐惧之意。

就在大家全都注意着他们的时候，酒楼上又忽然多了个人。

这人头戴金冠，身上穿着件织金绵袍，腰上围着根黄金腰带，腰带上也插着柄黄金弯刀，白白的脸，圆如满月。

段氏双英和方宽他们虽也是目光如炬的武林高手，竟没有看出这个人是从屋顶上落下来的？还是从窗外掠进来的？

但他们却认得这个人。

南海第一巨富，黄金山上的金冠王，王孙无忌。

就算不认得他的人，看见他这身打扮，这种气派，也知道他是谁的。

杜七没有动，连看都没有看他一眼。

王孙无忌却已走过来，俯下身，将桌上的草帽掀起了一角，往里面看了一眼，忽然松了口气，道：“不错，是你。”

他本来显得很紧张的一张脸，此刻竟露出了一丝宽慰的微笑，忽然解下腰上的黄金带，将带扣一拧，黄金带中立刻滚出了十八颗晶莹圆润的明珠。

王孙无忌将这十八粒明珠用黄金带围在桌上，躬身微笑，道：“这够不够？”

杜七没有动，也没有开口。

这时黑暗中的吹竹之声已愈来愈急，愈来愈近。

王孙无忌笑得已有些勉强，举手摘下了头上的黄金冠，金冠上镶着十八块苍翠欲滴的碧玉。

他将金冠也放在桌上：“这够不够？”

杜七不动，也不开口。

王孙无忌再解下金刀，刀光闪厉，寒气逼人眉睫：“这够不够？”

杜七不动。

王孙无忌皱眉道：“你还要什么？”

杜七忽然道：“要你右手的拇指！”

右手的拇指一断，这只手就再也不能使刀，更不能用飞刀。

王孙无忌的脸色变了。

但这时吹竹声更急、更近，听在耳里，宛如有尖针刺耳。

王孙无忌咬了咬牙，抬起右手，伸出了拇指，厉声道：“刀来！”

站在屋角的一条赤膊大汉立刻挥刀，金光一闪，一柄弯刀呼啸着飞出，围着他的手一转。

一根血淋淋的拇指立刻落在桌上。

弯刀凌空一转，竟已呼啸着飞了回去。

王孙无忌脸色发青：“这够不够？”

杜七终于抬头看了他一眼，道：“你要什么？”

王孙无忌道：“要你杀人。”

杜七道：“杀谁？”

王孙无忌道：“鬼王。”

杜七道："阴涛？"

王孙无忌道："是。"

杜七不再开口，也不再动。

方宽、铁仲达、段氏双英，却已都不禁悚然失色。

"鬼王"阴涛，这名字的本身就足以震散他们的魂魄。

这时吹竹声忽然一变，变得就像是怨妇低泣，盲者夜笛。

王孙无忌低叱一声："灭烛！"

酒楼上灯火辉煌，至少燃着二十多处灯烛。

四条赤膊大汉突然同时挥手，金光闪动，刀风呼啸飞过，灯烛突然同时熄灭。

四面一片黑暗，黑暗中忽然又亮起了几十盏灯笼，在酒楼外面的屋脊上同时亮起。

惨碧色的灯火，在风中飘飘荡荡，又恰恰正像是鬼火。

王孙无忌失声道："鬼王来了！"

晚风凄切，惨碧色的灯光，照在人面上，每个人的脸都已因恐惧而扭曲变形，看来竟也仿佛是一群刚从地狱中放出的活鬼。

缠绵悲切的吹竹声中，突然传来了一声阴恻恻的冷笑："不错，我来了！"

五个字说完，一阵阴森森的冷风吹过，送进了一个人来。

一个长发披肩，面如枯蜡，穿着件白麻长袍，身材细如竹竿的人，竟真的像是被风吹进来的，落到地上，犹在飘摇不定。

他的眼睛也是惨碧色的，瞬也不瞬地盯着王孙无忌，阴恻恻笑道："我说过，你已死定了！"

王孙无忌突也冷笑："你死定了！"

阴涛道："我？"

王孙无忌道："你不该到这里来的，既然已来，就死定了！"

阴涛道："你能杀我？"

王孙无忌道："我不能。"

阴涛道："谁能？"

王孙无忌道："他！"

他就是杜七。

杜七还是没有动，连神色都没有动。

鬼王阴涛一双碧磷磷的眼睛已盯住了他："你能杀我？"

答复很简单："是！"

阴涛大笑："用什么杀？难道用你这顶破草帽？"

杜七不再开口，却伸出了手，右手，慢慢地掀起了桌上的草帽。

这帽子下究竟有什么？

帽子下什么也没有，只有一只手。

左手。

手上却长着七根手指。

手很粗糙，就像是海岸边亘古以来就在被浪涛冲激的岩石。

看见这只手，鬼王阴涛竟像是自己见到了鬼一样，悚然失色："七杀手！"

杜七不动，不开口。

阴涛道："我不是来找你的，你最好少管闲事。"

杜七道："我已管了。"

阴涛道："你要怎么样？"

杜七道："要你走！"

阴涛跺了跺脚，道："好，你在，我走。"

杜七道："留下头颅再走！"

阴涛的瞳孔收缩，突然冷笑，道："头颅就在此，你为何不来拿？"

杜七道："你为何不送过来？"

阴涛大笑，笑声凄厉。

凄厉的笑声中，他的人突然幽灵般轻飘飘飞起，向杜七扑了过来。

他的人还未到，已有十二道碧磷磷的寒光暴射而出。

杜七右手里的草帽一招，漫天碧光突然不见，就在这时，阴涛的人已到，手中已多了柄碧磷磷的长剑，一剑刺向杜七的咽喉。

这一剑凌空而发，飘忽诡异，但见碧光流转，却看不出他的剑究竟是从哪里刺过来的。

杜七的手却已抓了出去。

惨碧色的光华中，只见一只灰白色的、长着七根手指的手，凌空一抓，又一抓。

剑影流转不息，这只手也变幻不停，一连抓了七次，突听"叮"的一声，剑光突然消失，阴涛手里竟已只剩下半截断剑。

剑光又一闪，却是从杜七手里发出来的。

杜七手已捏着半截断剑，这半截断剑忽然已刺入了阴涛的咽喉。

没有人能形容这一剑的速度，也没有人能看清他的手。

大家只听见一声惨呼，接着，阴涛就已倒下。

没有声音，没有光。

楼外的灯笼也已经突然不见，四下又变成了一片黑暗。

死一般的静寂，死一般的黑暗。

甚至连呼吸声都没有。

也不知过了多久，才听见王孙无忌的声音说："多谢。"

杜七道："你走，带着阴涛走！"

"是！"

接着，就是一阵脚步声，匆匆下了楼。

杜七的声音又道："你们四个人也走，留下你们的兵器走。"

"是！"四个人同时回答，兵器放在桌上，一条鞭、一柄刀、一把丧门剑！

杜七说道："记住，下次再带着兵器来见我，就死！"

没有人敢再出声，四个人悄悄地走下楼。

黑暗中又是一片静寂。又不知过了多久，忽然有一点灯光亮起。

灯在一个人的手里，这人本就在楼上独饮，别的客人都走了，他却还没有走。

是个看来很平凡、很和气的中年人，脸上带着种讨人欢喜的微笑，正在看着杜七微笑："一手七杀，果然名不虚传！"

杜七没有理他，也没有看他，用一只麻袋装起了桌上的兵器和珠宝，慢慢地走下楼。

这中年人却又唤道："请留步。"

杜七霍然回头道："你是谁？"

"在下吴不可。"

杜七冷笑，道："你也想死？"

吴不可道："在下奉命，特来传话。"

杜七道："什么话？"

吴不可道："有个人想见七爷一面，想请七爷去一趟。"

杜七冷冷道："无论谁想见我，都得自己来。"

吴不可道："可是这个人……"

杜七道："这个人也得自己来，你去告诉他，最好爬着来，否则就得爬着回去。”

他已不准备再说下去，他已下楼。

吴不可还在微笑着，道：“在下一定会将七爷的话，回去转告龙五公子。”

杜七突然停下脚，再次回头，岩石般的脸上，竟已动容：“龙五？三湘龙五？”

吴不可微笑，道：“除了他还有谁？”

杜七道：“他在哪里？”

吴不可说道：“七月十五，他在杭州的天香楼相候！”

杜七的脸上已露出种很奇怪的表情，忽然道：“好，我去！”

02

公孙妙的手并没有放在桌上。

他的手很少从衣袖里拿出来，从不愿让别人看见。

尤其是右手。

公孙妙说话的声音总是很小，相貌很平凡，衣着也很朴素。

因为他从不愿引人注意。

可是现在他对面却坐着个非常引人注意的人，身上穿的衣服，是最好的质料，用最好的手工剪裁的，手上戴着的，是至少值一千两银子的汉玉扳指，帽子上缀着比龙眼还大的明珠。

何况他本身长得就已够引人注意，他瘦得出奇，头也小得出奇，却有个特别大的鹰钩鼻子，所以他的朋友都叫他胡大鼻子。不是他的朋友，就叫他大鼻子狗。

他的鼻子的确像猎狗一样，总能嗅到一些别人嗅不到的东西。

这一次他嗅到的是一粒人间少有、价值连城的夜明珠。

他的声音也压得很低，嘴几乎凑在公孙妙耳朵上：“你若没有见过那粒夜明珠，你绝对想不到那是多么奇妙的东西。”

公孙妙板着脸，道：“我根本不会去想。”

胡大鼻子道：“它不但真的能在黑暗中发光，而且发出来的光比灯光还亮，你若将它放在屋子里，看书都用不着点灯。”

公孙妙冷冷道：“我从来不看书，万一我想看书的时候，我也情愿点灯，灯油和蜡烛都不贵。”

胡大鼻子苦着脸，道：“可是我却非把它弄到手不可，否则我就死定了。”

公孙妙道：“那是你的事，你无论想要什么，随时都可以去拿。”

胡大鼻子苦笑道：“你也明知我拿不到的，藏珠的地方，四面都是铜墙铁壁，只有你能进得去，那铁柜上的锁，也只有你能打得开，除了你之外，世上还有谁能将那粒夜明珠偷出来？”

公孙妙道：“没有别人了。”

胡大鼻子道：“我们是不是二十年的老朋友？”

公孙妙道：“是。”

胡大鼻子道：“你愿不愿意看着我死在路上？”

公孙妙道：“不愿意。”

胡大鼻子道：“那么你就一定要替我去偷。”

公孙妙沉默着，过了很久，忽然从衣袖里伸出他的右手：“你看见我这只手没有？”

他手上只有两只手指，他的中指、小指、无名指，都已被从根切断。

公孙妙说道：“你知不知道我这根小指是怎么断的？”

胡大鼻子摇摇头。

公孙妙道："三年前，我当着我父母妻子的面，切下我的小指，发誓以后绝不再偷了。"

胡大鼻子在等着他说下去。

公孙妙叹道："可是有一天，我看了八匹用白玉雕成的马，我的手又痒了起来，当天晚上，就又将那八匹玉马偷了回去。"

胡大鼻子道："我看见过那八匹玉马。"

公孙妙道："我的父母妻子也看见了，他们什么话也没有说，第二天早上，就收拾东西，搬了出去，准备从此再也不理我。"

胡大鼻子道："你为了要他们回去，所以又切断了自己的无名指？"

公孙妙点点头道："那次我是真的下了决心，绝不再偷的，可是……"

过了两年，他又破了戒。

那次他偷的是用一整块翡翠雕成的白菜，看见了这样东西后，他朝思夜想，好几天都睡不着，最后还是忍不住去偷了回来。

公孙妙苦笑道："偷也是种病，一个人若是得了这种病，简直比得了天花还可怕。"

胡大鼻子在替他斟酒。

公孙妙黯然道："我母亲的身体本不好，发现我旧病复发后，竟活活地被我气死，我老婆又急又气，就把我这根中指一口咬了下来，血淋淋地吞了下去。"

胡大鼻子道："所以你这只手只剩下了两根手指。"

公孙妙长长叹了口气，将手又藏入了衣袖。

胡大鼻子道："可是你这只只有两只手指的手，却还是比天下所有五指俱全的手，都灵巧十倍，你若从此不用它，岂非可惜？"

公孙妙道："我们是二十年的老朋友，你又救过我，现在你欠了一屁股还不清的债，债主非要你用那颗夜明珠来还不可，因为他也知道你会来找我的，你若不能替他办好这件事，他就会要你的命。"

他叹息着，又道："这些我都知道，但我却还是不能替你去偷。"

胡大鼻子道："这次你真的已下了决心？"

公孙妙点点头，道："除了偷之外，我什么事都肯替你做。"

胡大鼻子忽然站起来，道："好，我们走。"

公孙妙道："到哪里去？"

胡大鼻子道："我不要你去偷，可是我们到那里去看看，总没关系吧。"

五丈高的墙，宽五尺，墙头上种着花草。

就是这道墙，却很少有人能越过去，可是这一点当然难不倒公孙妙。

胡大鼻子道："你真的能过得去？"

公孙妙淡淡道："再高两丈，也没问题。"

胡大鼻子道："藏珠的那屋子，号称铁库，所以除了门口有人把守外，四面都没有人，因为别人根本就进不去。"

公孙妙忍不住问道："那地方真的是铜墙铁壁？"

胡大鼻子点点头道："墙上虽有通风的窗子，但却只有一尺宽，九寸长，最多只能伸进个脑袋去。"

公孙妙笑了笑，道："那就已够了。"

他的缩骨法，本就是武林中久已绝传的秘技。

胡大鼻子道："进去之后，还得要打开个铁柜，才能拿得到夜明珠，那铁柜上的锁，据说是昔年七巧童子亲手打造的，唯一的钥匙，是在老太爷自己手里，但却没有人知道他将这把钥匙藏在哪里。"

公孙妙淡淡道："七巧童子打造的锁，也不是绝对开不了的。"

胡大鼻子道："你打开过？"

公孙妙道："我没有，但我却知道，世上绝没有我开不了的锁。"

胡大鼻子看着他，忽然笑了。

公孙妙道："你不信？"

胡大鼻子笑道："我相信，非常相信，我们还是赶快走吧。"

公孙妙反而不肯走了，瞪着眼道："为什么要赶快走？"

胡大鼻子叹道："因为如你一时冲动起来，肯替我进去偷了，却又进不了那屋子，打不开来那道锁，你一定不好意思再出来的，那么我岂非害了你？"

公孙妙冷笑道："你用激将法也没有用的，我从来不吃这一套。"

胡大鼻子道："我并没有激你，我只不过劝你赶快走而已。"

公孙妙道："我当然要走，难道我还会在这黑巷子里站一夜不成？"

他冷笑着，往前面走了几步，突然又停下，道："你在这里等我，最多半个时辰，我就回来。"

这句话还没说完，他人已掠出两丈，贴在墙上，壁虎般爬了上去，人影在墙头一闪，就看不见了。

胡大鼻子脸上不禁露出了得意的微笑，老朋友总是知道老朋友有什么毛病的。

得意虽然很得意，但等人却还是件很不好受的事。

胡大鼻子正开始担心的时候，墙头忽然又有人影一闪，公孙妙已落叶般飘了下来。

"得手了没有？"胡大鼻子又兴奋，又着急。

公孙妙却不开口，拉着他就跑，转了几个弯，来到条更黑更窄的巷子，才停下来。

胡大鼻子叹道："我就知道你不会得手的。"

公孙妙瞪着他，突然开了口，吐出来的却不是一句话，而是一颗珍珠。

夜明珠。

月光般柔和、星光般灿烂的珠光，将整条黑暗的巷子都照得发出了光。

胡大鼻子的脸已因兴奋而发红，抓住了这颗夜明珠，立刻塞入衣服里，珠光隔着衣服透出来，还是可以照人眉目。

突听一个人微笑道："好极了，公孙妙果然是妙手无双。"

一个人忽然从黑暗中出现，看来是个很和气的中年人，脸上带着种讨人欢喜的微笑。

胡大鼻子看见了这个人，脸色却变了变，立刻迎了上去，双手捧上了那粒夜明珠，勉强笑道："东西总算已经到手，在下欠先生的那笔债，是不是已可一笔勾销？"

原来这人就是债主，可是这债主并不急着要债，甚至连看都没有去看那颗夜明珠一眼。

难道他真正要的并不是这夜明珠？

他要的是什么？

"在下吴不可。"他已微笑着向公孙妙走过来，"为了想一试公孙先生的妙手，所以才出此下策，至于那笔债只不过是区区之数，不要也无妨。"

公孙妙已沉下了脸，道："你究竟要什么？"

吴不可道："有个人特地要在下来，请公孙先生去见他一面。"

公孙妙冷冷道："可惜我却不想见人，我一向很害羞。"

吴不可笑道："但无论谁见到龙五公子都不会害羞的，他从不会勉强别人去做为难的事，也从不说令人难堪的话。"

公孙妙已准备走了，突又回过头："龙五公子？你说的是三湘龙五？"

吴不可微笑道："世上难道还有第二个龙五？"

公孙妙脸上已露出种很奇怪的表情，也不知是惊奇，是兴奋，还是恐惧。

"龙五公子想见我？"

吴不可道："很想。"

公孙妙道："但龙五公子一向如天外神龙，从来也没有人知道他的行踪，我怎么找得到他？"

吴不可道："你用不着去找他，七月十五，他会在杭州的天香楼等你。"

公孙妙连考虑都不再考虑，立刻便道："好，我去！"

03

石重伸出手，抓起了一把花生。

别人一把最多只能抓起三十颗花生，他一把却抓起了七八十颗。

他的右手比别人大三倍。

花生摊子上写明了："五香花生，两文钱一把。"

他抛下了三十文钱，抓了十五把花生，一箩筐花生就几乎全被他抓得干干净净。

卖花生的小姑娘几乎已经快哭了出来。

石重大笑，大笑着将花生全都丢到地上，便扬长而去。

他从来也不喜欢吃花生，可是他喜欢看别人被他捉弄得要哭的样子。

他好像随时随地都能想出些花样来，让别人过不了太平日子。

山上的玄妙观里，有只千斤铜鼎，据说真的有千斤，寻常十来条大汉，也休想能搬得动它。

有一天大家早上起来时，忽然发现这只铜鼎到了大街上，而且不偏不倚就恰巧摆在街心。

这只铜鼎当然不会是自己走来的。

这世上假如还有一个人能将这只铜鼎从山上搬到这里来，这个人一定就是石重。

于是大家跑去找石重。

有这么大的一只铜鼎摆在街心，来来往往的车马，都要被堵死，所有的生意都要受到影响。

大家求石重再将它搬回去。

石重不理。

再等到每个人都急得快要哭出来了，石重才大笑着走出去，用他那只特别大的手托住了铜鼎，吐气开声，喝了声："起！"

这只千斤铜鼎竟被他一只手就托了起来。

就在这时，人丛中忽然有人道："石重，龙五公子在找你。"

石重立刻抛下铜鼎就走，什么也不管了，走了十几步，才回过头来问："他的人呢？"

"七月十五，他在杭州的天香楼等你。"

04

七月十五，月圆。

杭州天香楼还是和平常一样，还不到吃晚饭的时候，就已座无虚席。

只不过今天却有件怪事，今天楼上楼下几十张桌子的客人，竟全都是从外地来的陌生人，平时常来的老主顾，竟全都被挡在门外。

就连天香楼最大的主顾，杭州城里的豪客马老板，今天居然找不到位子。

马老板已涨红了脸，准备发脾气了，马老板一发脾气，可不是好玩的。

天香楼的老掌柜立刻赶过来，打躬作揖，赔了一万个不是，先答应立刻送一桌最好的酒菜，和五十只刚上市的大闸蟹到马老板府上，又附在马老板耳畔，悄悄地说了几句话。

马老板皱了皱眉，一句话都不说，带着他的客人们，扭头就走。

老掌柜刚松了口气，杭州万胜镖局的总镖头“万胜金刀”郑方刚带着他的一群镖师，穿着鲜衣，乘着怒马而来。

郑总镖头就没有马老板那么讲理了：“没有位子也得找出个位子来。”

他挥手叱开了好意的老掌柜，正准备上楼。

楼梯口忽然出现了两个人，挡住了他的路。

两个青衣白袜、眉清目秀的年轻人，都没有戴帽子，漆黑的头发，用一根银缎带束住。

居然有人敢挡郑总镖头的路?

万胜镖局里的第一号镖师“铁掌”孙平第一个冲了出去，厉声道：“你们想死？”

青衣少年微笑着道：“我们不想死。”

孙平道：“不想死就闪开，让大爷们上去。”

青衣少年微笑道：“大爷们不能上去。”

孙平喝道：“你知道大爷们是谁？”

“不知道。”青衣少年还在微笑，“我只知道今天无论是大爷、中爷、小爷，最好都不要上去。”

孙平怒道：“大爷就偏要上去又怎么样？”

青衣少年淡淡道：“大爷只要走上这楼梯一步，活大爷就立刻要变成死大爷。”

孙平怒喝，冲上去，铁掌已拍出。

他的手五指齐平，指中发秃，铁沙掌的功夫显然已练得不错，出手也极快。

这一掌劈出，掌风强劲，锐如刀风。

青衣少年微笑着，看着他，突然出手，去刁他的手腕。

孙平这一招正是虚招，他自十七岁出道，从趟子手做到镖师，身经百战，变招极快，手腕一沉，反切青衣少年的下腹。

这一招已是致命的杀手，他并不怕杀人！

但青衣少年的招式却变得更快，他的手刚切出，青衣少年的两根手指已到了他咽喉。

只听“噗”的一响，这两根手指竟已像利剑般插入了他咽喉。

孙平的眼睛珠子突然凸出，全身的肌肉一阵痉挛，立刻就完全失去控制，眼泪、鼻涕、口水、大小便一起流出，连一声惨呼都没有，人已倒下。

青衣少年慢慢地取出块雪白的手帕，慢慢地擦净了手背上的血，连看都不再看他一眼。

每个人都怔住，都像是觉得要呕吐。

他们杀过人，也看过人被杀，但他们现在还是觉得胃部收缩，有的已几乎忍不住要吐出来。

青衣少年慢慢地叠起手帕，淡淡道："各位现在还不走？"

他的出手虽可怕，但现在若是就这么走了，万胜镖局以后还能在江湖中混么？镖师中又有两个人准备冲过去。

他们吃的这碗饭，本就是随时都得准备拼命的饭。

但郑方刚却突然伸出手，拦住了他们。

他已发现了一件奇怪的事。

今天来的这些陌生客，虽然各式各样的人都有，但却有一点相同之处。

每个人都没有戴帽子，每个人的头发上，都系着条银色的缎带。

这边已有人血溅楼梯，那边的客人却连看都没有回头看一眼。

郑方刚勉强压下了一口气，沉声问："朋友你高姓大名，从什么地方来的？"

青衣少年笑了笑道："这些事你全都不必知道，你只要知道一件事就够了。"

郑方刚道："什么事？"

青衣少年淡淡道："今天就算是七大剑派的掌门，五大帮派的帮主，全都到了这里，也只有在门外站着，若是敢走这楼梯一步，也得死！"

郑方刚脸色变了："为什么？"

青衣少年道："因为有个人在楼上请客，除了他请的三位贵客外，他不想看见别的人。"

郑方刚忍不住问："是什么人在楼上？"

青衣少年道："这句话你也不该问的，你应该想得到。"

郑方刚的脸色突然变得惨白，嗄声道："难道是他？"

青衣少年点头道："是他。"

郑方刚跺了跺脚，回头就走，镖师们也只好抬起孙平，跟着他走。

走出了门后，才有人忍不住悄悄问："他究竟是什么人？"

郑方刚没有直接回答这句话，却长长叹了口气，道："行踪常在云霄外，天下英豪他第一。"

05

现在他正坐在楼上的一间雅室里，坐在一张很宽大的椅子上。

他的脸色是苍白的，瘦削而憔悴，眼睛里也总是带着种说不出的疲倦之色。

不但疲倦，而且虚弱，在这么热的天气里，他坐的椅子上还垫着张五色斑斓的豹皮，腿上也还盖着块波斯毛毡，也不知是什么毛织成的，闪闪地发着银光。

可是他的人看来却已完全没有光彩，就仿佛久病不愈，对人生已觉得很厌倦，对自己的生命，也完全失去了希望和信心。

一个满头银发，面色赤红，相貌威武如天神般的老人，垂手肃立在他身后。这年已垂暮的老人，全身反而充满了一种雄狮猛虎般的活力，眼睛里也带着种慑人魂魄的光芒，令人不敢仰视。

可是他对这重病的少年，态度却非常恭敬。无论谁看见他这种恭敬的态度，都很难相信他就是昔年威震天下，傲视江湖，以一柄九十三斤重的大铁锤，横扫南七北六十三省，打尽了天下绿林豪杰，会遍了天下武林高手，身经大小百战，从未败过一次的“狮王”蓝天猛。

还有一个青衣白袜，面容呆板，两鬓已斑白的中年人，正在为这重病的少年倒茶。

他一举一动都显得特别谨慎，特别小心，仿佛生怕做错了一点事。

暖壶中的茶，倒出来后还是滚烫的，他用两只手捧着，试着茶的温度，直到这杯茶恰好能入口时，才双手送了过去。

这重病的少年接过来，只浅浅地啜了一口。

他的手也完全没有血色，手指很长，手的形状很秀气，好像连拿着个茶杯都很吃力。

但他却正是天下英豪第一的龙五。

屋子里没有别的人，也没有别的人来。

龙五轻轻地叹息了一声，道：“我已有五六年没有等过人了。”

蓝天猛道：“是。”

龙五道：“今天我却已等了他们半个多时辰。”

蓝天猛道：“是。”

龙五道：“上次我等的人好像是钱二太爷。”

蓝天猛道：“现在他已绝不会再让别人等他了。”

龙五又轻轻叹息了一声，道：“他死得真惨。”

没有人会等一个死人的。

蓝天猛道：“以后也绝不会再有人等杜七他们。”

龙五道：“那是以后的事！”

蓝天猛道：“现在他们还不能死？”

龙五道：“不能。”

蓝天猛道：“那件事非要他们去做不可？”

龙五点点头。他仿佛已觉得说的话太多、太累。他并不是个喜欢说话的人。

他甚至连听都不愿多听。所以他不开口，别人也都闭上了嘴。

屋子里浮动着一阵淡淡的茶香，外面也安静得很，二十多张桌子上虽然都坐满了人，却连一句说话的声音都听不见。

刚换上的崭新青布门帘，突然被掀起。一个蓝布短衫的伙计，垂着头，捧着个青花盖碗走了进来。

蓝天猛皱眉道："出去。"

这伙计居然没有出去："小人是来上菜的。"

蓝天猛怒道："谁叫你现在上菜的？客人们还没有来。"

伙计忽然笑了笑，淡淡道："那三位客人，只怕都不会来了。"

龙五疲乏而无神的眼睛里，突然射出种比刀锋还锐利的光，盯在他脸上。

这伙计圆圆的脸，笑容很亲切，眼角虽已有了些皱纹，但一双眼睛却还是年轻的，带着种婴儿般的无邪和纯真。

无论谁都看得出他正是那种心肠很软、脾气很好，而且一定很喜欢朋友和孩子的人。

女人若是嫁给了这种男人，是绝不会吃亏，也不会后悔的。

龙五盯着他，过了很久，才慢慢地问道："你说他们不会来了？"

这伙计点点头："绝不会来了。"

"你怎么知道？"

这伙计没有回答，却将手里捧着的青花盖碗，轻轻地放到桌上，慢慢地掀起了盖子。

龙五的瞳孔突然收缩，嘴角忽然露出种奇特的微笑，缓缓道："这是道好菜。"

伙计也在微笑："不但是道好菜，而且很名贵。"

龙五居然同意了他的话："的确名贵极了。"

这道菜却吃不得，碗里装的既不是山鸡熊掌，也不是大排翅、老鼠斑，而是三只手。

三个人的手！

三只手整整齐齐地摆在青花瓷碗里，一只大手，两只小手。一只左手，两只右手。

大手至少比普通人大三倍。左手上多了两根手指，右手上却少了三根。

世上绝没有任何一个菜碗里，装的东西能比这三只手更名贵。就算你在一个大碗里装满了碧玉金珠，也差得多。事实上，根本就没有人能真正估计出这三只手的价值。

龙五当然认得这三只手，已不禁轻轻叹息："看来他们的确是不会来了。"

这伙计居然还在微笑："可是我来了。"

龙五道："你？"

"他们不来，我来也一样。"

"哦？"

这伙计道："他们并不是你的朋友。"

龙五冷冷道："我没有朋友。"

他的眼睑垂下，看来又变得很疲倦、很寂寞。

这伙计居然能了解他这种心情："你非但没有朋友，也许已连仇敌都没有。"

龙五又看了他一眼："你不笨！"

这伙计道："你找他们来，只不过有件事要他们去做。"

龙五道："你果然不笨！"

这伙计笑了笑："所以我来也一样，因为他们能做的事，我也能做。"

"他们三个人做的事，你一个人就能做？"

这伙计道："我最近很想找件事做。"

"分光捉影，一手七杀。"龙五凝视着碗中的左手，"你知不知道这只手杀过多少人？你知不知道他杀人的快？"

"不知道。"

"妙手神偷，无孔不入。"龙五目光已移在那只少了三根手指的右手，"你知不知道这只手偷过多少奇珍异宝？你知不知道这只手的灵巧？"

"不知道。"

"巨灵之掌，力举千斤。"龙五又在看第三只手，"你知不知道这只手的神力？"

"不知道。"

龙五冷笑："你什么都不知道，就认为自己可以做他们三个人的事？"

"我只知道一件事。"

"你说。"

这伙计淡淡道："我知道我的手还在腕上，他们三个人的手却已在碗里！"

龙五霍然抬起头，凝视着他："就因为你，所以他们的手才会在碗里？"

这伙计又笑了笑："无论谁要卖东西，都得先拿出点货物给人看看的。"

龙五的目光又变得刀锋般逼人："你要卖的是什么？"

这伙计道："我自己。"

"你是谁？"

"我姓柳，杨柳的柳，"这姓并不怪，"我叫柳长街，长短的长，街道的街。"

"柳长街！"龙五道，"这倒是个怪名字。"

柳长街道："有很多人都问过我，为什么要取这么样个怪名字。"

龙五也在问："为什么？"

"因为我喜欢长街。"

柳长街微笑着，又道："我总是想，假如我自己是条很长的街，两旁种着杨柳，还开着各式各样的店铺，每天都有各式各样的人从我身上走过，有大姑娘，也有小媳妇，有小孩子，也有老太婆……"

他眼睛似又充满了孩子般的幻想，一种奇怪而美丽的幻想："我每天看着这些人在我身上闲逛，在柳荫下聊天，在店里买东西，那岂非是件很有趣的事，岂非比做人有趣得多？"

龙五笑了。

他脸上第一次露出愉快的笑容，微笑着道："你这人也很有趣。"

这句话说完，他脸上的笑容已不见，冷冷道："快替我把这个有趣的人杀了！"

蓝天猛一直石像般站在他身后，他的"杀"字出口，蓝天猛已出手！

他一出手，他的人就似已变成了只雄狮，动作却比雄狮更快！更灵巧！

他身子一转，人已到了柳长街面前，左手五指弯曲如虎爪，已到了柳长街胸膛。

无论谁都看得出，这一抓，就可将人的胸膛撕裂，连心肺都抓出来。

柳长街身形半转，避开了这一抓，闪避得也很巧妙、很快。

谁知蓝天猛却似早已算准了他这闪避的动作，右手五指紧紧并拢，一个“手刀”劈下去，急斩柳长街左颈后的血管。

这一招不但立刻致命，而且也已令对方连闪避的退路都没有。

“狮王”蓝天猛自从四十岁后，出手杀人，已很少用过第三招。

柳长街闪避的力量已用到极限，不可能再有新的力量生出，若没有新力再生，就不可能再改变动作。

所以狮王这次杀人，也已不必再使第三招。

他的确没有使出第三招。因为他忽然发现，柳长街的手已到了他肘下，他这一掌若是斩下去，他的肘就必定要先撞上柳长街的手。

手肘间的关节软脆，柳长街食指屈突如凤眼，若是撞在他关节上，关节必碎。

他不能冒这种险。他的手已突然在半空中停顿。就在这一瞬间，柳长街的人已到了门外。

蓝天猛并没有追击，因为龙五已挥手阻止了他，道：“进来。”

柳长街进来时，蓝天猛又已石像般站在龙五身后，那青衣白袜的中年人，一直远远地站在角落里，根本连动都没有动。

“你说我是个有趣的人，这世上有趣的人并不多。”柳长街苦笑道，“你为什么要杀我？”

龙五道：“有时我也喜欢说谎话，但我却不喜欢听谎话。”

柳长街道：“谁在说谎？”

龙五道：“你！”

柳长街笑了笑，道：“有时我也喜欢听谎话，却从来不说谎。”

龙五道：“柳长街这名字，我从来没有听过。”

柳长街道：“我本来就不是个有名的人。”

龙五道：“杜七、公孙妙、石重，本都是名人，你却毁了他们。”

柳长街道："所以你认为我本来也应该很有名？"

龙五道："所以我认为你在说谎。"

柳长街又笑了笑，道："我今年才三十，若是想做名人，刚才已死在地上。"

龙五凝视着他，目中又有了笑意。他已听懂了柳长街的话。

要求名，本是件很费工夫的事，要练武，也是件很费工夫的事。能同时做好这两件事的人并不多。

柳长街并不像那种绝顶聪明的人，所以他只能选择一样。

他选的是练武。所以他虽然并不有名，却还活着。

这句话的意思并不容易懂，龙五却已懂了，所以他抬起一根手指，指了指对面的椅子道："坐下。"

能够在龙五对面坐下来的人也不多。

柳长街却没有坐："你已不准备杀我？"

龙五道："有趣的人已不多，有用的人更少，你不但有趣，也很有用。"

柳长街笑道："所以你已准备买我了？"

龙五道："你真的要卖？"

柳长街道："我是没有名的人，又没有别的可卖，但一个人到了三十岁，就难免想要享受享受了。"

龙五道："像你这种人，卖出去的机会很多，为什么一定要来找我？"

柳长街道："因为我不笨，因为我要的价钱很高，因为我知道你是最出得起价钱的人，因为……"

龙五打断了他的话，道："这三点原因已足够！"

柳长街道："但这三点却还不是最重要的。"

龙五道："哦。"

柳长街道："最重要的是，我不但想卖大钱，还想做大事，无论谁要找杜七他们三个人去做的事，当然一定是大事。"

龙五苍白的脸上，又露出微笑，这次居然抬起手，微笑道："请坐。"

这次柳长街终于坐了下来。

龙五道："摆酒。"

第二章

苦肉之计

01

古风的高杯，三十年的陈酒。

青衣白袜的中年人，倒了四杯酒。

龙五微笑道：“你一个人要做三个人的事，就也得喝三个人的酒。”

柳长街道：“这是好酒，三十个人的酒我也喝。”

他的酒量很不错，喝得很快。

所以他醉了。

最容易醉的，本就是酒量又好、喝得又快的人。

忽然间，他已像一摊泥般，往椅子上滑了下去。

龙五静静地坐在那里，看着他，仿佛在沉思。

屋子里飘动着酒香，外面还是很安静。

过了很久很久，龙五忽然道：“问。”

蓝天猛立刻走过来，一把揪起柳长街的头发，将半壶酒倒在他脸上。

酒有时反能令醉人清醒。

柳长街居然睁开了眼睛，失神地看着他。

蓝天猛道："你姓什么？叫什么？"

"姓柳，叫柳长街。"柳长街说话的时候，舌头似已比平时大了两倍。

"你是在什么地方生长的？"

"济南府，杨柳村。"

"你是跟谁学武的？"

"我自己。"柳长街吃吃地笑着，"谁也不配做我的师父，我有天书。"

这并不完全是醉话。

世上本就有很多湮没已久，又忽然出现的武功秘笈。

蓝天猛再问："你的武功最近才练成？"

"我已经练得够快了，我一点也不笨。"

"这次是谁叫你来的？"

"我自己，我本来想杀了龙五的。"柳长街忽然大笑，道，"杀了龙五，我就是天下第一有名的人了！"

"你为什么没有出手？"

"我看得出……"

"你看得出你杀不了他？"

"我一点也不笨，"柳长街还是在笑，"能做天下第二大人物也不错……他居然请我坐，请我喝酒，他也看得出我有本事。"

蓝天猛还想再问，龙五却已摆了摆手："够了。"

"这个人怎么样？"

龙五脸上又露出疲倦之色，淡淡道："他喝酒喝得太多。"

蓝天猛点点头，突然一拳打在柳长街肋骨上。

02

星光灿烂，圆月如冰盘。

柳长街忽然被一阵剧痛惊醒，才发现自己竟已被人像风铃般吊在天香楼外的飞檐下。

七月的晚风中，已有凉意。

凉风吹在他身上，就像是刀锋一样。

他全身的衣服都已碎裂，连骨头都似已完全碎裂，嘴角还在流着血，流着苦水，又酸又苦。

他身上也一样，满身都是鲜血和呕吐过的痕迹，看来就像是条刚被人毒打过一顿的野狗。

天香楼里的灯火已经熄灭，对面的店铺已上起了门板。

龙五呢？

没有人知道龙五的行踪，从来也没有人知道。

没有光，没有人，没有声音。

长街上留着满地垃圾，在夜色中看来，丑陋、愚笨而破碎，就正像是被吊在屋檐上的柳长街一样。

一个人出卖了自己，换来的代价却是一顿毒打，他心里的滋味如何？

柳长街突然用尽全身力气大叫、大骂："龙五，你这个狗养的，你这个……"

他将自己知道的粗话全都骂了出来，骂得声音真大，在这静寂的深夜里，连十条街以外的人都可以听得清清楚楚。

突听远处有个人拍手大笑道："骂得好，骂得痛快，骂得真他妈的痛快极了。”

笑声和蹄声是同时传过来的，接着，就有三匹快马冲上了长街，急驰而来，骤然停在屋檐下。

第一个骑在马上的人仰面看着柳长街，大笑道：“我已很久未曾听见过有人敢这么样骂那狗养的了，你千万要接着骂下去，千万不要停。”

这人浓眉如剑，满脸虬须，看来很粗野，一双眼睛却是聪明人的眼睛。

柳长街盯着他，道：“你喜欢我骂那个狗养的？”

虬髯大汉笑道：“喜欢得要命。”

柳长街道：“好，放我下去，我再骂给你听。”

虬髯大汉道：“我就是来救你的。”

柳长街道：“哦？”

虬髯大汉道：“听见了你的事，我就马不停蹄地赶来。”

柳长街道：“为什么？”

虬髯大汉傲然地道：“因为我知道龙五吊在屋檐上的人，除了我之外，是绝没有第二个人敢救他下来的。”

柳长街道：“你认得我？”

虬髯大汉道：“以前不认得，但现在你已是我的朋友。”

柳长街忍不住又问：“为什么？”

虬髯大汉道：“因为现在你已是龙五的对头，无论谁做了龙五的对头，都是我的朋友。”

柳长街道：“你是谁？”

虬髯大汉道：“孟飞。”

柳长街动容道：“铁胆孟尝，孟飞？”

虬髯大汉仰面大笑，道：“不错，我就是那个不要命的孟飞！”

除了不要命的人之外，还有什么人敢跟龙五作对？

柳长街坐在那里，只觉得自己就像是粽子，全身都被裹了起来，裹得紧紧的。

孟飞就坐在他对面，看着他，忽然挑起拇指，道："好，好汉子！"

柳长街苦笑道："挨打的也算好汉子？"

孟飞道："你居然没有被那些狗养的打死，居然还有胆子骂他们，你就是好汉子！"

他又用力握起了拳，一拳打在桌子上，恨恨道："我本该将那些狗杂种一个个全都活活捏死的。"

柳长街道："你为什么不去？"

孟飞叹了口气，道："因为我打不过他们。"

柳长街笑了："你不但有种，而且坦白。"

孟飞道："我别的好处也没有，就是有种敢跟龙五那狗养的作对。"

柳长街道："所以我奇怪。"

孟飞道："奇怪什么？"

柳长街道："他为什么不来杀了你？"

孟飞冷笑道："因为他要表示他的气量，表示他是个了不起的大人物，不屑跟我这种人一般见识，其实他只不过是个狗养的。"

柳长街道："其实他也不是狗养的，其实他连狗都不如。"

孟飞大笑："对！对极了，就凭这句话，我就敬你三百杯！"

他大笑着，叫人摆酒，又道："你安心在这里养伤，我已替你准备了两种最好的药。"

柳长街道："其中有一样就是酒？"

孟飞大笑，道：“一点也不错，一杯真正的好酒，无论对什么人都有好处的。”

他看着柳长街，忽又摇了摇头：“可是在你这种情况下，一杯酒就不会对你有什么好处了，那至少要三百杯才能有点效。”

柳长街也不禁大笑：“除了酒之外，还有一样是什么？”

孟飞没有回答，也已不必回答。

外面已有人捧着酒走了进来，是六个女人，六个又年轻又漂亮的女人。

柳长街的眼睛亮了。

他喜欢漂亮的女人，这一点他并不想掩饰。

孟飞又大笑，道：“你现在总该明白了吧，一个真正的好女人，无论对谁都有好处的。”

柳长街笑道：“可是在我这种情况下，一个女人就不会对我有什么好处了，那至少要六个女人。”

孟飞看着他，忽然叹道：“你不但坦白，而且真的有种。”

柳长街道：“哦？”

孟飞道：“要对付这么样六个女人，也许比对付龙五还不容易。”

孟飞有一点没有错。

酒和女人，对柳长街竟真的很有好处，他的伤好像比想象中好得快得多。

孟飞也有一点错了。

要柳长街去对付龙五，虽然还差了一点，可是他对付女人却的确有一手。

很少有人能看得出，他在这方面不但很在行，而且简直已可算是专家。

现在孟飞已是他的好朋友，他们最愉快的时候，就是在一面拥着美女喝酒，一面大骂龙五的时候。

他们还有听众。

这地方所有的人，都是龙五的对头，只要吃过龙五亏的人，只要还没有死，孟飞就会想法子将他们全都请到这里来，用最好的酒和最好的女人款待他们，然后再送笔盘缠让他们走。

“孟尝”这两个字就是这么样来的，至于“铁胆”两个字，那意思就是不要命——只有不要命的人，才敢和龙五作对。

酒喝得愈多，当然也就骂得愈痛快。

现在夜已深，听的人已听累了，骂的人却还是精神抖擞。

屋里已只剩下他们两个人，他们已喝了十来个人的酒。

柳长街忽然问孟飞：“你也被他们毒打过？”

孟飞摇摇头：“没有。”

柳长街道：“你跟他有杀子之仇？夺妻之恨？”

“也没有。”

柳长街奇怪了：“那你为什么如此恨他？”

孟飞道：“因为他是个狗养的。”

柳长街沉默了一阵子，忽然道：“其实他也不能算是个狗养的。”

孟飞笑道：“我知道，他比狗还不如。”

柳长街又沉默了一阵子，忽然笑了笑，道：“其实他比狗还要强一点。”

孟飞瞪着他，瞪了半天，总算勉强同意：“也许强一点，但最多只强一点。”

柳长街道：“他至少比狗聪明。”

孟飞也勉强同意：“世上的确没有他那么聪明的狗。”

柳长街道：“连‘狮王’蓝天猛那种人，都甘心做他的奴才，可见他不但本事很大，对人也一定有很好的时候，否则别人怎么会甘心替他卖命。”

孟飞冷冷道：“他对你并不好。”

柳长街叹了口气，道：“其实那也不能怪他，我只不过是个陌生人，他根本不认得我，又怎么知道我是真的想去替他做事的。”

孟飞突然一拍桌子，跳起来，瞪着他，怒道：“你这是什么意思，他把你揍得半死，你居然还在替他说话？”

柳长街淡淡地道：“我只不过在想，他那么样对我，也许是有原因的，他看来并不像是完全不讲理的人。”

孟飞冷笑道：“你难道还想再见他一面，问问他是为什么揍你的！”

柳长街道：“我的确有这意思。”

孟飞恨恨地瞪着他，突然大吼：“滚，滚出去！从后面的那扇门滚出去，滚得愈快愈好。”

柳长街就站起来，从后面的门走了出去。

这扇门很窄，本来一直是闩着的，门外却并不是院子，而是间布置得更精致的密室，里面非但没有别的门，连门帘都没有。

可是里面却有两个人。

龙五正斜倚在一张铺着豹皮的软榻上，闭目养神，那青衣白袜的中年人正在一个红泥小火炉上暖酒，蓝天猛却居然没有在。

柳长街一推门，就看见了他们。

他并没有怔住，也并没有吃惊，这惊人的意外，竟似本就在他意料之中。

龙五也已睁开眼，正在看着他，嘴角居然露出了一点微笑，忽然道：“我现在才知道你为什么一直都没有出名了。”

柳长街在听着。

龙五微笑道："练武已经是件很费工夫的事，女人更费工夫，这两件事你都做得不错，你哪里还有工夫去做别的事？"

柳长街忽然也笑了笑，道："还有样你不知道的事，我做得也不错。"

龙五道："什么事？"

柳长街道："喝酒。"

龙五笑道："你喝得的确很多。"

柳长街道："可是我醉得并不快。"

龙五道："哦？"

柳长街道："今天我喝得比那天更多，可是我今天并没有醉。"

龙五忽然不笑了，眼睛里又露出刀锋般的光，刀锋般盯在他脸上。

柳长街也静静地站在那里，并没有回避他的目光。

龙五忽然道："坐，请坐。"

柳长街就坐下。

龙五道："看来我好像低估了你。"

柳长街道："你并没有低估我，只不过有点怀疑我而已。"

龙五道："你是个陌生人。"

柳长街道："所以你一定要先查明我的来历，看看我说的是不是真话？"

龙五道："你的确不笨。"

柳长街道："我说的若不假，你再用我也不迟，我说的若是假话，你再杀我也一样，因为我反正一直都在你的掌握中。"

龙五道："哦？"

柳长街道："孟飞去救我，当然也是你的安排，他去得太巧。"

龙五道："你还知道什么？"

柳长街道："我还知道，像你这样的人，一定会需要几个像孟飞这样的对头，对头能替你做的事，有时远比朋友多得多……他至少可以打听出一些你的朋友们永远打听不出的消息。"

龙五叹了口气，道："看来你非但不笨，而且很聪明。"

柳长街并没有否认。

龙五道："你早已看出我跟孟飞的关系，也早已算准我会来？"

柳长街道："否则我为什么要在这里等？"

龙五道："那天你也根本是在装醉的。"

柳长街道："我说过，我的酒量也很不错。"

龙五冷冷道："但有件事你却错了。"

柳长街道："你认为我今天不该告诉你这些事？"

龙五点点头："聪明人不但会装醉，还得要会装糊涂，一个人知道的若是太多，活着的日子就不会太多了！"

柳长街却笑了笑，道："我告诉你这些事，当然有很好的理由。"

龙五道："你说。"

柳长街道："你再来找我，当然已查明我说的不是假话，已准备用我。"

龙五道："说下去。"

柳长街道："你要杜七他们去做的事，当然是件大事，你当然不会要一个糊涂的醉鬼去做。"

龙五道："你说这些话，就为了要证明你能替我做好那件事？"

柳长街点点头，道："一个人到了三十岁，若还不能做几件惊天动地的大事，以后只怕就永远没有机会了。"

龙五凝视着他，苍白的脸上又露出微笑，忽然问道："你还能不能再陪我喝几杯？"

03

酒又摆上，早已温好了的酒。

龙五举杯，缓缓道：“我一向很少喝酒，也一向很少敬别人酒，但是今天我要敬你三杯。”

柳长街眼睛里已不禁露出兴奋感激之色，龙五居然肯敬别人的酒，这的确不是件容易事。

龙五饮尽了杯中酒，微笑着道：“因为我今天很高兴，我相信你一定能替我去做好那件事。”

柳长街道：“我一定尽力去做。”

龙五道：“那不但是件大事，也是件极危险、极机密的事。”

他的表情又变得很严肃：“我那天那么样对你，并不完全是因为怀疑你。”

柳长街在听，每个字都听得很仔细。

龙五道：“我不能让任何人知道，你是在替我做事，所以我一定要别人都认为你已是我的对头，而且恨我入骨。”

这正是周瑜打黄盖，是苦肉计。

柳长街当然懂，但他却不懂：“这件事难道连蓝天猛都不能知道？”

龙五点点头：“知道这件事的人愈少，你的危险就愈少，成功的机会却大了。”

柳长街忽然发现他真正信任的只有两个人——这青衣白袜的中年人和孟飞。

龙五道：“你以前也说过，我这人非但没有朋友，甚至已连仇敌都没有。”

柳长街记得：“我说过。”

“可是你错了，”龙五脸上的表情很奇怪，“我不但有个朋友，有个仇敌，还有个妻子。”

柳长街动容道：“他们是什么人？”

龙五道：“不是他们，是她。”

柳长街不懂。

龙五道：“我的朋友，我的仇敌，和我的妻子，就是同一个人。”

柳长街更不懂，却忍不住问：“她是谁？”

龙五道：“她叫秋横波。”

柳长街悚然道：“秋水夫人？”

龙五道：“你也知道她？”

柳长街道：“江湖中只怕已没有人不知道她。”

龙五冷冷道：“但你却一定不知道她本来是我的妻子。”

柳长街道：“现在呢？”

龙五道：“现在我们虽已不是夫妻，看来却还是朋友。”

柳长街道：“其实……”

龙五苍白的脸已变为铁青：“其实她早已恨我入骨，她嫁给我，就是为了恨我！”

柳长街还是不懂，却没有再问——像龙五这种人的秘密，无论谁都最好不要知道得太多。

龙五不但已闭上了嘴，而且已闭上了眼睛。

他也不愿说得太多、太激动，过了很久，才慢慢地问道：“你有没有见过我出手？”

柳长街道：“没有。”

龙五道：“你知不知道我的武功究竟如何？”

柳长街道："不知道。"

龙五还是闭着眼睛，却慢慢地伸出了手。

他的手苍白而秀气。

他的动作很慢，慢慢地往空中一抓。

就像是奇迹般，那红泥小火炉中燃烧着的几块炭，竟突然飞了起来，飞到他手里。

他的手慢慢地握紧，握紧了这几块炽热的红炭。

等他的手再摊开时，炭已成灰，灰已冷。

龙五淡淡道："我并不是在你面前炫耀武功，只不过告诉你两件事。"

柳长街没有问，他知道龙五自己会说的。

龙五果然已接着道："我虽有这样的武功，却还是不能自己出手。"

他凝视着掌中的冷灰："我们之间的情感，已如这死灰一样，是绝不会复燃的了。"

这的确是件很奇特、很有趣的事，其中牵涉到的，又是两个最不平凡的人。

一个是天下英雄第一的男人，一个是世上最神秘、最美丽的女人。

柳长街的见闻虽不广，却也久已听到过她的传说。

她的传说很多。

有关她的传说也和她的人一样，神秘而美丽。

江湖中的英雄豪杰，人人都想见她，却永远也见不到她一面。

所以有很多人都喜欢称她为"相思夫人"，因为她实在逗起了无数人的相思。

谁也想不到这位相思夫人，居然就是龙五的妻子。

他们的关系竟也如此神秘，如此奇特。

她既然是他的妻子、他的朋友，为什么又是他的仇敌？

他们本该是一对郎才女貌的恩爱夫妻，为什么会离异？

这其中当然也有一段奇特曲折的故事，柳长街实在很想听龙五说出来。

谁知龙五说话的方式，也和他的人一样，总是如神龙见首而不见尾。

他居然突然就结束了这段故事，突然就改变了话题，淡淡道：“这已是很久以前的往事，世上知道这件事的人，并没有几个，你也不必知道得太多。”

柳长街并没有露出失望之色，他显然也是个很擅于控制自己的人。

龙五道：“你只需要知道一件事就够了。”

柳长街在听。

龙五道：“我要你去对付的人就是她，我要你到她那里去，为我拿一样东西回来。”

柳长街道：“是去拿？”

龙五冷冷道：“你若愿意说是去偷，也无妨。”

柳长街长长吐出口气，道：“那么我至少还需要知道两件事。”

龙五道：“你说。”

柳长街道：“到哪里去偷？去偷什么？”

龙五先回答了他后面一句话：“去偷一个箱子。”

他挥了挥手，那青衣白袜的中年人，就捧了口箱子出来。

箱子并不大，是用黄金铸成的，上面镂着很精细的龙凤花纹，还嵌着碧玉。

龙五道："和这口箱子完全一模一样的箱子。"

柳长街忍不住问："箱子里是什么？"

龙五迟疑着，终于道："你本来不必知道的，但我也不妨告诉你，箱子里有一瓶药。"

柳长街很意外："只有一瓶药？"

龙五点点头，道："对我来说，这瓶药比世上所有的珠宝加起来都珍贵。"

他的眼睛刀锋般凝视着柳长街，慢慢地接着道："你应该看得出我是个病人。"

柳长街当然看得出。

只不过他也看得出，这个病人只要一挥手，就可以要世上大多数健康无病的人，死在他面前。

龙五凝视着他脸上的表情，忽然笑了笑，道："我知道你心里在想什么，这世上病人有很多种，我也许是天下所有的病人中，最可怕的一个，但病人毕竟是病人。"

柳长街也在迟疑着，终于问道："只有那瓶药才能治好你的病？"

龙五道："你也该听说过后羿和嫦娥的故事。"

后羿射落九日后，赴西天求王母给了他一瓶不死的神药，却被嫦娥偷服了。

嫦娥虽然已不死，换来的却是永恒的寂寞。

"嫦娥应悔偷灵药，碧海青天夜夜心。"

龙五道："我们的故事，也和他们的故事一样。"

他没有再说下去，但柳长街却已明白。

龙五也许是因为先天质弱，也许是因为练功入魔，得了种不治的怪病，就像是附骨之蛆般折磨着他。

后来他终于求得了一瓶灵药，可以治他的病，但却被他的妻子偷走了。

所以他心里虽然恨她入骨，却还是不敢得罪她，因为他怕她毁了那瓶药。

所以他虽然想找人对付她，却又生怕消息走漏，被她知道。

龙五目光凝注着远方，脸上带着种说不出的伤感与寂寞之色。

难道他们这故事中，寂寞的不是嫦娥，而是后羿？

龙五缓缓道："我知道她偷去了那瓶药之后，绝没有后悔，也不会寂寞，她已利用那瓶药，要我为她做了很多件我不愿做的事。"

他眼睛里的伤感寂寞，已变为愤怒怨毒："所以我不惜一切，也得将那瓶药拿回来！"

柳长街忍不住再一次问："到哪里去拿？"

龙五道："你当然想得到，要从她手上拿回一样如此重要的东西，绝不是件容易事。"

柳长街已想到。

龙五道："她将那箱子，收藏在栖霞山里一个秘密的山窟里，又找来了七个亡命江湖、在世上已无立足之地的巨盗，为她看守那山窟。"

柳长街立刻想到杀人如闪电的"一手七杀"杜七。

龙五道："那山窟的密室外，有一道千斤铁闸。"

柳长街立刻想到了天生神力的石重。

龙五道："那箱子放在密室中一道暗门里，要进入那密室，打开那暗门，要先开七道锁，每一道锁都是由当世最负盛名的巧匠制成的。"

柳长街又想到了公孙妙。

龙五道："最重要的是，那山窟距离她的住处近在咫尺，一有警讯，她随时都可以赶去，只要她一赶去，世上就绝没有任何人再能将那箱子拿走了。"

柳长街轻轻叹了口气。他忽然明白了一件事——龙五对秋水夫人的忌惮，并不完全是因为那瓶药，至少有一半是因为她的武功。

她的武功显然绝不在龙五之下。

龙五道："幸好她有个很可笑的习惯，她每天子时就寝，上床前一定要将全身每一分、每一寸，都涂上一层她自己特制的蜜油。"

他目中又露出憎恶之色，接着道："这件事每天都至少要费去她半个时辰，在她做这件事的时候，总是将自己锁在房里，就算天塌下来，她也不会知道。"

柳长街终于明白他们为什么离异了。

他的妻子若是每天上床前也都要花半个时辰做这种可笑的事，他也一样受不了的。

这种事世上也许没有一个男人能受得了——无论谁都应该想象得到，每天都要抱着一个全身涂着蜜油的妻子上床睡觉，是件多么可怕的事。

龙五竟似又看出了他的心意，冷冷道："那实在是件令人恶心的事，可是这半个时辰，却是你下手的唯一机会。"

柳长街道："所以我一定要在半个时辰内，杀了那七个亡命之徒，举起那千斤铁闸，打开那七道锁，拿出那箱子，还得逃出百里之外，免得被她追到。"

龙五点点头，道："我说过，这本是三个人才能做的事。"

柳长街叹了口气，苦笑道："而且还一定要杜七、石重和公孙妙这三个人。"

龙五冷冷道："但你现在却已毁了这三个人，我也绝对再找不出和他们同样的三个人了。"

柳长街明白他的心意："所以现在我一定要替你去做好这件事。"

龙五道："你有把握？"

柳长街道："我没有。"

龙五的瞳孔在收缩。

柳长街淡淡地接着道："我这一生中，无论做什么事，都不会事先就觉得有把握的。"

龙五道："可是你每件事都做成了。"

柳长街笑了笑，道："就因为我没有把握，所以我总是特别谨慎小心。"

龙五也笑了："好，说得好，我一向喜欢小心谨慎的人。"

柳长街道："但现在我还不知道该如何下手。"

龙五道："为什么？"

柳长街道："因为我还不知道那山窟在哪里。"

龙五又笑了，微笑着挥了挥手。

那青衣白袜的中年人，立刻又捧出一叠银票，放在桌上。

龙五道："这里是五万两银子，你可以拿去，痛痛快快地去玩几天。"

柳长街并不客气，立刻就收下。

龙五道："我只希望你十天中，将这五万两银子全花光。"

柳长街微笑道："要花光并不太容易，可是我会替女人买房子，我还会输。"

龙五目中也带着笑意："这两件事只要会一样，就已足够了。"

他接着又道："无论谁要去做大事之前，都应该先轻松轻松。何况，你已为我吃了不少苦。"

柳长街淡淡道："其实那也算不了什么，蓝天猛毕竟老了，他的出手并不重。"

龙五突然大笑。

青衣白袜的中年人，吃惊地看着他，因为从来没有人看见他如此大笑过。

但龙五笑声结束得也很快，忽然又沉下了脸，道："可是这十天之后，你就绝不能再碰一个女人，再喝一滴酒。"

柳长街笑道："经过这么样十天后，我想必也暂时不会再对女人有什么兴趣了。"

龙五道："好，很好，十天之后，我会叫人去找你，带你到那地方去。"

他神情忽然又变得很疲倦，挥手道："现在你已可以走了。"

柳长街不再说什么，立刻就走。

龙五却又叫住了他："这些天来，一直陪着你的那六个女人，你觉得怎么样？"

柳长街道："很好。"

龙五道："你若是喜欢，也不妨将她们带走。"

柳长街忽然又笑了笑："这世上的女人是不是已死光了？"

龙五道："还没有。"

柳长街微笑道："既然还没有死光，我为什么还要她们六个？"

04

柳长街已走了出去。

龙五看着他的背影，眼睛里又露出刀锋般的光芒。

他忽然问："你看这个人怎么样？"

青衣白袜的中年人垂手肃立在门后，过了很久，才缓缓道："他是个很危险的人。"

他每个字都说得很慢，每个字都仿佛是经过深思熟虑之后，才说出的。

龙五道："刀也很危险。"

青衣人点点头，道："刀不但能杀死别人，有时也会割破自己的手。"

龙五道："刀若是在你手里呢？"

青衣人道："我从未割破过自己的手。"

龙五淡淡地笑了笑，道："我喜欢用危险的人，就正如你喜欢用快刀一样。"

青衣人道："我明白了。"

龙五道："我就知道你一定会明白的……"

这次他的眼睛阖起，就没有再睁开。

他竟似已睡着。

柳长街已走出了孟飞的庄院。

他没有再见到孟飞，也没有再见到那六个女人。

他一路走出来，连个人影都没有看见，孟飞显然是个不喜欢送别的人，柳长街正好也一样。

他沿着大路慢慢地走，显得很从容，很悠闲。

一个怀中放着五万两随时可以花光的银子，可以痛痛快快玩十天的人，本来就应该是这样子的。

唯一的问题是，应该怎么样去玩？怎么样才能将银子花光？

这问题绝不会令任何人头疼。

事实上，这是个每个人都喜欢去想的问题，就算没有五万两银子可花的人，也喜欢幻想一下的。

五万两银子，十天狂欢假期。

无论谁想到这种事，睡着了都可能会笑醒的。

杭州本就是个繁华的城市。

繁华的城市里，自然少不了赌和女人，这两样的确是最花钱的事。

尤其是赌。

柳长街先找了几个最贵的女人，喝得大醉，再走去赌。

喝醉了酒再去赌，就好像用脑袋去撞石头一样，要能赢，那才是怪事。

但怪事却年年都有的。

柳长街居然赢了，又赢了五万两。

他本想送那五个女人一人一万两，可是第二天早上，他忽然觉得这五个女人一个比一个讨厌，一个比一个难看，连一千两都不值。

有很多男人都是这样子的，他们在晚上大醉后看成天仙一样的女人，到了早上，就好像忽然会变的。

他简直就像是在逃命一样，逃出了那妓院——逃入了另一家妓院，喝了点酒之后，他发觉自己这次才总算找对了地方。

这地方的女人才真的是天仙。

可是第三天早上，他忽然又发觉这地方的女人，比第一天那五个还讨厌，还难看，连看都懒得再看一眼。

这个妓院的老鸨后来告诉别人，她十二岁被卖入青楼，从妓女混到老鸨，却从来也没有见过像这“姓柳的”如此无情的嫖客。

他简直是翻脸不认人。

柳长街从天香楼走出来的时候，午时刚过没多久。

他刚花八十两银子，叫了一整桌最好的八珍全席，叫伙计将每道菜都摆在桌上，让他看了看，就给了一百二十两的小账走出来。

他实在连一口都吃不下，可是到了吃饭的时候，总得叫桌菜来意思意思，据说有很多阔佬都是这样子的，叫了整桌的菜，却只是坐在旁边看着别人吃。

昨天晚上他幸好输了一点，但现在身上却还有七万多两银子。

他忽然发觉一个人要在十天中花去五万两银子，也并不是件太容易的事。

现在正是暮春初夏，天气很好，阳光新鲜得就像是处女的眼波。

他决定再到城外去走走，郊外的清风，也许能帮他想出个好法子来花钱。

于是他立刻买了两匹好马，一辆新车，还雇了个年轻力壮的车夫。

这只花了他片刻工夫，却花了他一千五百两银子——钱有时也能买得到时间的。

城外一片青绿，远山温柔得就像是处女的乳房。

他叫车子停在柳荫下，沿着湖滨逛过去，轻风吹起了湖水上的涟漪，看来就像是女人的肚脐。

只要是美丽的东西，好像总能令他联想到女人，他自己心里也在好笑。

他觉得自己实在是个好色之徒。

就在他开始这么样想的时候，他忽然看到了一个比阳光、远山、湖水，加起来都美十倍的女人。

这女人正在一个小院子里喂鸡，身上穿着套青布衣裙，用衣襟兜着一把米，丰满柔和的小嘴撅起，“啧，啧，啧”地在逗鸡。

他从来也没有看过这么玲珑、这么小巧的嘴。

天气已很热，她身上穿的衣服很单薄，衣领上的钮子散开了一粒，露出了一截又白又嫩的颈子，只看这一截颈子，已经很容易就能令人联想到她身上的其他部分，何况她还赤着足，只穿着双木屐。

“屐上足如霜，不着鸦头袜。”

柳长街忽然觉得作这两句诗的人实在不懂得女人，女人的脚，怎么能用“霜”来形容呢，那简直像牛奶，像白玉，像刚剥了壳的鸡蛋。

屋子里又有个男人走出来，是个年纪已不轻的男子，一脸讨厌相，尤其是一双眼睛更讨厌，正盯在这个女人浑圆结实的屁股上，忽然走出来，在她屁股上摸了一把，要拉她到屋子里去。

女人吃吃地笑着，摇着头，指了指天上的太阳，意思显然是在说，时候还早，你急什么?

看来这男人竟是这女人的老公。

想到天一黑的时候，这男人就要拉住这女人上床，柳长街几乎已忍不住要冲过去一拳打歪这个男人的鼻子了。

可惜他并不是这么不讲理的人，他知道就算要打人的鼻子，也不能用拳头打。

他立刻又赶回城，将银票全都换成了五十两一锭的大元宝，再赶到这里来。

女人已不在喂鸡了，夫妻两个人，正坐在小屋的门口，一个在喝茶，一个在补衣裳。

她的手指纤长柔美，若是摸在男人身上，那滋味一定……

柳长街没有再忍下去，他已经在敲门，也不等别人回应，就自己推门走了进去。

男人立刻站起来，瞪着他道：“你是谁？来干什么？”

柳长街微笑道：“我姓柳，特地专程来拜访你们的！”

男人道：“但我却不认得你！”

柳长街微笑着，拿出了一锭元宝，道：“你认不认得这样东西？”

这样东西当然是人人都认得的，男人的眼睛立刻发直：“这是银子，银元宝。”

柳长街道："像这样的元宝你有多少？"

男人说不出话，因为他连一个也没有。女人本已想躲进去，看见这锭元宝，也停下了脚。

这种东西好像天生就有种吸引力，不但能吸住大多数人的脚，还能吸掉大多数人的良心。

柳长街笑了。

他挥了挥手，车夫立刻将刚换来的四大箱元宝都抬进来，摆在院子里，打开。

柳长街道："这是五十两一锭的元宝，这里一共有一千两百锭。"

男人的眼珠子已经凸了出来，女人脸已发红，呼吸已急促，就好像少女看见初恋的情人一样，心已经动了。

柳长街道："这些元宝你想不想要？"

男人立刻点点头。

柳长街道："好，你想要，我就会给你。"

男人的眼珠子已经快掉了下来，连站都站不稳了。

柳长街道："你现在立刻就可以带两箱走，随便到哪里去，车马也送给你，只要你过七天再回来。"

他微笑着，用眼角瞟着那女人，道："剩下的两箱，留给你老婆，七天后你回来，老婆和银子还是你的。"

男人的脸也已发红，头上已在冒汗，回过头，去看他老婆。

女人却不看他，一双美丽的眼睛，正盯在那两箱银子上。

男人伸出舌头，舔了舔发红的嘴唇，吃吃道："你……你……你看怎么样？"

女人咬着嘴唇，忽然一扭头，奔进了屋子。

男人想追进去，又停下。

他整个人都已被银子吸住。

柳长街忽然说道："你只要出去七天，七天并不长。"

男人忽然从箱里抓起锭银子，用力咬了一口，连牙齿都差点被咬掉两颗。

银子当然是真的。

柳长街道："七天之后，你还可以回来，你老婆……"

男人不等他这句话说完，突然用尽全身力气，抱起银子，冲上了马车。

车夫为他带去了另一箱。

男人喘着气，抱着箱子，道："走，赶快走，随便到哪里去，走得愈远愈好。"

柳长街又笑了。

车马急驰而去，他提起两口银箱，施施然走进了屋子，放下钱箱，关上门，闩起。

卧房的门却是开着的，门帘半卷，那女人正坐在床头，咬着嘴唇，一张脸红得像桃花一样。

柳长街微笑着走了进去，轻轻问道："你在想什么？"

女人道："我在想你这人真他妈的不是个好东西。也只有像你这种人，才会想得出这种法子，做这种事。"

柳长街叹了口气，苦笑道："我刚跟自己打过赌，胡月儿说的第一句话里，若是没有'他妈的'三个字，我就情愿三个月不看女人。"

第三章

月儿弯弯照长街

01

这女人原来叫胡月儿，原来早已认得柳长街，而且看来还是好朋友！

这究竟是怎么回事？

难道刚才他们只不过是在演戏？

为什么要演这出戏？演给谁看的？

胡月儿已站起来，手叉着腰，瞪着他，道：“我问你，若是真的有一对小夫妻，遇见了你这种人，遇见了这种事，你说那怎么办？”

这句话竟然将柳长街也给问住了，怔了半晌，才回答：“我虽然不是个好东西，却也不会做这种缺德事。”

胡月儿道：“我不一定是在说你，我说的是你这种人。”

柳长街苦笑道：“那我也不知道该怎么办，我还没有想得这么多。”

胡月儿道：“这法子都是你想出来的。”

柳长街的神情忽然变得很严肃：“我这么样做，只不过要让龙五认为我是个浑蛋而已，我们绝不能让他有一点怀疑，随时随地都得小心，他的势力实在太大，耳目实在太多。”

胡月儿道："可是刚才……"

柳长街道："刚才也有他的耳目，那车夫就一定是他的人。"

胡月儿道："你知道？"

柳长街道："我看得出。"

他又解释："那小伙子要真是个赶车的，看见四大箱白花花的银子，一定也已连魂都要被勾走，可是他却好像已见惯了，居然还能沉得住气。"

胡月儿眼珠子转了转，气已平了，忽然笑了笑，道："听说你最近日子过得很乐。"

柳长街苦笑道："我已连鼻子都被人打歪了，你还说我乐。"

胡月儿忽然道："只要能天天有女人陪着，挨顿揍也是值得的。"

柳长街叹了口气，道："只可惜那些女人没有一个能比得上你！"

胡月儿也笑了，笑着道："你少拍我马屁，你也该知道我是不会上你当的，这件事不办妥，你休想碰我。"

柳长街道："连碰碰手都不行？"

胡月儿道："不行，从今天开始，我睡床，你睡地，你晚上若想偷偷爬上来，我就去告诉龙五，把你的来历全抖出来。"

柳长街叹道："你简直不是人，是个活鬼！"

胡月儿道："你本来岂非也是个鬼，色鬼。"

她忽然又笑了，眨着眼笑道："何况你只不过是条街而已，我却是月亮，月亮可以照几千几万条街，所以我正好是你的克星。"

柳长街笑笑道："我只不过自己总觉得有点奇怪，怎么选上你做我的帮手的。"

胡月儿抬起了头，道："因为我是胡力胡老爷子的女儿，因为我又能干，又机灵，又因为我什么事都懂，什么事都知道，因为我……"

柳长街打断了她的话："因为你不但是个小狐狸，而且还是个狐狸精！”

她的确是条小狐狸，因为她父亲就正是江湖中最老的一条老狐狸。

只要听见“胡力”这两个字，在道上的朋友，无论谁都立刻会变得头大如斗。

胡月儿冷笑道：“我也还在奇怪，我爹爹为什么总是说只有你才能对付龙五？为什么要我帮你？”

柳长街微笑道：“因为我虽然武功高强，聪明能干，却从来也没有招摇炫耀，因为江湖中很少有人真的见过我。因为我毛病虽不少，好处却更多，所以他老人家早已想将我招作女婿。”

胡月儿板着脸道：“因为你不但会吹牛，还会放屁。”

这句话说完，她自己也忍不住笑了，但立刻又板起了脸，问道：“你已当面见过了龙五？”

柳长街道：“已见过两次。”

胡月儿道：“你为什么不索性把他抓住？为什么要把这种好机会错过？”

柳长街叹道：“我若也跟你一样笨，真的想这么做，你现在看见的，已经是个死人了。”

胡月儿冷笑道：“你的武功岂非很好？岂非已可算是天下数一数二的高手？不但我爹爹他们一直在夸奖你，连老王爷岂非也一直拿你当宝贝？你怎么也会怕了别人的？”

柳长街严肃道：“我不怕别人，只怕龙五！”

胡月儿眨着眼，道：“他的武功真有传说中那么可怕？”

柳长街道：“也许比传说中还可怕，我敢保证，连七大剑派的掌门人都算上，江湖中绝没有一个人能接得住他两百招的！”

胡月儿道：“你呢？”

柳长街依然没有回答这句话，又道：“何况他身边还有一个极可怕的人。”

胡月儿道：“蓝天猛？”

柳长街笑了笑，道：“这头雄狮已老了，而且被关在笼子里很久，虽然还能咬人，但牙齿却已经不及昔日锋利，锐气也已被消磨了很多。”

胡月儿眼珠子转了转，道：“据说龙五手下有一狮一虎一孔雀，都是极可怕的人。”

柳长街道：“但现在雄狮已老，黑虎已入山，孔雀虽美丽，却不会咬人。”

胡月儿道：“你说的不是他们？”

柳长街道：“不是。”

胡月儿道：“不是他们是谁？”

柳长街道：“是个青衣白袜的中年人，看来又规矩，又老实，就像是奴才一样，但武功之深，却已深不可测。”

胡月儿道：“你怎么看出来的？”

柳长街道：“雄狮已经跟我交过手，他的掌力实在很惊人，连屋子都几乎被他震动，可是那青衣白袜的中年人就站在旁边，却连衣衫都没有动。”

他想了想，又道：“所以他替我倒酒时，我就一直注意他的手，我从来也没有看见过那么稳定的手，他拿着很重的酒壶，随随便便一倒，就刚好把一杯酒倒满，既不会少一滴，也不会溢出一滴来。”

胡月儿静静地听着，似在沉思，过了很久，才问道：“你看不看得出来，他这只手本来是用什么兵器的？”

柳长街道：“我看不出，他手上连一点练过武功的痕迹都没有。”

无论练过哪种兵器的人，手上都一定会留下练功时生出的老茧，那是绝对瞒不过明眼人的。

胡月儿沉吟着道："他练的莫非是左手？"

柳长街道："很可能。"

胡月儿道："以左手成名的武林高手，最高明的是谁？"

柳长街笑道："这就得问你了，你岂非本来就是本活的武林名人谱？"

这的确是胡月儿最大的本事。

她不但过目不忘，而且见识最博，因为她父亲本就是位江湖中眼皮最杂、人头最熟的人。

所以江湖中的人物来历、历史典故，她不知道的实在很少。

胡月儿道："以左手功夫出名，最了不起的一个人，本来当然应该是秦护花。"

柳长街动容道："护花刀？"

胡月儿点点头，道："据说他九岁时就已杀了人，杀的还是中原有名的大盗彭虎。"

柳长街道："这件事我也听说过。"

胡月儿道："他十三岁时就已成名，十七岁时就已横扫中原，号称中原第一刀，三十一岁时，就已接掌了崆峒派，成为有史以来七大门派中最年轻的一位掌门人，到那年为止，败在他刀下的武林高手，据说已有六百五十多人。"

柳长街叹道："看来江湖中比他更出风头的人，的确已不多了。"

胡月儿道："他少年成名，的确锋芒太露，但他却也的确是惊才绝技，令人不能不佩服。"

她眼睛里闪着光，叹息着又道："只恨我晚生了十几年，否则我一定要想法子嫁给他。"

柳长街笑道："幸好你晚生了十几年，否则我一定要找他拼命！"

胡月儿白了他一眼，道："但你说的那个人，一定不会是他。"

柳长街道："哦？"

胡月儿道："像他那样骄傲的人，怎么会肯去做别人的奴才？何况他在十年前就已失踪，一直下落不明，有人说他已去了海外的仙山，也有人说他已死了。但无论他是死是活，都绝不会替别人倒酒的。"

柳长街叹了口气，道："我也希望那个人不是他，我实在不希望有他这样的对头。"

他的声音忽然停顿。

就在他声音停顿的那一瞬间，他的人已压在胡月儿身上。

没有人能看清他的动作，没有人能想得到他会忽然有这么样一手。

胡月儿也想不到。

她咬着牙挣扎："你这个色鬼，我说……"

她的声音也忽然停顿，因为柳长街的嘴，已堵住了她的嘴。

现在她只能从鼻子里发出声音来了，一个有经验的男人，总该知道女人用鼻子里发出来的声音，是种什么样的声音。

这种声音简直可以令男人听了全身骨头都发酥。

她还在推，还在挣扎，还想去捶他。

可是她的手已被按住。

她的脸已变得火烧般发烫，全身都在发烫。

一个正常健康的成熟女人，被一个她并不讨厌的男人压住，她还能有什么别的反应。

但就在这时，只听"砰"的一声，外面的门，已被人一脚踢开了！

一个人手里提着朴刀，闯了进来，赫然竟是那年轻力壮的车夫。

02

柳长街还是压在胡月儿身上，只不过嘴已离开了她的嘴。

车夫已闯到卧房的门口，冷冷地看着他们。

他的身子站得很稳，握刀的姿势很正确，无论谁都可以看得出，这个人的刀法绝对不弱。

他冷酷的眼睛里带着种讥刺之意，冷笑道：“我已在外面兜了个大圈子，你居然还没有把这女人弄到手，看来你对女人的手段并不太高明。”

柳长街道：“时间还长得很，我又不是你这种毛头小伙子，我何必着急。”

他好像到这时才想起自己不必向别人解释的，立刻沉下了脸，道：“你回来干什么？”

车夫也沉着脸，道：“回来杀你！”

柳长街觉得很吃惊：“你要回来杀我，为什么？”

车夫冷笑道：“我跟他跟了七八年，到现在还是个穷光蛋，玩的还是土嫖馆里的臭婊子，你刚来就想当大亨，你凭什么？”

柳长街当然知道他说的“他”是什么人，却故意问道：“难道你也是龙五手下？”

车夫冷冷道：“你只要稍微有点眼力，就该知道我彭刚是干什么的。”

柳长街道：“‘旋风刀’彭刚？”

彭刚道：“想不到你居然还有点见识，居然还知道我。”

柳长街叹道：“五虎断门刀门下的高足，居然要替人赶车，这实在是委屈了你。”

彭刚握刀的手上已暴出青筋，额上也暴出了青筋，咬着牙道：“老子也早就不想再受这种鸟气。”

柳长街道：“所以你想杀了我，带着四箱银子和这个女人远走高飞。”

彭刚眼睛落在胡月儿还在喘息的小嘴上，眼睛里又立刻像是冒出了火：“像这样的小寡妇，每个男人都想玩玩的。”

听到“小寡妇”三个字，胡月儿就叫了起来：“你……你把我那当家的怎么样了？”

彭刚狞笑道：“那种看见银子连老婆都肯卖的男人，死八次也不嫌多，你难道还舍不得？”

他的话还没有说完，胡月儿已号啕大哭起来，哭得就像是真的一样。

柳长街这才叹了口气，心不甘情不愿地从她身上爬起来，喃喃道：“这女人既不是天仙，银子也不多，为了这点银子送命，实在不值得。”

彭刚冷笑道：“要送命的是你，不是我。”

柳长街道：“你真有把握杀我？”

彭刚道：“你若真有本事，就不会被人像野狗般打得半死，再吊到屋檐上去。”

柳长街道：“所以你认为你比我强！”

彭刚道：“我只不过有点不服气，挨了一顿打，就弄到那么多银子。”

柳长街又叹了口气，道：“你实在还是个连屁事都不懂的毛头小伙子，我实在不忍下手杀你。”

彭刚厉声说道：“那么你不如就索性让我杀了你吧！”

他的刀已劈出，一出手就是连环五刀，“五虎断门刀”本就是武林中最毒辣凶狠的刀法，“旋风刀”的出手也的确不慢。

柳长街没有还手。

他甚至连闪避都好像没有闪避，可是彭刚的刀，却偏偏总是砍不到他身上。

胡月儿似已吓得连哭都不敢哭，俯在床面，身子缩成了一团。

彭刚出手更快，渐渐已经将柳长街逼到屋角，突然一刀从下挑起，连变了三个方向，急砍柳长街的左颈。

这一招“翻天覆地”，正是五虎断门刀的杀手！

柳长街眼见已无路可退，身子突然沿着墙壁滑了起来，滑上了屋顶。

“叮”的一声，火星四溅，彭刚本以为这一刀必已致命，已使出全力，想收回已来不及了，一刀砍在墙上，刀锋恰巧嵌入砖墙里。

他正想用力拔刀，壁外突然伸进一只手来，捏住了他的刀锋。

很结实的砖墙，就像是忽然变成了纸糊的，这只手竟随随便便地穿过了墙，轻轻一拗，一把上好的钢刀，就已被拗成了两截。

彭刚脸色变了，全身都已僵硬。

他毕竟还是识货的，这样的武功，他简直连听都没听过。

墙外已有个人冷冷道：“你跟了龙五七八年，每个月却还是只能弄到手七八十两银子，但他一下子却弄到了好几万两，所以你很不服气，是不是？”

彭刚铁青着脸，点了点头。

墙外的人却看不见他点头的，所以柳长街就替他回答：“他正是这意思。”

“可是这姓柳的已被蓝大爷揍了，已成了孟飞的朋友，从孟飞那里出来的人，就是我们的对头，你怎么知道银子是谁给的？”

彭刚迟疑着，终于道："我看得出，孟飞绝不会有这么大的出手，而且那天我又正好看见公子到孟飞的庄院里去。"

墙外的人淡淡道："想不到你居然是个很聪明的人，而且居然还很仔细。"

只有仔细的人，才能看见很多别人看不见的事："只可惜你却做了件最笨的事。"

他的人虽在墙外，说话的声音却仿佛在耳旁："你明知柳长街是一家人，还要杀他？"

彭刚垂下头，汗落如雨："我错了。"

"你知道你犯了什么错？"

"我……我犯了家法！"最后这两个字从彭刚嘴里说出来，他似乎已用尽了全身力气。

"你知道犯了家法的人应该怎么样？"

彭刚的脸已因恐惧而扭曲，就像是有双看不见的手，已扼住了他的咽喉。

他突然转身，想冲出去。

他认为墙外的人一定看不见。

可是从墙外伸进来的这只手上，竟似也长着眼睛。

手一挥，手里的半截断刀飞出，刀光一闪，已钉入了彭刚的背脊。

就在这时，四条大汉从门外冲进来，一个人手里提着个麻袋，兜头往彭刚身上一套。

一个人手里提着两口银箱，掷在桌上。

第三个人手拿铁锤，一进来就立刻开始修补刚才被彭刚踢毁了的门框。

第四个人却拿着泥水匠用的手铲铲泥土，这只手一缩回去，他就开始在补墙上的破洞。

只听墙外的人缓缓道：“我保证这七天内绝不会有人再来打扰你，可是你最好也记住，你并不是我们的人，你跟龙家并没有丝毫关系！”

说到最后一句话，声音已在远方。

墙上的墙洞已补上，门框已修好，麻袋也已束起，连一滴血都没有滴在地上。

四条大汉从头到尾连看都没有看柳长街一眼，墙外的语声消寂，这四条大汉已消失在门外。

屋子里又恢复安静，好像什么事都没发生过一样。

这些人做事效率之迅速准确，已令人无法想象。但现在无论谁都已可以想象到，犯了龙五家法的人，会有怎么样的下场！

03

柳长街没有动，没有开口。

胡月儿也没有动，没有开口。

外面有风吹木叶的声音，老母鸡在“咯咯”地叫，狗也在叫。

屋子里好像突然变得很热，柳长街慢慢地解开衣襟，躺下来，躺在胡月儿身边。

胡月儿居然没有一脚把他踢下去，只是瞪着双大眼睛在发怔。

她现在才终于完全明白，龙五是个多么可怕的人。

柳长街忽然道：“他们已走了，全都走了。”

胡月儿道：“这七天内，他们真的不会再来？”

柳长街道：“那个人好像并不是个说话不算数的人。”

胡月儿道：“你知道他是谁？你认得那只手？”

那是右手，手上也看不出任何一点练过武功的痕迹。但现在无论谁都已应该看得出，这只手若要杀人时，世上只怕已很少有人能抵抗。

柳长街道："我希望我没有看错。"

胡月儿道："你希望他就是那个青衣白袜的中年人？"

柳长街点点头。

胡月儿道："为什么？"

柳长街道："他要是那个人，就表示他也有不在龙五身边的时候，我若要出手对付龙五，我绝不希望有他在旁边。"

胡月儿道："你准备等到什么时候出手？"

柳长街道："等到他完全信任我，等到他有机会给我的时候。"

胡月儿道："你认为会有那么一天？"

柳长街的回答很坚定："一定会有！"

胡月儿却叹了口气，道："我只怕等到那一天时，已不知有多少人要为这件事而死。"

柳长街道："你在为老石头难受？"

胡月儿黯然道："老石头的确是个老实人，这本已是他最后一件差使，办完了这件事，他就准备回家耕田去的，他已买了几亩地。"

老石头当然就是那个假扮她老公的人。

柳长街静静地听着，脸上全无表情，冷冷道："他本就不该买房子买地，干我们这一行的人，本就随时随地会死在路上的。"

胡月儿眨眼道："但他却死得太冤枉，他的功夫本来绝不在彭刚那王八蛋之下，可是彭刚要杀他时，他却不能还手，因为他若一出手，就会泄露秘密，他……他竟宁死也不肯泄露我们的秘密。"

柳长街淡淡道："他本就应该这么样做的，这是他的本分。"

胡月儿瞪起了眼，道："你难道认为他本就应该死的？"

柳长街居然没有否认。

胡月儿几乎已要叫了起来："你究竟是不是人，还有没有一点人性，你……你……"

她愈说愈气，突然一脚将柳长街踢下床去。

柳长街反而笑了："你若认为老石头真是个老实人，那你就错了，你若认为他真的已死在那王八蛋手里，你就错得更厉害。"

他躺在地上，居然好像还是跟躺在床上一样舒服："他也许会让彭刚砍他一两刀，也许会让彭刚认为他已死了，但他若是真的这么简单就会被那种小王八蛋一刀杀死，那他就不该叫老石头，应该叫老豆腐才对。"

胡月儿还在怀疑："你真的认为他没有死？"

柳长街道："你知不知道这是件多么大的事？你知不知道我们为这件事已计划了多久？老石头若是你想象中的那种老实人，我们怎会要他参与这件事？"

胡月儿笑了："别的我不知道，我只知道你的确不是个老实人。"

柳长街道："哦……"

胡月儿咬着嘴唇道："刚才你就算是已听出外面有人来了，也不必那么样做的，你根本就是想乘机揩油。"

柳长街笑了笑，道："你只猜对了一半。"

胡月儿道："你还有什么别的意思？"

柳长街悠然道："我只不过想要你知道，我若真的要强奸你，你根本一点法子都没有。"

胡月儿眼珠子转了转，轻轻道："现在你……你难道不想了？"

柳长街道："你难道还要我再试一次？"

胡月儿红着脸，又咬起了嘴唇："你不敢！"

柳长街又笑了。

然后他的人竟突然从地上弹了起来，忽然间就已压在胡月儿身上。

胡月儿叹了口气，道："看来你真是个色鬼。"

柳长街道："但这次却是你故意勾引我的，我知道你……"

这句话没有说完，他的人突然又从胡月儿身上弹起来，撞在墙上，落下，一双手捧着小腹，一张脸已疼得发白。

胡月儿看着他，忽然道："刚才我的确是在故意勾引你，因为我也想要你知道，我若真的不肯，你也连一点法子都没有。"

柳长街弯着腰，似已疼得连话都说不出来，额上的冷汗，一粒粒往外冒。

胡月儿眼睛又不禁露出些歉意，又觉得有点心疼了，柔声道："可是我早已说过，只要你能做成这件事，我……我……"

她没有再说下去，也不必再说下去，她的意思，就算是呆子也听得懂。

柳长街却好像听不懂。

他又慢慢地躺下来，躺在地上，本来总是显得很和气、很愉快的一张脸上，忽然露出种说不出的悲痛伤感之色。

他没有说什么，过了很久很久，还是连一句话都没有说。

胡月儿的心更软了，却故意板着脸道："我就算踢痛了你，你也不必像孩子一样赖在地上不起来。"

柳长街还是不开口。

胡月儿又忍不住问道："你究竟是在生我的气，还是在想心事？"

柳长街终于轻轻叹了口气，道："我只不过在想，以后你爹爹一定会替你找个很好的男人，一定不会是干我这行的，他不会有随时送命的危险，你们……"

胡月儿脸色已变了，大声道："你说这种话是什么意思？"

柳长街笑了笑，笑得很凄凉："我也没什么别的意思，只不过希望你们能白头偕老，希望你能很快就忘了我。"

胡月儿的脸已苍白："你为什么要这样说？我刚才的话，你难道听不懂？"

柳长街叹道："我听得懂，可是我也知道，我是等不到那一天的了！"

胡月儿急着问道："为什么？"

柳长街淡淡道："自从我答应来做这件事的那一天，我已没有打算再活下去，就算我能有机会杀了龙五，我……我也绝不会再见到你。"

他目光凝视着远方，脸上的神情更悲戚。

胡月儿看着他，脸上的表情，也好像有根针正在刺着她的心。

柳长街忽又笑了笑，道："无论如何，能用我的一条命，去换龙五的一条命，总是值得的，我只不过是个无足轻重的人，既没有亲人，也没有……"

胡月儿没有让他说完这句话。

她忽然扑到他身上，用她温暖柔和的嘴唇，堵住了他的嘴……

窗外的风更紧了。

一只母鸡，正孵出了一窝小鸡……

月亮已升起，月光从窗外照进来，照着胡月儿的脸，她脸上还带着淡淡的红晕。

柳长街正在偷偷地看着她，眼睛里充满了一种神秘的欢愉。

胡月儿痴痴地看着窗外的月亮，忽然道："我知道你是骗我的。"

柳长街道："我骗你？"

胡月儿又在用力咬着嘴唇："你故意那么样说，让我听了心软，你才好……才好乘机欺负我，我明明知道你不是个好东西，却偏偏还是上了你的当。"

说着说着，她眼泪已流了下来——这本是女孩子一生中情感最脆弱，最容易流泪的时候。

柳长街就让她流泪，直等到她情绪刚刚平定，才叹了口气，道：“我现在才知道你为什么会难受了，你难受，只因为我并不一定会死。”

胡月儿不想分辩，却还是忍不住要分辩：“你明明知道我不是这意思。”

柳长街道：“你若知道我已死定了，岂非会觉得好受些。”

胡月儿恨恨道：“可是你根本不会死的，你自己说过，一定要等到有把握时才出手，只要你能制住龙五，还有谁敢动么？”

柳长街道：“我既然不会死，这件事既然一定能完成，你既然迟早总要嫁给我，那么你现在又有什么好难受的？”

胡月儿说不出话来了。

她忽然发现柳长街在笑，笑得那么可恶——当然并不完全可恶，当然也有一点点可爱。

她看着他，轻轻叹了口气道：“我知道你现在一定很得意，因为你知道我一定会变得很乖，很听话，因为我已非嫁给你不可。”

柳长街微笑着，居然没有否认。

胡月儿柔声道：“我实在很怕你不要我，我一定会变得很乖的，就像是条母老虎那么乖。”

她忽然又一脚把柳长街踢下床去。

柳长街怔住，终于怔住，终于笑不出了。

胡月儿从被里伸出一只手，拧住了他的耳朵，但声音却更温柔：“从今天起，应该听话的是你，不是我，因为你反正已非娶我不可，但是你若敢不听话，我还是要你睡在地上，不让你上床。”

她的嘴贴在他耳朵上，轻轻道：“现在你明白了没有？”

“我明白了。”柳长街苦笑道，“但另外一件事我却反而变得糊涂了。”

胡月儿忍不住问：“什么事？”

柳长街苦笑道：“我已分不清究竟是你上了我的当，还是我上了你的当？”

无论他们是谁上了当，我相信这种当却一定有很多人愿意上。

因为他们的日子过得实在很甜蜜，只可惜甜蜜的日子总是过得特别快的。

六七天好像一转眼就已过去，忽然间就已到了他们相聚的最后一天晚上了。

最后的一个晚上，本该是最缠绵的一个晚上。

胡月儿却穿得整整齐齐的，坐在客厅里——平常到了这时候，他们本该已躺在床上。

柳长街看着她，好像已对她仔细研究了很久，终于忍不住问道：“今天我又有什么事得罪了你？”

胡月儿道：“没有。”

柳长街道：“你忽然有了毛病？”

胡月儿道：“没有。”

柳长街道：“那么今天是怎么回事？”

胡月儿道：“我只不过不想还没有出嫁就做寡妇而已。”

柳长街道：“没有人想要你做寡妇。”

胡月儿道：“有一个。”

柳长街道：“谁？”

胡月儿道：“你。”

她板着脸，冷冷道：“这六七天来，只要我一想谈正事，你就跟我胡说八道，再这么下去，我很快就会做寡妇的。”

柳长街叹了口气，道：“正事不是用嘴谈的，是要用手去做的。”

胡月儿道："你准备怎么样去做？"

柳长街道："你今天晚上这样子，就为的是要跟我谈这件事？"

胡月儿道："今天晚上再不谈，以后只怕就没有机会了。"

柳长街又叹了一口气，道："好，你要谈，就谈吧。"

胡月儿道："龙五要你到相思夫人那里去，偷一口箱子？"

柳长街道："嗯！"

胡月儿道："你已答应了他？"

柳长街道："嗯！"

胡月儿道："因为你若想抓龙五，就一定要先得到他的信任，若想得到他信任，就只有先替他做好这件事。"

柳长街道："难道你还有什么更好的法子？"

胡月儿道："我没有。"

她也叹了口气，道："这些年来，我们虽然知道有很多件大案子，都是龙五干的，我们甚至怀疑他就是青龙会的老大，却连他的一点把柄都抓不到。"

柳长街道："就算能抓到他的把柄，也抓不到他的人。"

胡月儿道："据说，连一向笑傲生死的'长生剑'白玉京、勇气盖世的丁喜与怒拳惊天的小马，开朗诚实、无往不利的'碧玉刀'段玉，都遇到过青龙会的纠缠，却也只能与青龙会中堂主级人物周旋，而未能直捣青龙总会的首脑。"

柳长街叹道："孔雀山庄拥有威力无比、辉煌灿烂的'孔雀翎'，据说秋庄主也与青龙会有一段过节，却也不敢对青龙会放手一搏。"

胡月儿嫣然道："西北双环门以'多情环'驰名江湖，后来竟被天香堂所灭，据说双环门流浪在外的唯一高手萧少英后来矢志报仇，几番斗智斗力，终与天香堂同归于尽。整个过程中，也有青龙会的阴影回旋其间。更不消说，在身世离奇的'离别钩'杨铮与世袭一等侯狄青麟的决战中，狄死杨断臂，起因亦在于青龙会扩张势力，要将各方高手一网打尽之故。”

柳长街道：“你们真的认为，龙五可能就是青龙会的总瓢把子？”

胡月儿道：“但龙五对我们的调查似已有所警觉，他滑溜至极，身边高手又多，我们的人已查不下去。”

柳长街道：“所以你们对付龙五的行动已遇到了瓶颈？”

胡月儿道：“所以我们一定要出奇兵。”

柳长街道：“你们的奇兵，就是我。”

胡月儿道：“所以你不但要抓他的人，还得先证明他犯的罪。”

柳长街道：“所以我一定要替他做好这件事。”

胡月儿道：“你有把握？”

柳长街道：“有一点。”

胡月儿道：“你能在半个时辰里，杀了守在外面的那七个人？再举起那道千斤闸，打开那三道秘门，逃到相思夫人追不上的地方去？”

柳长街道：“我只不过说我有一点把握而已，并不是很有把握。”

胡月儿道：“你知不知道那七个人，是七个什么样的人？”

柳长街道：“不知道。”

胡月儿道：“你知不知道他们的武功如何？”

柳长街道：“不知道。”

胡月儿冷笑道：“你什么都不知道，居然就已觉得有点把握了，这不是存心想害我做寡妇是什么？”

柳长街居然笑了笑，道：“我虽然不知道他们的来历武功，可是我知道你一定会告诉我的。”

胡月儿板着脸，冷冷道：“你凭什么认为我会知道他们的武功来历？”

柳长街微笑道：“因为你又能干，又聪明，江湖中的事，你几乎没有不知道的，而且这几天晚上，你都没有睡好，一定就是在替我想这件事。”

胡月儿虽然还是板着脸，但眼波却已温柔多了，轻轻叹息着，道：“你总算还有点良心，总算还知道我的苦心。”

柳长街立刻走过去，揽住了她的腰，柔声道：“我当然知道你对我好，所以……”

他的话还没有说完，胡月儿已用力推开了他，冷冷道：“所以你现在就该乖乖地坐着，听我把七个人的武功来历告诉你，好好地想个法子对付他们，好好地活着回来，不要让我做寡妇。”

柳长街只有坐下来，苦笑道：“你真的已知道那七个人是谁？”

胡月儿道：“这些年来，江湖中被人逼得无路可走的亡命之徒，算起来至少有一两百个，只不过有些人武功不够，有些人年纪太老，相思夫人是绝不会把他们看在眼里的。”

柳长街道：“这其中当然也还有些人早已死了。”

胡月儿点点头，道：“所以我算来算去，有可能被相思夫人收留的，最多只有十三四个。他们之中，又有七个人的可能性最大。”

柳长街道：“你凭哪点算出来的？”

胡月儿道：“因为这七个人不但贪图享受，而且怕死，只有怕死的男人，才肯去做女人的奴才。”

柳长街苦笑道：“我不怕死，可是现在我已做了你的奴才。”

胡月儿瞪了他一眼，道：“你到底想不想知道那七个人是谁？”

柳长街道：“想。”

胡月儿道：“你有没有听人说过‘小五通’这个人？”

柳长街道：“是不是那个采花盗？”

“五通”本就是江南淫祠中供奉的邪神，“小五通”当然是个采花盗。

胡月儿道："这人虽然是下五门中最要不得的淫贼，但是轻功掌法都不弱，尤其是身上带着的那三种煨毒暗器，更是见血封喉，霸道极了。"

柳长街道："据说他本是川中唐家的子弟，毒门暗器的功夫，当然是有两下子的。"

川中唐门，以毒药暗器威震江湖，至今已达三百年，江湖中一向很少有人敢去惹他们，他们倒也不肯轻易去犯别人——唐门家法之严，也是出了名的。

这"小五通"唐青，却是唐家子弟中最不肖的一个，他要是真的已投靠了相思夫人，也许就是怕唐家的人抓他回去，用家法处置他。

胡月儿道："那七个人中，你特别要加意提防的，就是这个人的煨毒暗器，所以我希望你最好能先到唐家去要点解药。"

柳长街苦笑道："只可惜我要也要不到，买也买不起。"

胡月儿道："那么你就只有第一个先出手对付他，让他根本没有用暗器的机会。"

柳长街点点头，道："你放心，我也知道被唐门毒砂打在身上的滋味很不好受。"

胡月儿道："为了安全，你身上最好穿件特别厚的衣服，我也知道你怕热，可是热总热不死人的。"

柳长街："我一定穿件厚棉袄去。"

胡月儿这时才表示满意，又道："那七个人中，算来功夫最好，并不是他。"

柳长街道："是谁？"

胡月儿道："有三个人的功夫都很硬，一个是'鬼流星'单一飞，一个是'勾魂'老赵，一个是'铁和尚'。"

柳长街皱了皱眉，这三个人的名字，他显然全都听说过。

胡月儿道："尤其是那铁和尚，他本来已是少林门下的八大弟子之一，练的据说还是童子功，这个人既不贪财，也不好色，却偏偏喜欢杀人，而且用的法子很惨，所以才被少林逐出了门墙。"

柳长街道："也许就因为他练的是童子功，所以心理才有毛病，就因为心理有毛病，所以才喜欢无缘无故地杀人。"

胡月儿道："他的人虽然有毛病，功夫却没有毛病，据说他的十三太保横练，几乎已真的练到刀砍不入的火候。"

柳长街又笑道："也许就因为他杀得太多，所以才怕死，就因为怕死，所以才会练这种不怕被人用刀砍的功夫。"

胡月儿道："只不过有很多杀不死的人，都已死在你手下，所以你根本不在乎他。"

柳长街笑道："一点也不错。"

胡月儿瞪着他，忽然叹了口气，道："其实我真正担心的，倒也不是他们。"

柳长街道："不是他们是谁？"

胡月儿道："是个女人。"

女人真正担心的，好像总是女人。

柳长街立刻问："那七个人中也有女人？"

胡月儿道："只有一个。"

柳长街又问："她是个什么样的女人？"

胡月儿道："是个假女人。"

柳长街笑了："真女人都迷不住我，假女人你担心什么？"

胡月儿道："就因为他是假女人，所以我才会担心。"

柳长街道："为什么？"

胡月儿道："因为真女人你见得多了，像他那样的假女人，我却可以保证你从来也没有见过。"

柳长街的眼睛已眯了起来，只要是女人，无论是真是假，他好像总是特别有兴趣。

胡月儿斜盯着他，冷冷道："我很了解你，只要是漂亮的女人，不管是真是假，你看见都免不了要动心的。"

柳长街道："哦？"

胡月儿道："只要你一动心，你就死定了。"

柳长街道："你要我不看他？"

胡月儿道："我要你一见到他，就立刻出手杀了他。"

柳长街道："你刚才好像是要我第一个出手对付唐青的。"

胡月儿道："不错。"

柳长街道："你要我一次杀两个人？"

胡月儿道："杀两个还不够。"

柳长街又笑了，只不过这次是苦笑。

胡月儿道："我刚才只说了六个人，因为另外的那一个，很可能根本就不是人。"

柳长街苦笑道："不是人是什么？"

胡月儿道："是条疯狗。"

柳长街皱眉道："打不死的李大狗？"

胡月儿点点头，道："就因为他是条疯狗，所以根本就不要命，就算明知你一刀要砍在他脑袋上，他说不定还是会冲过来咬你一口的。"

柳长街叹道："被疯狗咬一口的滋味也不好受。"

胡月儿道："所以你一出手，就得砍下他的脑袋来，绝不能给机会让他缠住你。"

柳长街道："似乎我一出手，就得杀三个人。"

胡月儿道："三个并不多。"

柳长街叹道："只可惜我只有两只手。"

胡月儿道："你还有脚。"

柳长街苦笑道："你要我左手杀唐青，右手杀疯狗，再一脚踢死那个女人？"

胡月儿道："我说过，你绝不能给他们一点机会，但我也知道，要你一下子杀死他们三个人，也并不是件容易事，除非你的运气特别好。"

柳长街道："你看我的运气好不好？"

胡月儿道："很好，好极了！"

柳长街眨了眨眼，道："我运气是几时变得这么好的？"

胡月儿又嫣然一笑，道："从你认识我的时候开始，你的运气就变好了。"

她忽然又问道："你有没有听说过一种能用脚发出去的暗器？"

柳长街道："好像听说过。"

胡月儿道："你有没有脚？"

柳长街道："好像有。"

胡月儿道："好，这就够了。"

柳长街道："这就够了？"

胡月儿道："我正好有那种暗器，你正好有脚。"

从脚上发出去的暗器，通常都很少有人能够避得了的。

胡月儿又道："你的出手并不慢，再加上脚上的暗器，同时要杀三个人就已不是件困难的事。"

柳长街道："可惜那种暗器我只不过听说过一次而已。"

胡月儿道："现在你马上就会看见了。"

柳长街道："在哪里？"

胡月儿道："现在想必已在路上。"

柳长街道："你已叫人送来？"

胡月儿道："想起那三个人的时候，我就已叫人送来。"

柳长街道："你出去过？"

胡月儿道："我的人虽然没有出去过，消息却已传了出去。"

柳长街怔住。

他并不笨，可是他随便怎么样想，也想不通胡月儿是怎么把消息传出去的。

胡月儿忽然道："我也知道这地方一定早已在龙五的监视之中，可是就算龙五再厉害，也不能不让人吃饭。"

柳长街还是不懂，吃饭和这件事有什么关系。

胡月儿道："要吃饭，就得煮饭，要煮饭，就得生火……"

柳长街终于明白："一生火，就会冒烟。"

胡月儿嫣然道："你总算还不太笨。"

用烟火来传达消息，本就是种最古老的法子，而且通常都很有效。

胡月儿凝视着他，目光坚定如磐石，声音却温柔如春水："只要你有手段，而且懂得方法，无论什么东西都会服从你，替你做事的，甚至连烟囱里冒出去的烟，都会替你说话。"

04

夜色并不深，却很静，远处的道路上，隐隐传来犬吠声。

胡月儿又道："除了这种暗器外，你还得要有把能一刀砍下人头颅的快刀。"

柳长街道："刀也在路上？"

胡月儿道："刀你可以去问龙五要，江湖中最有名的十三柄好刀，现在至少有七柄在他手上。"

柳长街凝视着她，凝视着她的胸膛，缓缓道：“现在你还有什么吩咐？”

胡月儿道：“没有了。”

柳长街道：“那么我们是不是已经可以上床去睡觉？”

胡月儿道：“你可以。”

柳长街道：“你呢？”

胡月儿叹了一口气，道：“我已经要开始准备死了。”

柳长街吃了一惊：“准备死？”

胡月儿道：“你走了之后，龙五绝不会放过我的，他就算相信你不会在我面前泄露秘密，也绝不会留下我的活口。”

柳长街终于明白：“他无论叫什么人来杀你，你都不能反抗，因为你只不过是个庄稼汉的老婆。”

胡月儿点点头，笑道：“所以我不如还是先死在你的手里好。”

柳长街道：“死在我手里？你要我杀了你？”

胡月儿道：“你舍不得？”

柳长街苦笑道：“你难道以为我也是条见人就咬的疯狗？”

胡月儿嫣然道：“我知道你不是，我也知道你舍不得杀我，只不过……”

她笑得神秘而残酷：“杀人有很多法子，被人杀也有很多法子的。”

柳长街没有再问。

他也许还不十分了解她的意思，可是他已听见了一阵脚步声。

脚步声已穿过外面的院子，接着，已有人在敲门。

“是谁呀？”

“是我，”一个女人的声音，还很年轻，很好听，“特地来还鸡蛋的。”

“原来是阿德嫂。”胡月儿道，“几个鸡蛋，急着来还干什么！”

“我也是顺路。”阿德嫂道，“今天晚上我正好要到镇上去抓人。”

“抓人？抓谁呀？”

“还不是那死鬼，昨天一清早，他就溜到镇上去了，直到现在还没有回来，有人看见他跟那臭婊子混在一起了，这次我……”

她没有再说下去。

因为她已进了门，看见了柳长街，仿佛显得有点吃惊。

柳长街也在看着她。

这女人不但年轻，而且丰满结实，就像是个熟透了的柿子，又香又嫩。

胡月儿已掩起门，忽然回过头向柳长街一笑，道：“你看她怎么样？”

柳长街道：“很好。”

胡月儿道：“今天晚上，你想不想跟她睡觉？”

柳长街道：“想。”

他的确想。

这女人身上穿的衣服很单薄，他甚至已可看见她的奶头正渐渐发硬。

她也想？

胡月儿微笑着，道：“现在你已经可以把衣裳脱下来了。”

阿德嫂咬着嘴唇，居然连一点都没有拒绝，就脱下了身上的衣裳。

她脱得很快。

胡月儿也在脱衣裳，也脱得很快。

她们都是很漂亮的女人，都很年轻，她们的腿同样修长而结实。

柳长街看着她们，心却在往下沉。

忽然间，他已明白了胡月儿的意思。

“……杀人有很多法子，被人杀也有很多法子。”

原来她早已有了准备，早已准备叫这女人来替死的……

她们不但身材很相像，脸也长得差不多，只要再经过一点修饰，龙五的手下就不会分辨出来。

事实上，他们根本就不会注意一个庄稼汉的老婆，他们只不过是要来杀一个女人而已，这女人究竟长得什么样子，他们也绝不会很清楚。

胡月儿果然已将这阿德嫂脱下来的衣服穿在自己身上，用眼角瞟着柳长街，微笑道：“你看着她干什么，还不抱她上床？”

阿德嫂的脸有点发红。

她显然并不清楚自己的任务，只知道是来替换一个女人，陪一个男人的。

这个男人看来并不令人恶心，她甚至已在希望胡月儿快走。

胡月儿已准备走出去，吃吃地笑着，突然反手一掌，拍在她后心上。

她张开口，却没有喊出声，连血都没有喷出，因为胡月儿已将她刚送来的鸡蛋塞了一个到她嘴里……

柳长街看见她倒下去，却觉得自己嘴里也像是被人塞入了个生鸡蛋，又腥又苦。

胡月儿却叹了口气，道：“我们原来的计划，是要她留在这里陪你，等你杀她的。”

柳长街沉默着，过了很久，才缓缓道：“你为什么忽然改变了主意？”

胡月儿道："因为我受不了你刚才看她的表情。"

柳长街道："哦！"

胡月儿咬着嘴唇道："你一看见她，就好像恨不得立刻把手伸进她的裙子。"

柳长街叹了口气，道："不管怎么样，她反正迟早总是要死的，而要做成一件大事，总也难免要死很多人。"

胡月儿道："现在我只希望龙五派来带路的，不是个女人。"

柳长街道："假如是女人，你也要杀了她？"

胡月儿慢慢将鸡蛋一个个放在桌上，提起空篮子。

她脸上带着种奇怪的表情，过了很久，才道："我知道我不是你的第一个女人，但却希望是你最后一个。"

鸡蛋有几个是空的，蛋壳里藏着些很精巧的机簧铜片，拼起来，就变成很精巧的暗器——一种可以装在鞋子里的暗器。

只要用脚趾用力一夹，就会有毒针从鞋尖里飞出去，毒得就像青竹蛇的牙、黄尾蜂的刺一样。

就好像女人的心一样！

"我不坐了，我还得赶到镇上去。"胡月儿提着空篮子，娇笑着走出门，笑得居然还很愉快。

门外的夜色似已很深。

第四章

不是人的人

01

夜的确已深了。

柳长街一个人坐在这小而简陋的客厅里，已很久很久没有听见一点声音。

他先将那陌生的女人放到床上，将所有能找到的棉被全都为她盖起来，仿佛生怕她着了凉。

然后他又将所有屋子里的灯全都燃起，甚至连厨房里的灯都不例外。

他既不怕面对死亡，也不怕面对黑暗，不过对这两件事，他总是有种说不出的厌恶和憎恨，总希望能距离它们远些。

现在他正在尽力集中思想，将这件事从头到尾再想一遍——

他本是个默默无名的人，甚至连他自己都不知道自己究竟有多大的力量。

因为他从未试过，也从不想试。

可是“胡力”胡老爷子却发掘了他，就像是在沙蚌中发掘出一粒珍珠一样。

胡老爷子不但有双锐利的眼睛，还有个任何人都比不上的头脑。

他从未看错过任何人，也从未看错过任何事——他的判断从未有一次错误过。

他并没有真的戴过红缨帽，吃过公门饭，但却是天下第一名捕。每一州、每一府的捕快班头，都将他敬若神明。

因为只要他肯伸手，世上根本就没有破不了的盗案，只要他活着，犯了案的黑道朋友就没有一个人能逍遥法外。

只可惜无论多么快的刀，都有钝缺的时候，无论多么强的人，都有老病的一天。

他终于老了，而且患了风湿，若没有人搀扶，已连一步路都不能走。

就在他病倒的这两三年里，就在京城附近一带，就已出了数百件巨案——正确的数目是，三百三十二件。

这三百多件巨案，竟连一件都没有侦破。

但这些案子却非破不可，因为失窃的人家中，不但有王公巨卿，而且还有武林大豪，不但有名门世家，而且还有皇亲贵胄。

胡老爷子的腿都已残废，眼睛却没有瞎。

他已看出这些案子都是一个人做的，而且也只有一个人能破。

作案的人一定就是龙五，破案的人，也一定非得找柳长街不可。

大家都相信他这次的判断还是不会错。

所以默默无闻的柳长街，就这么样忽然变成了个充满传奇的人物。

想到这里，柳长街自己也不知道自己这是走了运，还是倒了霉？

直到现在，他还是不十分明白，胡老爷子是怎么看中他的？

他好像永远也不能了解这狐狸般的老人，正如他永远也无法了解这老人的女儿一样。

他只记得，一年前他交了个叫王南的朋友，有一天，王南忽然提议，要他去拜访胡老爷子，三个月之后，胡老爷子就将这副担子交给了他，一直到今天晚上，他才知道这副担子有多么重。

现在他总算已将中间这三个月的事，瞒过了龙五。

可是以后呢？

他是不是能在半个时辰中，杀了唐青、单一飞、勾魂老道、铁和尚、李大狗，和那个女人？是不是能拿到那神秘的檀木匣子？是不是能抓住龙五？

只有他自己心里知道，他实在完全没有把握。

最令他烦心的，还是胡月儿。

她究竟是个什么样的女人？究竟对他怎么样？

只有他自己知道，他也是个人，是个有血有肉的平凡的人，并不是一块大石头。

夜虽已很深，距离天亮还有很久。

明天会发生什么事？龙五会叫一个怎么样的人来为他带路？

柳长街叹了口气，只希望能靠在这椅子上睡一下，暂时将这些烦恼忘记。

但就在这时，他忽然听见一种奇异的声音，就仿佛忽然有一片细雨洒下，洒在屋顶上。

接着，"轰"的一声，整个屋子忽然燃烧了起来，就像是纸扎的屋子被点起了火，一烧就不可收拾。

柳长街当然不会被烧死。

就算真的把他关在个烧红的炉子里，他说不定也有法子能逃出去。

这屋子虽然不是洪炉，却也烧得差不多了，四面都是火，除了火焰外，别的什么都看不见。

但柳长街已冲了出去。

他先冲进厨房，拉起了口大水缸，再用水缸顶在头上，缸里的水淋得他全身都湿透了，可是他的人已冲了出去。

没有人能想象他应变之快，更没有人能想象他动作之快。

除了这燃烧着的屋子外，天地之间居然还是一片宁静。

小院里的几丛小黄花，在闪动的火光中看来，显得更娇艳可喜。

一个穿着身黄衣裳的小姑娘，手里拈着朵小黄花，正在看着他吃吃地笑。

门外居然还停着辆马车，拉车的马，眼睛已被蒙住，这惊人的烈火，并没有使它们受惊。

穿黄衣裳的小姑娘，已燕子般飞过去，拉开车门，又向他回眸一笑。

她什么话都没说。

柳长街也什么话都没有问。

她拉开车门，柳长街就坐了上去。

火焰还在不停地燃烧，距离柳长街却愈来愈远了。

车马急行，已冲入了无边无际的夜色中。

黑暗的夜。

柳长街对黑暗并不恐惧，只不过有种说不出的憎恨厌恶而已……

02

新的，从袜子、内褂，到外面的长袍，全都是崭新的。

连洗澡的木盆都是崭新的。

车马正在这座庄院外停下，柳长街跟着那小姑娘走进来，屋子里就已摆着盆洗澡水在等着他。

水的温度居然不冷也不热。

小姑娘指指这盆水，柳长街就脱光衣服跳下去。

她还是一句话都没有说。

他也还是连一个字都没有问。

等到柳长街洗过了，擦干净准备换上这套崭新的衣服时，这小姑娘忽然又进来了，后面居然还跟着两个人，抬着个崭新的木盆，盆里装满了水，水的温度也恰好不冷不热。

小姑娘又指了指这盆水，柳长街看了她两眼，终于又跳进这盆水里去，就好像已有三个月没有洗澡一样，把自己又彻底洗了一次。

他并不是那种生怕洗澡会伤了元气的男人，事实上，他一向很喜欢洗澡。

他也不是那种多嘴的男人，别人若不说，他通常也不问。

可是等到这小姑娘第四次叫人抬着盆洗澡水进来时，他也没法子再沉得住气了。

他已将全身的皮肤都擦得发红，看来几乎已有点像是根刚削了皮的红萝卜。

小姑娘居然又指了指这盆洗澡水，居然还要叫他再洗一次。

柳长街看着她，忽然笑了。

小姑娘也笑了，她根本一直都在笑。

柳长街忽然问道："我身上有狗屎？"

小姑娘哈哈地笑着道："没有。"

柳长街道："有猫屎？"

小姑娘道："也没有。"

柳长街道："我身上有什么？"

小姑娘眼珠子一转，圆圆的脸上，已泛起了一阵红晕。

他身上什么也没有。

柳长街道："我已洗过三次澡，就算身上真的有狗屎，现在也早就洗干净了。"

小姑娘红着脸点点头，其实她已不能算太小。

柳长街道："你为什么还要我再洗一次？"

小姑娘道："不知道。"

柳长街怔了怔道："你也不知道？"

小姑娘道："我只知道，无论谁要见我们家小姐，都得从头到脚，彻彻底底地洗五次。"

所以柳长街就洗了五次。

他穿上了崭新的衣服，跟着这小姑娘去见那位"小姐"时，忽然发现一个人能接连洗五次澡，也并不是件很难受的事。

现在他全身都觉得很轻松，走在光滑如镜的长廊上，就好像是在云堆里一样。

长廊的尽头，有一扇挂着珠帘的门。

门是虚掩着的，并不宽，里面的屋子却宽大得很，雪白的墙壁，发亮的木板地，这么大的一间屋子里头，只摆着一桌、一椅、一镜。

一个修长苗条，穿着杏黄罗衫的女子，正站在那面落地穿衣铜镜前，欣赏着自己。

她的确是个值得欣赏的人。

柳长街虽然没有直接看见她的脸，却已从镜子里看见了。

就连他也不可能不承认，这张脸的确很美，甚至已美得全无瑕疵，美得无懈可击。

这种美几乎已不是人类的美，几乎已美得像是图画中的仙子。

这种美已美得只能让人远远地欣赏，美得令人不敢接近。

所以柳长街远远就站住。

她当然也已在镜子里看见了他，却没有回头，只是冷冷地问："你就是柳长街？"

"我就是。"

"我姓孔，叫孔兰君。"

她的声音也很美，却带着种说不出的冷漠骄傲之意，好像早已算准了，无论谁听见她这名字，都会忍不住大吃一惊。

柳长街脸上却连一点吃惊的意思都没有。

孔兰君突然冷笑，道："我虽然没有见过你，却早已知道你是个什么样的人了。"

柳长街道："哦？"

孔兰君道："龙五说你是个很有趣的人，花钱的法子也很有趣。"

柳长街道："他没有说错。"

孔兰君道："蓝天猛说你的骨头很硬，很经得住打。"

柳长街道："他也没有说错。"

孔兰君道："只不过所有见过你的女人，对你的批评都只有三个字。"

柳长街道："哪三个字？"

孔兰君道："不是人。"

柳长街道："她们也没有说错。"

孔兰君道："一个不是人的男人，只要看我一眼，就得死！"

柳长街道："我并不想来看你，是你自己要我来的！"

孔兰君的脸色发白，道："我要你来，只因为我答应了龙五，否则你现在就已死在那里。"

柳长街道："你答应了龙五什么事？"

孔兰君道："我答应他，带你去见一个人，除此之外，你我之间就完全没有任何关系，所以你在我面前最好老实些，我知道你在女人那方面的名声，你若是将我看得和别的女人一样，你还是死定了。”

柳长街道：“我明白。”

孔兰君冷笑道：“你最好明白。”

柳长街道：“但我也希望你能明白两件事。”

孔兰君道：“你说。”

柳长街道：“第一，我也并不想跟你有任何别的关系。”

孔兰君的脸色更苍白。

柳长街道：“第二，我虽然没有见过你，却也早就知道你是个怎么样的人了。”

孔兰君忍不住问：“我是个怎么样的人？”

柳长街道：“你自以为你是只孔雀，以为天下的人都欣赏你，你自己唯一欣赏的人，也是你自己。”

孔兰君苍白的脸色发青，霍然转过身，盯着他，美丽的眼睛里，仿佛已有火焰在燃烧。

柳长街却还是淡淡地接着道：“你找我来，是为了龙五，我肯来，也是为了龙五，我们之间本就没有别的关系，只不过……”

孔兰君道：“只不过怎么样？”

柳长街道：“你本不该放那把火的！”

孔兰君道：“我不该？”

柳长街道：“那把火若是烧死了我，你怎么能带我去见人？”

孔兰君冷笑道：“那把火若是烧得死你，你根本就不配去见那个人。”

柳长街也忍不住问道：“那个人究竟是谁？”

孔兰君道：“秋横波。”

柳长街终于吃了一惊：“秋水夫人？”

孔兰君点点头：“秋水相思。”

柳长街道："你要带我去见她？"

孔兰君道："我是她的朋友，她那秋水山庄，只有我能进去。"

柳长街道："你是她的朋友，她也拿你当朋友，但你却在替龙五做事。"

孔兰君冷冷道："女人和女人之间，本就没有真正的朋友。"

柳长街道："尤其是你这种女人，你唯一的朋友，也正是你自己。"

孔兰君这次居然并没有动怒，淡淡道："我至少还比她好。"

柳长街道："哦？"

孔兰君道："她甚至会把她自己都看成自己的仇敌。"

柳长街道："但是她却让你到她的秋水山庄去。"

孔兰君眼睛里忽然又露出种憎恨恶毒之色，淡淡道："她让我去，只不过因为她喜欢折磨我，喜欢看我被她折磨的样子。"

没有人能形容她脸上这种表情，那甚至已不是"憎恨、怨毒"这类名词所能形容的。

这两个神秘、美丽、冷酷的女人之间，显然也有种别人无法想象的关系。

柳长街看着她，忽然笑了笑，说道："好，你去吧。"

孔兰君道："你……"

柳长街道："我既不想去看她，也不必去看她。"

孔兰君道："可是你非去不可。"

柳长街道："为什么？"

孔兰君道："因为我也不知道她那密窟在哪里，我只能带你到秋水山庄去，让你自己去找出来。"

柳长街的心沉了下去。

他忽又发现这件事，竟比他想象中还要复杂困难得多。

孔兰君的眼睛却亮了起来。

只要看见别人痛苦的表情，她眼睛就会亮起来，她也喜欢看别人受苦。

柳长街终于叹了口气，道："秋水夫人让你去，只因为她喜欢看你受她折磨的样子，你怎么知道她也肯让我去？"

孔兰君道："因为她很了解我，她知道我一向是个喜欢享受的人，尤其是喜欢男人服侍，所以我每次去，都有个奴才跟着的。"

柳长街道："我不是你的奴才。"

孔兰君道："你是的。"

她盯着他，那双美丽的眼睛里，表情又变了，变得更奇怪。

柳长街也在盯着她。

两个人就这么样互相凝视着，也不知过了多久，柳长街终于长长叹了口气。

"我是的。"

孔兰君道："你是我的奴才？"

柳长街道："是的。"

孔兰君道："从今天起，你就得像狗一样跟着我，我一叫，你就得来。"

柳长街道："是。"

孔兰君道："我要你做什么，你就得做什么。"

柳长街道："是。"

孔兰君道："不管你替我做什么，你都得千万注意，绝不能让你那双脏手碰着我，你右手碰到了我，我就砍断你的右手，你一根手指碰到了我，我就削断你一根手指。"

柳长街道："是。"

他脸上居然还是连一点表情都没有，既没有愤怒，也没有痛苦。

孔兰君还在盯着他，又过了很久，居然也轻轻叹了口气，道：“看来你的确不是人。”

03

栖霞山。

山美。山的名字也美。

过了气象庄严的凤林寺，再过曲院风荷的跨虹桥，栖霞山色，就已在人眼底。

暮风中隐隐有歌声传来：

避暑人归自冷泉，
无边云锦晚凉天。
爱渠阵阵香风入，
行过高桥方买船。

歌声幽美，风荷更美，却比不上这满天夕阳下的锦绣山色。

后山的山腰，白云浮动，峰回路转，山势较险，本来是游人较少的地方，此刻却新建起一座金碧辉煌的酒楼。

楼不高，却较精致，油漆刚刚干透，两个木工正将一块金字招牌钉在大门上，对面两峰夹峙如剑，正是山势最险的剑关。

孔兰君罗衣窄袖，伫立在山峰后的一株古柏下，遥指着这座酒楼，道：“你看这酒楼怎么样？”

柳长街道：“房子盖得不错，地方却盖错了。”

孔兰君道：“哦？”

柳长街道："酒楼盖在这种地方，怎么会有生意上门，我只担心它不足三个月，就得关门大吉。"

孔兰君道："这倒用不着你担心，我保证不到明天天亮，这座酒楼就已不见了。"

柳长街道："它会飞？"

孔兰君道："不会。"

柳长街道："既然不会飞，怎能会忽然不见？"

孔兰君道："既然有人会盖房子，就有人会拆。"

柳长街道："难道这座酒楼不到明天天亮，就会被人拆完？"

孔兰君道："嗯。"

柳长街也不禁觉得奇怪："刚盖好的房子，为什么要拆？"

孔兰君道："因为这房子盖起来就是为了给人拆的。"

柳长街更奇怪。

有人为了置产而盖房子，有人为了住家盖房子，有人为了做生意盖房子，也有人为了要金屋藏娇而盖房子，这都不稀奇。

可是就为了准备给人拆而盖房子，这种事他实在连听都没听过。

孔兰君道："你想不通？"

柳长街承认："实在想不通。"

孔兰君冷笑道："原来你也有想不通的事。"

她显然并不想立刻把这闷葫芦打破，所以柳长街不想再问。

他只知道孔兰君带他到这里来，绝不是只为了要他生闷气的。

她一定有目的。

所以用不着他问，她也迟早总会说出来的。

柳长街对自己的判断也一向都很有信心。

夕阳西落，夜色已渐渐笼罩了群山。

酒楼里已燃起了辉煌的灯火，崎岖的山路上，忽然出现了一行人。

这些人有男有女，男的看来都是酒楼里的跑堂、厨房里大师傅的打扮，女的却都是打扮得妖艳，长得也不太难看的大姑娘。

孔兰君忽然道：“你知道不知道这些人是来干什么的？”

柳长街道：“来拆房子的？”

孔兰君道：“就凭这些人，拆三天三夜，也拆不光这房子。”

柳长街也承认，拆房子虽然比盖房子容易，却也得有点本事。

孔兰君忽又问道：“你看不看得出这些女人是干什么的？”

柳长街当然看得出：“她们干的那一行虽然不太高尚，历史却很悠久。”

那的确是种很古老的职业，用的也正是女人最原始的本钱。

孔兰君冷冷道：“我知道你喜欢看这种女人，所以你现在最好多看几眼。”

柳长街道：“莫非到了明天早上，这些人也全都不见了？”

孔兰君淡淡道：“屋子盖好就是为了要拆的，人活着，就是为了准备要死的。”

柳长街道：“你带我到这里来，就是为了要我看房子被拆？看这些人死？”

孔兰君道：“我带你来，是为了要你看拆房子的人。”

柳长街道：“是些什么人？”

孔兰君道：“是七个要死在你手里的人。”

柳长街终于明白：“他们今天晚上都会来？”

孔兰君道：“嗯。”

柳长街道：“这房子本是秋水夫人盖的，盖好了叫他们来拆？”

孔兰君道：“嗯。”

柳长街虽然已明白，却还是忍不住问道：“为什么？”

孔兰君道："因为秋横波也很了解男人，尤其了解这些男人，把这种男人关在洞里，关得太久了，他们就算不发疯也会憋不住的，所以每隔一段日子，她就会放他们出来，让他们痛痛快快地发泄一次。"

柳长街忍不住在叹息。

他们来了后，会变成什么样子，他不用看也可以想象得到。

他实在替这些女人觉得可怜，他自己宁可面对七条已饿疯了的野兽，也不愿和那七个人打交道。

孔兰君用眼角瞟着他，冷冷道："你也用不着同情她们，因为你只要一不小心，死得很可能比她们还惨。"

柳长街沉默着，过了很久，才问道："他们要是到这里来了，那地方是谁在看守？"

孔兰君道："秋横波自己。"

柳长街道："秋横波一个人，比他们七个人加起来还可怕？"

孔兰君道："我也不知道她的武功究竟怎么样，只不过我绝不想去试试看。"

柳长街道："所以我只有在这里看看，绝不能打草惊蛇，轻举妄动，因为我现在就算杀了他们，也没有用。"

孔兰君点点头道："所以我现在只要你仔细看着他们出手，一个人在尽情发泄时，就算是在拆房子，也会将自己全身功夫都使出来的。"

柳长街道："然后呢？"

孔兰君道："然后我们都回去，等着。"

柳长街道："等什么？"

孔兰君道："等明天下午，到秋水山庄去。"

柳长街道："到了秋水山庄后，我再想法子去找那秘窟？"

孔兰君道："而且一定要在一天半之内找到。"

柳长街道："这些人发泄完了，要回去时，我不能在后面盯他们的梢？”

孔兰君道：“不能。”

柳长街不说话了。

说了也没有用的话，他从来不说。

对山灯火辉煌，这里却很暗，黑暗的苍穹中，刚刚有几点星光升起。

淡淡的星光，淡淡地照在孔兰君脸上。

她实在是个很美的女人。

夜色也很美。

柳长街找了块石块坐下来，看着她，仿佛已觉得有些痴了。

孔兰君忽然道：“是我叫你坐下去的？”

柳长街道：“你没有。”

孔兰君道：“我没有叫你坐下，你就得站着。”

柳长街就又站了起来。

孔兰君道：“我叫你带来的提盒呢？”

柳长街道：“在。”

孔兰君道：“拿过来。”

四四方方的提盒，是用福州漆木做成的，非常精致考究。

孔兰君道：“替我打开盖子。”

掀起盖子，食盒里用白绫垫着底，摆着四样下酒菜，一盘竹节小馒头，一壶酒。

酒是杭州最出名的“善酿”，四道菜是醮鱼、糟鸡、无锡的酱鸭和肉骨头。

孔兰君道：“替我倒酒。”

柳长街双手捧起酒壶，倒了杯酒，忽然发现自己也饿了。

可惜酒杯只有一只，筷子也只有一双，他只有在旁边看着。

孔兰君喝了两杯酒，每样菜尝了一口，就皱了皱眉，放下筷子，忽然道："倒掉。"

柳长街道："倒掉？把什么东西倒掉？"

孔兰君道："这些东西全都倒掉。"

柳长街道："为什么要倒掉？"

孔兰君道："因为我已吃过了。"

柳长街道："可是我还饿着。"

孔兰君道："像你这样的人，饿个三五天，也饿不死的。"

柳长街道："既然有东西可吃，为什么要挨饿？"

孔兰君冷冷道："因为我吃过的东西，谁也不能碰。"

柳长街看着她，看了半天，道："你的人也不能碰？"

孔兰君道："不能。"

柳长街道："从来也没有人碰过你？"

孔兰君沉下脸，道："那是我的事，你根本管不着。"

柳长街道："但我的事你却要管？"

孔兰君道："不错。"

柳长街道："你叫我站着，我就得站着，叫我看，我就得看？"

孔兰君道："不错。"

柳长街道："你不许我去盯梢，我就不能去，不许我碰你，我就不能碰？"

孔兰君道："不错。"

柳长街看着她，又看了很久，忽然笑了。

孔兰君冷冷道："我不许你笑的时候，你也不准笑。"

柳长街道："因为我是你的奴才？"

孔兰君道："你现在总算明白了。"

柳长街道："只可惜你却有件事不明白。"

孔兰君道："什么事？"

柳长街道："我也是个人，我这人做事一向都喜欢用自己的法子，譬如说……"

孔兰君道："譬如说什么？"

柳长街道："我若想喝酒的时候，我就喝。"

他居然真的把那壶酒拿起来，对着嘴喝下去。

孔兰君脸已气白了，不停地冷笑，道："看来你只怕已想死。"

柳长街笑了笑，道："我一点也不想死，只不过想碰碰你。"

孔兰君怒道："你敢！"

柳长街道："我不敢？"

他的手突然伸出，去摸孔兰君。

孔兰君的反应当然不慢，"孔雀仙子"本就是武林中最负盛名的几位女子高手其中之一。

她骄傲并不是没有理由的。

柳长街的手刚伸出，她的手也已斜斜挑起，十指尖尖，就宛如十口利剑，闪电般划向柳长街的脉门。

她的出手当然很快，而且招式灵活，其中显然还藏着无穷变化。

只可惜她所有的变化连一招都没有使出来。

柳长街的手腕，就好像是突然间一下子折断了，一双手竟从最不可想象的方向一弯一扭，忽然间已扣住了孔兰君的脉门。

孔兰君从来也想不到一个人的手能这么样变化出招，大惊之下，还来不及去想应该怎么样应变，只觉得自己整个人已被提起，在空中一翻一转，竟已被柳长街按在石头上。

柳长街悠然地道："你猜不猜得出我现在想干什么？"

孔兰君猜不出。

她简直连做梦都想不到。

柳长街道："现在我只想脱下你的裤子来，打你的屁股。"

孔兰君吓得连嗓子都哑了："你……你敢？"

她还以为柳长街绝不敢的，她做梦也想不到真的有男人敢这样对付她。

可惜她忘了她自己说过的一句话："这个人根本不是人。"

只听"啪，啪，啪"三声响，柳长街竟真的在她屁股上打了三下。

他打得并不重，可是孔兰君却已被打得连动都不能动了。

柳长街笑道："其实我现在还可以再做一两样别的事，只可惜我已没兴趣了。"

他仰天大笑了两声，居然就这么样扬长而去，连看都不再看她一眼。

孔兰君虽然用力咬着牙，眼泪还是忍不住一连串流下，突然跳起来，大声道："柳长街，你这畜生，总有一天我要杀了你，你……你简直不是人。"

柳长街头也不回，淡淡道："我本来就不是。"

第五章

相思令人老

01

酒楼里灯火辉煌。

刚来的那两个伙计，正在摆杯筷，另外七个浓妆少女，一排坐在靠椅上，有的窃窃私语，有的在想心事。

拆房子的人还没有来，柳长街却来了。

孔兰君叫他千万别轻举妄动，千万别到这里来。

他偏偏要来。

他做事一向有自己的法子。

看见他走进来，每个人全都怔住——这个人好像不是他们在等的人。

除了他们在等的人之外，别的人本不该来的。

柳长街却好像完全不知道这回事，大摇大摆地扬长而入，在他们刚摆好杯筷的位子上坐下，道：“先来四个冷盆，四个热炒，再来五斤‘加饭’。”

“加饭”也是杭州的名酒，据有经验的人说，比“善酿”还过瘾。

伙计怔在旁边，也不知是去倒酒的好，还是不去的好。

这根本不是普通的酒楼，但柳长街却硬是要将这里当作普通的酒楼，而且还在向那七个大姑娘微笑着招手，道："快来，全部来陪我喝酒，男人喝酒的时候若没有女人陪着，就好像菜里没有放盐一样。"

大姑娘们你看我，我看你，也全都怔住。

柳长街道："我又不是吃人的老虎，你们怕什么，快过来。"

只听一阵银铃般的笑声响起，一个人娇笑着道："我来了！"

笑声响起的时候，还在门外很远的地方，等到三个字说完，她的人果然已来了，就像是一阵风，忽然间飘了进来，忽然间就已坐在柳长街旁边。

来的当然是个女人，而且还是个很美的女人，不但美，而且媚，尤其是一双眼睛，简直已媚到人的骨子里去。

随便你上看下看，左看右看，她从头到脚都是个女人，每分每寸都是女人。

柳长街看着她，忽然笑道："我是要女人来陪我喝酒的。"

这女人媚笑道："你看不出我是个女人？"

柳长街道："这么样我看不出。"

这女人道："要怎么样你才看得出？"

柳长街道："要脱光了我才看得出。"

这女人脸色变了变，又吃吃地笑了。

只听门外一个人道："看来这位朋友对女人的经验一定很丰富，假女人是万万瞒不过他的。"

两句话刚说完，屋子里忽然又多了五个人。

一个脸色惨白，服饰华丽，胡子刮得很干净，眼角却已有皱纹的中年人，果然就是"小五通"唐青。

一个铁塔般的和尚，当然就是铁和尚。

"鬼流星"单一飞和"勾魂"老赵，全都又病又老，带着三分鬼气，七分杀气。

令柳长街想不到的是，李大狗居然是个斯斯文文的小伙子，只不过满脸都是伤疤，耳朵也掉了半个。

胡月儿果然没有猜错，连一个都没有猜错。

但柳长街却忽然想起了一件事——她一共只说出了六个人，并不是七个。

现在来的人也只有六个。

还有一个人是谁?

胡月儿为什么没有说?

这人为什么没有来?

五个人里，只有唐青脸上带着微笑，刚才说话的人，显然就是他。

柳长街也笑道:“阁下对女人的经验，只怕也不比我差的。”

唐青道:“你认得我?”

柳长街道:“若是不认得，又怎么知道阁下对女人的经验也很丰富?”

唐青的脸色变了变，厉声道:“你是来找我的?”

柳长街道:“我是来喝酒的。”

唐青道:“特地到这里来喝酒的?”

柳长街道:“不错。”

唐青冷笑道:“山下的酒馆不下千百，你却特地到这里来喝酒!”

柳长街道:“我喜欢这个地方，这地方是新开的，我正好是个喜新厌旧的人。”

铁和尚忽然道:“我正好不喜欢喜新厌旧的人。”

柳长街道:“你喜欢什么?”

铁和尚道:“我喜欢杀人，尤其喜欢杀你这种喜新厌旧的人。”

这和尚本就是凶眉恶眼，满脸横肉，此刻脸色一变，眼睛里杀气腾腾，看来更可怕。

柳长街却笑了，微笑着道："所以你一定很喜欢杀我。"

铁和尚道："你猜对了。"

柳长街道："你为什么还不过来杀？"

铁和尚已开始走过去。

他身上也全都是钢铁般的横肉，走路的姿态就像是个猩猩。

他的脚步很沉重，很稳，每走一步，地上都要多出个脚印。

这和尚的硬功的确不错，十三太保横练的功夫，说不定真的已练到刀砍不入的火候。

柳长街手里却连把切菜刀都没有。

唐青看着他，脸上的表情，就好像在看着个死人一样。

那些花枝招展的大姑娘们，都已吓得发抖。

走了四五步，铁和尚全身骨节突然开始"咯咯"地响。

他显然已将全身的功力全部发动，这出手一击，必定势不可当。

但是他还没有出手，那斯斯文文的小伙子，突然向柳长街扑了过来。

他一双眼睛里已突然充满了血丝，张开了嘴，露出了一排白森森的牙齿，看来竟似真的已变成了条疯狗，像是恨不得一口咬断柳长街的咽喉。

柳长街竟似没有看见他。

忽然间，他的人已扑在柳长街身上，一双手似已扼住了柳长街的脖子。

只听"嚓"一声，声音很奇怪。

柳长街还是坐着没有动。

李大狗也没有动，一双手还是扼在柳长街脖子上，可是他自己的头却已突然软软地歪了下去，眼睛凸出，脸上露出种奇怪的表情。

其后鲜血就突然从他嘴里喷了出来。

血并没有喷在柳长街身上。

他的人忽然间已游鱼般滑走，从那个女人身旁滑了过去。

李大狗倒下时，正好倒在这假女人身上。

这假女人居然没有闪避，也跟着他一起倒下，而她一张脸上，也带着种说不出有多么奇怪的表情，一双媚眼也已凸了出来，死鱼般凸了出来。

两个人的脸对着脸，眼睛对着眼睛，倒在地上动也不动。

两个人的身子都已冰冷僵硬。

唐青的脸也已变成死灰色，他看得出这两个人都已死了。

但他却没有看见柳长街出手。

没有人看见柳长街出手。

他杀人时，好像根本用不着动作。

铁和尚的脚步已停顿，青筋凸出的额角上，冷汗已流下。

他喜欢杀人，也懂得怎么样杀人。

所以他比别人更恐惧。

柳长街在叹息，叹息着道："我说过，我不想杀人，我是来喝酒的。"

唐青道："可是你一下子就杀了两个。"

柳长街道："那只因为他们要杀我，我也并不想死，死人没法子喝酒。"

勾魂老赵忽然道："好，喝酒，我来陪你喝酒。"

一壶酒摆在桌上。

勾魂老赵先替自己倒了一杯，又替柳长街倒了一杯，举杯道："请！"

他自己先一饮而尽。

两杯酒是从同一个酒壶里倒出来的。

柳长街看着面前的一杯酒，又笑了笑，道："我专程来喝酒，并不想只喝一杯。"

勾魂老赵道："喝了这杯，你还可以再喝。"

柳长街道："喝了这杯，我就永远没法子再喝第二杯了。"

勾魂老赵冷笑道："难道这杯酒里有毒？"

柳长街道："酒本来是没有毒的，毒在你的小指甲上。"

勾魂老赵的脸色也变了。

他替柳长街倒酒时，小指甲在酒里轻轻一挑，他的动作又轻巧、又灵敏，除了他自己外，别的人本来绝不会知道。

可是柳长街已知道。

柳长街看着他，微笑道："你喝的酒里本来也没有毒的。"

勾魂老赵忍不住问："现在呢？"

柳长街道："现在是不是有毒，你自己心里应该知道。"

勾魂老赵的脸已突然发黑，突然跳起来，嘶声大吼："你……你几时下的手？怎么下的毒？"

柳长街淡淡道："我算准了你要用这只酒杯，所以你去拿酒时，我已在杯子上下了毒，这手法其实很简单，你也应该会的。"

勾魂老赵没有再开口，他的咽喉似已被一条看不见的绳索绞住。

然后他的呼吸就已突然停顿，倒在地上时，整个人都已扭曲。

柳长街叹了口气道："我不喜欢杀人，却偏偏叫我杀了三个，喜欢杀人的，却偏偏站在那里不动。"

铁和尚一句话都没有说，突然转过身，大步飞奔了出去。

胡月儿说得不错。

最喜欢杀人的，往往也就是最怕死的人。

柳长街说得也不错。

这和尚就因为怕死，所以才要练那种刀砍不入的笨功夫。

等到他发现别人不用刀也一样可以要他的命时，他走得比谁都快。

鬼流星走得也不慢。

事实上，他退走的时候，那种速度的确很像流星。

唐青却没有走。

柳长街看着他，微笑道：“阁下是不是也想来试试？”

唐青忽然笑了，道：“我也不是来杀人的，我也是来喝酒的。”

柳长街道：“很好。”

唐青道：“我对女人的经验也很丰富，也是个喜新厌旧的人。”

柳长街道：“好极了。”

唐青笑道：“所以我们正是气味相投，正可以杯酒言欢，交个朋友。”

他微笑着走过来，坐下：“何况这里不但有酒，还有女人。”

柳长街道：“酒的确已足够我们两个人喝的了。”

唐青笑道：“女人也已足够我们两个人用的。”

柳长街道：“女人不够。”

唐青道：“还不够？”

柳长街道：“这里的女人虽然已够多，却还不够漂亮。”

唐青大笑，道：“原来阁下的眼光竟比我还高。”

柳长街忽然道：“其实这些女人也不能算太丑，只不过，还不够引人相思而已。”

唐青脸上的笑容突然冻结，吃惊地看着柳长街，甚至比刚才看见柳长街杀人于无形时还吃惊。

他终于明白了柳长街的意思，但却想不到这人竟有这么大的胆子。

柳长街忽然以筷击杯，曼声而歌：

只道不相思，相思令人老。

几番几思量，还是相思好，还是相思好……

唐青深深吸了口气，勉强笑道："阁下特地到这里来，就为了要寻找相思？"

柳长街叹道："这世上还有什么比相思更好？"

唐青道："没有了。"

柳长街道："当然没有了。"

唐青眼珠子转了转，诡笑道："只不过，在下也有条歌，想唱给阁下听听。"

柳长街又叹了口气道："听男人唱歌，实在很无趣，只不过嘴是长在你自己脸上的，你若一定要唱，就唱吧。"

唐青居然真的唱了起来：

只道不相思，相思令人老。

老了就要死，死了就不好。

柳长街用力摇着头，道："不好听。"

唐青道："唱得虽然不好听，却是实话。"

柳长街居然同意："不错，实话总是不好听的。"

唐青道："阁下要找的这相思，不但令人老，而且老得很快，所以死得也很快。"

柳长街道："你怕死？"

唐青叹道："这世上又有谁不怕死？"

柳长街道："我！"

他盯着唐青的眼睛，冷冷地接着道："就因为你怕死，我不怕，所以你就得带我去。"

唐青故意装作不懂："到哪里去？"

柳长街道："去找相思。"

唐青勉强作出笑脸，道："若是我也找不到呢？"

柳长街淡淡道："那么你就永远也不会老了。"

唐青连假笑都已笑不出。

他当然明白柳长街的意思——只有死人才永远不会老的。

柳长街还在盯着他，道："据说你们都在为她看守一个山洞，你们既然来了，她一定已到了那山洞里接替你们，所以你一定能找得到。"

唐青想再否认，也不能否认。

柳长街道："你想死？"

唐青摇摇头。

柳长街喝了杯酒，悠然道："那么你还在想什么呢？"

唐青道："想你死！"

他突然凌空一个大翻身，一片飞砂，带着狂风卷向柳长街。

这正是唐家见血封喉的毒砂。

柳长街居然没有闪避，突然张口一喷，一片银光从口中飞出，迎上了飞砂，却是他刚喝下的那杯酒。

忽然间，漫天飞砂都已被卷走，洒在刚粉刷好的墙上，千百粒比芝麻还小的飞砂，竟全都嵌在墙里。

唐青脸色又变了，这种惊人的力量，他更连想都无法想象。

柳长街微笑道："酒名'钓酒钩'，又叫'扫愁帚'，有时还能扫毒砂。"

唐青苦笑道："想不到喝酒还有这么多好处。"

柳长街道："所以一个人绝不能不喝酒。"

唐青道："我喝。"

柳长街道："但死人却不能喝酒。"

唐青道："我知道。"

柳长街道："那么你现在还想什么？"

唐青道："想赶快带你去找。"

柳长街大笑："我选中你，就因为早已看出你是个聪明人，我一向只跟聪明人打交道。"

唐青叹道："所以聪明人总是时常有烦恼。"

柳长街道："有烦恼至少也比没有烦恼的好。"

唐青不懂："为什么？"

柳长街微笑道："因为这世上也只有死人才真的没有烦恼。"

相思本就是种烦恼，所以才令人老。

可是你若多想一想，仔细想一想，就会知道还有人可以相思，至少总比没有人相思好。

02

只要有山，就有山洞。

有的山洞大，有的山洞小，有的山洞美丽，有的山洞险恶，有的山洞就像鼻孔，人人都可以看得到，还有的山洞却像是处女的肚脐，虽然大家都知道它一定存在，却从来也没有人看到过。

这山洞甚至比处女的肚脐还神秘。

转过六七个山坳，爬上六七个险坡，来到了一个悬崖下。

崖下立千仞，深不见底。

对面也是一片峭壁，两峰夹峙，相隔四五丈，从山下看来，天只有一线。

唐青终于吐出口气，道：“到了。”

柳长街道：“在哪里？”

唐青向对角的峭壁上一指，道：“你应该可以看得见的。”

柳长街果然已看到，对面刀削般的山坡上，乱发般的藤萝间，有个黑黝黝的洞窟。

白云在洞前飘过，山藤在风中飞舞。

柳长街虽然看得见，却过不去。

唐青忽然问道：“你有没有读过《诗经》中‘关关雎鸠’那一篇？”

柳长街道：“没有。”

唐青道：“这篇诗的意思是说，有个窈窕淑女，在河之洲，有位好色的君子，虽然看得见她，却辗转反侧，求之不得，这山洞就像那位淑女一样。”

柳长街道：“我就是那君子？”

唐青笑了：“你只要我带你来，现在我已带你来了。”

柳长街道：“想不到你居然还是个很有学问的人。”

唐青笑道：“不敢。”

柳长街往危崖下看了一眼，淡淡道：“有学问的人若是从这上面被人摔下去，不知道是不是跟没学问的人一样会被摔死？”

唐青笑不出了，连话都已说不出，忽然蹲下来，将峭壁上的一块石块扳开，石头里立刻弹出了一条钢索，上面带着个钢椎。

“夺”的一声，钢椎已钉入了对面洞口的山壁，在两峰间架起了一条索桥。

唐青躬身道："请。"

柳长街道："有学问的人先请。"

唐青变色道："你要我陪你一起过去？"

柳长街道："而且你走在前面，要跌死，有学问的人先跌死。"

唐青哭丧着脸，道："相思夫人若知道你是我带来的，我也是死。"

柳长街道："那总比现在就跌死好，生命如此可贵，能多活一刻也是好的，何况，我说不定还有法子能让你不死。"

唐青道："真的？"

柳长街道："我是个没学问的人，没学问的人说话总比较实在。"

唐青长长叹息，失笑道："原来书读得太多也并不是件好事。"

03

钢索是滑的，山风强烈，走在上面，一不小心就得掉下去。

一掉下去人就要变成肉饼。

幸好两崖之间，距离并不远，他们刚走过去，就听见有人在里面带着笑道："闭着眼睛进来，我正在洗澡。"

山洞的入口很深，外面看来墨黑，走到里面，就有了灯光。

粉红色的灯光，很温柔、很迷人。

说话的声音却比灯光更温柔、更迷人。

柳长街却并没有闭上眼睛——他若是真的闭上了眼睛，那才是怪事。

走了一段路，他眼前就豁然开朗，就仿佛忽然走入了仙境，甚至比仙境中的风光更绮丽。

一片锦绣中，居然还有个用白木栏杆围住的温泉水池。

人就在水池里，却只露出个头。

乌云般的长发漂浮在水上，更衬出她的脸如春花，肤如凝脂。

只可惜水并不是清水。

柳长街叹了口气，他知道水面看不见的那部分，一定更动人。

相思夫人一双明媚如秋水横波的眼睛，正在看着他的眼睛，似笑非笑，又喜又嗔，说话的声音更美如山谷黄莺。

“我是不是要你闭着眼睛进来的？”

柳长街道：“是。”

相思夫人道：“你的眼睛好像没有闭上。”

柳长街叹了口气，道：“我冒着千辛万苦，九死一生，就是为了要来见你一面，现在总算已来了，我怎么肯闭上眼睛？”

相思夫人道：“可是我正在洗澡。”

柳长街笑了笑：“就因为听见你在洗澡，所以我更不肯闭上眼睛了。”

相思夫人也叹了口气，道：“看来你非但不听话，而且也不是个老实人。”

柳长街道：“我说的都是老实话。”

相思夫人道：“你不怕我挖出你的眼睛来？”

柳长街道：“连砍脑袋都不怕，何况挖眼睛。”

相思夫人道：“你不怕死？”

柳长街笑道：“怕死？为什么要怕死？天地如逆旅，人生如过客，生又有何欢，死又有何惧？”

相思夫人嫣然道：“原来你也是个有学问的人。”

柳长街微笑，道：“古人说，朝闻道，夕死可矣。只要能看见夫人，我也一样死而无憾。”

相思夫人眼波流动，道：“你现在是不是已看见了我？”

柳长街道：“朝思暮想，总算已如愿。”

相思夫人道：“那么现在是不是已可以死了？”

柳长街道：“还不行。”

相思夫人道：“你还没有看够？”

柳长街笑道：“非但还没有看够，看到的地方也还不够多。”

相思夫人瞪着眼，仿佛不懂。

柳长街盯着她，好像恨不得能将目光穿入水里：“现在我看见的，只不过是你的一小部分而已，还有大部分都看不见。”

相思夫人道：“你想看多少？”

柳长街道：“全部。”

相思夫人的脸上，又仿佛起了阵红晕：“你的野心倒不小。”

柳长街道：“没有野心的男人，根本就不能算是真正的男人。”

相思夫人咬着嘴唇，道：“我若真的让你看，你说不定又会有别的野心了。”

柳长街笑道：“说不定我现在已经有了。”

相思夫人一双勾魂摄魄的眼睛，瞬也不瞬地凝视着他，悠悠道：“你并不能算是个很好看的男人。”

柳长街道：“我本来就不是。”

相思夫人道：“可是你却跟别的男人有点不同。”

柳长街微笑道：“也许还不止一点。”

相思夫人柔声道：“我喜欢与众不同的男人。”

柳长街道：“天下所有的女人，都喜欢与众不同的男人。”

相思夫人忽然道：“出去。”

柳长街没有出去。

他知道相思夫人并不是叫他出去，应该出去的人是唐青。

唐青果然立刻就出去了，闭着眼睛出去的，他根本一直都没有张开眼睛。

柳长街笑道："看来他倒真是个很听话的男人。"

相思夫人道："他不敢不听。"

柳长街道："所以他只有出去，我却还能留在这里。"

相思夫人道："太听话的男人，女人的确也不会喜欢，可是你……"

她用眼角瞟着柳长街，眼已媚如丝："你也只不过像个呆子般站在那里而已，你还敢怎么样？"

柳长街没有开口。

他用行动回答了这句话。

——只说不动的男人，女人也绝不会欢喜。

他忽然走到水池旁，脱下了鞋子。

相思夫人睁大了眼睛，仿佛很吃惊："你敢跳下来？"

柳长街已开始在脱别的。

相思夫人道："你既然知道我是什么人，难道不怕我杀了你？"

柳长街已不必再说话，也没空再说话。

相思夫人道："你看不看得出这池子里的水有什么特别的地方？"

柳长街根本没有看。

他看的不是水，他的目光始终没有离开过相思夫人的眼睛。

相思夫人道："这水里已溶入了种很特别的药物，除了我之外，无论谁要一跳下来，就得死。"

柳长街已跳了下去。

"扑通"一声，水花四溅。

"看来你真的不怕死。"

相思夫人仿佛在叹息："嘴里说要为我死的男人很多，可是真正敢为我死的，却只有你，你……"

她没有说下去，也已不能再说下去。

因为她的嘴已呼不出气。

要征服女人，只有一种法子。

柳长街用的，正是最正确的一种。

人并不一定在欢乐的时候才会笑，就正如呻吟也并不一定是在痛苦时发出来的。

现在呻吟已停止，只剩下喘息，销魂的喘息。

激荡的水波，也已刚刚恢复平静。

相思夫人轻轻喘息道："别人说色胆包天，你的胆子却比天还大。"

柳长街闭着眼，似已无力说话。

相思夫人却又道："其实我早就知道你并不是真的为我来的，你一定还有目的。"

女人不但比较喜欢说话，而且在这种时候，体力总是比男人好的。

所以她又接下去道："可是也不知为了什么，我居然没有杀你。"

柳长街忽然笑了："我知道是为了什么，因为我是个与众不同的男人。"

相思夫人叹了口气，没有否认。

柳长街道："所以水里也没有毒。"

相思夫人也没有否认："我若要杀你，有很多法子。"

柳长街叹道："女人若真是要一个男人死，的确有很多法子。"

相思夫人道："所以你现在最好赶快告诉我，你究竟是为了什么来的？”

柳长街道：“现在你已舍得杀我？”

相思夫人淡淡道：“只有新鲜的男人，才能算是与众不同的男人。”

柳长街道：“我已经不新鲜？”

相思夫人柔声道：“女人也跟男人一样，也会喜新厌旧的。”

柳长街轻轻地叹着气，道：“可惜你忘了一点。”

相思夫人道：“哦？”

柳长街道：“有些男人也跟女人一样，若是真的要一个女人死，也有很多法子的。”

相思夫人媚笑道：“那也得看他要对付的是哪种女人。”

柳长街道：“随便哪种女人都一样。”

相思夫人笑得更媚：“连我这种女人都一样？”

柳长街道：“对你，我也许只有一种法子，可是只要这法子有效，只要一种就够了。”

相思夫人道：“你为什么不试试？”

柳长街道：“我已试过。”

相思夫人笑得有点勉强：“你觉得是不是有效？”

柳长街道：“当然有效。”

相思夫人忍不住问道：“你用的是什么法子？”

柳长街悠然道：“这水里本来是没有毒的，可是现在已有毒了。”

相思夫人声音突然僵硬，失声道：“你……”

柳长街道：“我自己当然早已先服了解药。”

相思夫人道：“你什么时候下的毒？”她显然还不信。

柳长街道：“毒本就藏在我指甲里，我一跳下水，毒就溶进水里。”

相思夫人道："解药……"

柳长街道："解药是我在脱衣服时吃的，我知道男人脱衣服并不好看，所以男人在脱衣服的时候，女人一定不会盯着的。"

他微笑着，又道："无论做什么事之前，我一向都准备得很周到，想得也很周到。"

相思夫人脸色已变了，突然游鱼般滑过来，十指尖尖，划向柳长街的咽喉。

这时她才知道柳长街并没有说谎——她忽然发觉自己的人已软了，手也软了，全身的力气，竟已忽然变得无影无踪。

柳长街轻轻飘飘地就抓住了她的手，悠然道："男人也会喜新厌旧的，现在你已不新鲜，所以还是老实点的好。"

相思夫人变色道："你……你真的忍心杀我？"

柳长街叹了口气，道："我实在不忍心。"

这句话还没有说完，他已点了相思夫人三处穴道，点在她丰满坚挺的胸膛上。

04

剩下来的事就比较简单了。

密门就在山壁上挂着的一幅大波斯地毡后，千斤闸没有千斤重，也并不十分难开。

柳长街本就有一双巧手。

到了外面，唐青虽已逃得无影无踪，索桥却还留在那里。

这件事实在做得太顺利。

若是别人，一定会认为自己的运气特别好。但柳长街却绝不这么样想。

“一个人只要用的方法正确，无论遇着多大的难题，都会顺利解决的。”

他做事的确有一套与众不同的法子。

本来盖起来准备拆的酒楼，现在还是完完整整的，本来准备来拆房子的人，现在却已经死了三个，跑了三个。

天下本就有很多事是这样子的，明明是万无一失的计划，却往往会行不通，明明是不能做到的事，却偏偏成功了。

得失之间，本就没有绝对的规则，所以一个人也最好不必把它看得太认真。

酒楼里还亮着灯火，里面的人还在等。

现在天还没有亮，不等到天亮，他们是绝对不敢走的。

柳长街提着个里面包着那檀木匣的包袱，施施然走了进去。

“这个人居然还没有死，居然又来了。”

女孩子们的眼睛都睁得大大的，看着他，大家都已看出他是个很有办法的人。

酒还在桌上。

柳长街舒舒服服地坐下来，现在确实已到了可以舒舒服服地喝两杯的时候。

他正想自己倒酒，一个眼睛长得最大，看起来最聪明的女孩子，已扭动着腰肢走过来，看着他嫣然一笑，道：“相思好不好？”

柳长街道：“好，好极了。”

这女孩子媚笑着，用力吸着气，使得胸膛更凸出：“我叫如意，我也很好。”

柳长街笑了：“你的确还不错，只可惜你如了我的意，我却未必能如你的意。”

如意又抛了个媚眼："为什么？"

柳长街道："因为我这包袱里装的既不是黄金，也不是珠宝。"

如意居然没有露出失望之色，还是媚笑着道："我要的不是金银珠宝，是你的人。"

"只可惜他这个人也已经被人包下来了。"

这句话是从门外传进来的，如意转过头，就看见个兰花般幽雅、孔雀般骄傲的绝色丽人，从门外的黑暗中走了进来。

孔兰君居然也来了。

在她面前，如意忽然觉得自己像是只鸡，只好轻轻叹了口气，喃喃道："想不到男人也有干我们这行的，居然也会被人包下来。"

柳长街也叹了口气，道："我干的这一行，也许还不如你。"

如意又嫣然一笑，道："可是我喜欢你，等你有空的时候，我也愿意包你几天。"

她吃吃地娇笑着，拧了拧柳长街的脸，就拉着她的姐妹们一起走了："看来这地方已没生意可做，不如还是回去睡觉吧。"

柳长街目送着她们出去，好像还有点依依不舍的样子。

孔兰君已坐下来，盯着他，冷冷道："你还舍不得她们走？"

柳长街又叹了口气，道："我是多情人。"

孔兰君咬了咬牙，恨恨道："你根本不是个人。"

柳长街道："幸好有很多女人都偏偏要喜欢不是人的男人。"

孔兰君道："那些女人也不是人。"

柳长街道："你呢？"

孔兰君轻轻叹了口气，柔声道："我好像也快要变得不是人了！"

在这一瞬间，她整个人竟似真的变了，从一只骄傲的孔雀，变成了只柔顺的鸽子。

对付她，柳长街显然也用对了法子。

有些女人就像是硬壳果，是要用钉锤才敲得开的。

现在她就像是个已被敲开的硬壳果，已露出了她脆弱柔软的心。

柳长街看着她，心里忽然有了种征服后的胜利感，这种感觉也没有任何一种愉快能比得上。

于是他立刻也变得温柔了起来。

对一个已被征服了的女人，已用不着再用钉锤了，他伸出手，拉住了她的手，柔声道："其实我也知道你一直都对我很好。"

孔兰君垂下头："你……你真的知道？"

柳长街道："我也知道你的计划很不错。"

孔兰君道："可是……可是你并没有按照我的计划做。"

柳长街道："我是个急性子的人，一向喜欢用比较直接的法子。"

孔兰君抬起头，凝视着他，美丽的眼睛里，充满了关切。

"但我却还是觉得你用的法子太冒险。"

柳长街笑了笑，道："不管怎么样，我现在总算已做成了。"

孔兰君眼睛里发出了光："真的？"

柳长街道："嗯。"

"东西你已到手？"

柳长街指了指桌上的包袱。

孔兰君看着他，显得又是喜欢，又是佩服，情不自禁用两只手捧住了他的手，将他的手贴住了自己的脸："我现在才知道，你不但是个真正的男人，而且是个了不起的男人。"

柳长街更愉快，无论什么样的男人，听见这种话都会同样愉快的。

他忍不住笑道："其实我也并没有什么了不起，只不过……"

这句话他并没有说完，也许已永远说不完。

就在这时，孔兰君突然用两只手夹住他的手，指尖扣住了他的脉门，一拧，一摔，用的居然是蒙古摔跤的上乘手法。

柳长街的人竟被她抡了起来，一翻身，像条死鱼般被按在椅子上，背朝着天。

孔兰君的手已沿着他脊椎上的穴道一路点了下去，冷笑道："你当然并没有什么了不起，你只不过是条自大的疯狗而已。"

柳长街无话可说。

"你以为用那种法子对付我，我就会服气？"孔兰君还在冷笑，"告诉你，你错了，无论谁打了我一下，我都得还他十下。"

她也不知道从哪里找来了块木板，往柳长街屁股上一板板打了下去，不折不扣，着着实实地打了三十板，打得真重。

柳长街只有挨着。

好不容易总算挨到孔兰君打完了。

"这次不过是给你个教训，叫你从此以后再也不要看轻女人。"她提起桌上的包袱，"东西我带走，我只希望你的运气还不太坏，不要让秋横波、唐青他们回来找到你。"

自己辛辛苦苦做好的菜，竟忽然到了别人嘴里。

听着她的声音渐渐远去，柳长街心里也不知是什么滋味。

他并不是不能开口说话，可是现在你叫他还有什么话可说？

女人，唉……

柳长街叹了口气，忽然发现女人确实是不能得罪的。

可惜他得罪的女人已实在太多了。

现在相思夫人若是真的找来了，那情况他简直连想都不敢想。

还有单一飞、铁和尚、唐青……

他们每一个都一定有很多种折磨人的法子。

柳长街却只有趴在椅子上，等着，现在他已绝不像是条疯狗，却有点像是死狗。

也不知道过了多久，就好像过了几百万年一样。

天似已刚刚亮了。

幸好这里的伙计和那些女孩子走得早，否则他就算能站起来，也得一头撞死。

第六章

人中之龙

01

又过了很久，他全身都已发麻，手足也已冰冷，就在这时，他忽然听到了一阵脚步声。

很轻的脚步声，走得很慢，但每一步都像是踏在他的麻筋上。

来的是谁？

是相思夫人？还是唐青？

无论来的是谁，他都绝不会有好日子过。

天已亮了。

晨光从门外照进来，将这个人的影子，拖得长长的，仿佛是个女人。

然后他终于看到了这个人的脚。

一双穿着绿花软鞋，纤巧而秀气的脚。

柳长街叹了口气，总算已知道来的这个人是谁了。

“你几时变得喜欢这么样坐在椅子上的？”她的声音本来很动听，现在却带着种比青梅还酸的讥诮之意，“是不是因为你的屁股已被打肿？”

柳长街只有苦笑。

"我记得你以前总喜欢打肿脸充胖子的，现在脸没有肿，屁股怎么反而肿了起来？"

柳长街忽然笑道："我的屁股就算再肿一倍，也没有你大。"

"好小子。"她也笑了，"到了这时候还敢嘴硬，不怕我打肿你的嘴？"

"我知道你舍不得的。"柳长街微笑着，"莫忘记我是你的老公。"

来的果然是胡月儿。

她已蹲下来，托住了柳长街的下巴，眼睛对着他的眼睛。

"可怜的老公，是谁把你打成这样子的，快告诉我。"

柳长街道："你准备去替我出气？"

"我准备去谢谢她。"胡月儿突然用力地在他鼻子上一拧，"谢谢她替我教训了你这个不听话的王八蛋。"

柳长街苦笑道："老婆要骂老公，什么话都可以骂，王八这两个字，却是万万骂不得的。"

胡月儿咬着嘴唇，恨恨道："我若真的气起来，说不定真去弄顶绿帽子给你戴戴。"

她愈说愈有气，又用力拧着柳长街的耳朵，说道："我问你，你去的时候，有没有穿上件特别厚的衣服？"

"没有。"

"有没有去问他们要了把特别快的刀？"

"没有。"

"有没有先制住唐青？"

"没有。"

"有没有照他们的计划下手？"

"也没有。"

胡月儿恨得牙痒痒的："别人什么事都替你想得好好的，你为什么总是不听话？"

柳长街道："因为我从小就不是个乖孩子，别人愈叫我不能做一件事，我反而愈想去做。"

胡月儿冷笑道："你是不是总以为你自己很了不起，总觉得别人比不上你？"

柳长街笑道："不管怎么样，你要我做的事，现在我总算已做成了。"

胡月儿叫了起来："现在你还敢说这种话？"

柳长街道："为什么不敢？"

胡月儿道："你为什么不找个镜子来，照照你自己的屁股？"

柳长街淡淡道："被人打屁股是一回事，能不能达成任务又是另外一回事了。"

胡月儿道："不错，你的确已煮熟了个鸭子，只可惜现在已飞了。"

柳长街道："还没有飞走。"

胡月儿道："还没有？"

柳长街道："飞走的只不过是点鸭毛而已，鸭子连皮带骨都还在我身上。"

胡月儿怔了怔："那女人带走的，只不过是个空匣子？"

柳长街微笑道："里面只有一双我刚脱下来的臭袜子。"

胡月儿怔住，又不禁吃吃地笑了起来，忽然亲了亲柳长街的脸，柔声道："我就知道你是个了不起的男人，就知道我绝不会找错老公的。"

柳长街叹了口气，喃喃道："看来一个男人的确不能不争气，否则连绿帽子都要戴上头。"

02

阳光从小窗外照进来，照在柳长街胸膛上，胡月儿的脸也贴在柳长街胸膛上。

赤裸的胸膛，虽然并不十分坚实，却带着种奇异的韧力。

就像是他这个人一样。

他这个人也像是带着种奇异的韧力，令人很难估计到他真正的力量。

胡月儿轻抚着他的胸膛，梦呓般低语："还要不要？"

柳长街连摇头都没有摇头，简直已不能动了。

胡月儿咬着嘴唇："我跟你才分手几天，你就去找过别的女人。"

"我没有。"柳长街本来也懒得说话的，但这种事却不能不否认。

胡月儿不信："若是没有，别人为什么要打你的屁股？"

柳长街叹息着："若是有了，她怎么会舍得打我屁股？"

胡月儿还是不信："连相思夫人你都没有动？"

"没有。"

胡月儿冷笑道："鬼才相信你的话。"

"为什么不信？"

胡月儿恨恨道："你若是真的没有找过女人，现在为什么会变得像只斗败了的公鸡一样，连一点用都没有？"

柳长街苦笑道："你以为我是个什么人？真是个铁人？"

他又叹了口气："我也会累的，有时候我也要睡睡觉。"

胡月儿总算有点相信了："你为什么不睡？"

柳长街叹道："你在旁边，我怎么睡得着？"

胡月儿坐起来，瞪起了眼睛："你是不是在赶我走？"

"我没有这意思，可是你却真该回去了。"

柳长街柔声道："发现了孔兰君带回去的那匣子是空的，龙五一定会来找我。"

胡月儿道："他会找到这地方来？"

柳长街道："什么地方他都找得到。"

胡月儿迟疑着，也觉得这小客栈并不能算是很安全的地方。

"好，我回去就回去吧，"她终于同意，"可是你……"

柳长街道："你只要乖乖地在家里等着，我很快就会把好消息带回去。"

胡月儿道："你有把握能对付龙五？"

"我没有。"柳长街笑了笑，"对付相思夫人，我本来也连一点把握都没有。"

胡月儿终于走了。

临走的时候，还拧着他的耳朵，再三地警告："只要我听说你敢动别的女人，小心把你的屁股打成八片。"

一个女人若是爱上了男人，就恨不得把自己变成条绳子，捆住这男人的脚。

现在柳长街总算松了口气，他的确不是铁人，的确需要睡一觉。

他居然能睡着。

等他醒来的时候，小窗外已暗了下来，已到了黄昏前后。

风从窗外吹进来，带着酒香。

是真正女儿红的香气，这种小客栈，本不该有这种酒的。

柳长街眼珠子转了转，忽然道："外面喝酒的朋友，不管你是谁，都请进来吧，莫忘记把酒也一起带进来。”

外面果然很快就有人在敲门。

“门是开着的，一推就开。”

于是门就被推开，一个人左手提着铜壶，右手捧着两个碗走进来，正是那个去找杜七他们的人。

“在下吴不可。”他赔着笑道，“专程前来拜访，知道阁下高卧未起，所以只有在外面煮酒相候。”

柳长街只看了他一眼，淡淡道：“是龙五叫你来找我的？”

吴不可微笑点头：“公子也正在恭候柳先生的大驾。”

柳长街冷冷道：“只可惜现在我连站都站不起来，更没有法子去见他。”

吴不可赔笑道：“公子也知道有人得罪了柳先生，所以特地叫在下带了样东西来，为阁下出气。”

柳长街道：“什么东西，在哪里？”

吴不可回过头，向门外招了招手，就有个孔雀般美丽的女人，手里拿着块木板，慢慢地走进来。

孔兰君。

现在她已没有孔雀般的骄傲了，看来也像是只斗败了的鸡，母鸡。

她低垂着头，一走进来，就把那块木板交给柳长街，轻轻道：“我就是用这块板子打你的，打了三十板，现在你……你不妨全都还给我。”

柳长街看着她，忽然长长叹了口气，喃喃道：“龙五公子果然不愧是人中之龙，难怪有这么多人都愿意为他卖命。”

03

雅室中的灯光柔美，红泥小火炉上的铜壶里，也在散发着一阵阵酒香。

在炉边煮酒的，正是那青衣白袜，神秘而可怕的中年人。

龙五公子还是躺在那张铺着豹皮的短榻上，闭着眼养神。

天气还很暖，炉火使得这雅室中更燠热，可是他们两个人，却完全没有觉得有丝毫热意。

只有他们两个人，他们正在等柳长街。

桌上已摆好了几样精致的下酒菜，居然还为柳长街安排好一张椅子。

能和龙五公子对坐饮酒的，天下又有几人？

门外有敲门声，进来的是孟飞——这雅室当然就在孟飞的山庄里。

“人已来了。”

“请他进来，”龙五还是闭着眼睛，“一个人进来。”

柳长街刚走进来，孟飞就立刻掩起了门。

青衣白袜的中年人，专心煮着酒，连看都没有看他一眼。

但龙五却居然已坐了起来，苍白的脸上，居然露出了难得的微笑。

“你没有白费工夫。”他微笑着道，“在武功和女人身上，你都没有白费工夫。”

他的话显然还没有说完，所以柳长街就等着他说下去。

龙五果然已接着道："连我都对付不了的女人，想不到你居然能对付。"

柳长街还是没有开口。

他摸不清龙五的意思，在女人这方面，男人通常都不肯认输的。

龙五道："要骗过秋横波和孔兰君都不是容易事，你却做到了。"

柳长街终于笑了笑，道："但我却是为你做的。"

龙五看着他，忽然大笑："看来你不但聪明，而且很谨慎。"

柳长街叹了口气，道："我不能不谨慎。"

龙五道："现在狡兔已得手，你怕我把你烹在锅里？"

柳长街道："鸟尽弓藏，兔死狗烹，这句话我还明白。"

龙五道："但你却不是那种只会猎兔的走狗，你是个很会做事的人，我经常都用得着你这种人。"

柳长街松了口气，道："多谢。"

龙五道："坐。"

柳长街道："我最好还是站着。"

龙五又笑了："看来孔兰君的出手倒真不轻。"

柳长街苦笑。

龙五道："你想不想要她打你的那双手？"

柳长街道："想。"

龙五淡淡道："那容易，我立刻可以将那双手装在盘子里，送给你。"

柳长街道："但我却宁愿让那双手连在她身上。"

龙五笑道："那更容易，你出去时，就可以把她带走。"

柳长街却摇头道："我喜欢吃鸡蛋，却不愿随身带着只母鸡。"

龙五第二次大笑："那么我就把鸡窝告诉你，要吃鸡蛋，你随时都可以去。"

柳长街苦笑道："只可惜那鸡蛋里不但有骨头，还有板子。"

龙五第三次大笑。

他今天的心情显然很好，笑的次数比任何一天都多。

等他笑完了，柳长街才缓缓道："你好像忘了问我一件事。"

龙五道："我不必问，我知道你一定已得手。"

柳长街道："那匣子没有错？"

龙五也在凝视着他，道："没有错。"

柳长街道："你看清楚了？"

龙五道："看得很清楚。"

两人的眼色，看来都好像有点奇怪，柳长街问的话也像是多余的。

龙五本来一向不喜欢多话的人，但这次却并没有露出厌恶的不耐之色。

柳长街笑道："匣子既然没有错，里面的东西也不会错了。"

他终于从身上拿出个紫缎包袱，包袱上打着个很巧妙的结："这就是我从那匣子里拿出来的，我原封未动。"

龙五道："我看得出，这是她亲手打的相思结。"

相思已成结，当然是很难打开的。

龙五却只用两根手指夹住结尾，也不知怎么样轻轻一抖，就开了。

他微笑着道："要打开相思结，只有用我这种法子。"

柳长街道："我还有一种法子。"

龙五道："你用什么？"

柳长街道："用剑！"

无论纠缠得多么紧的相思结，只要用剑一削，也一定会开的。

龙五第四次大笑："你用的法子，好像总是最直接、最彻底的一种。”

柳长街道：“我只会这一种。”

龙五笑道：“有效的法子，只会一种也已足够。”

包袱里包着一小堆丝绵，拨开丝绵，才看见一只翠绿的碧玉瓶。

龙五眼睛里发着光，苍白的脸上，也露出种奇异的红晕。

这瓶药得来实在太不容易。

为了这瓶药，他付出的代价已太多。

直到现在，他伸出手去拿时，他的手还是不由自主在轻轻颤抖。

谁知柳长街却闪电般出手，将瓶子抢了过来，用力往地上一摔，“砰”的，砸得粉碎，鲜红的药汁，碧血般流在地上。

站在门口的孟飞，脸已吓黄了。

龙五也不禁悚然动容，厉声道：“你这是什么意思？”

柳长街淡淡道：“也没有什么别的意思，只不过，要找你这么样一个好老板，并不是件容易事，所以我还不想要你死。”

龙五怒道：“你在说什么？我不懂。”

柳长街道：“你应该懂。”

龙五道：“我看得出这药并不假，也嗅得出。”

药汁是鲜红而透明的，药瓶一碎，立刻就有种异香散出。

柳长街道：“就算不假，药里也一定掺了毒。”

龙五道：“你凭什么敢断定？”

柳长街道：“凭两点。”

龙五道：“你说。”

柳长街道：“这件事实在做得太顺利，太容易。”

龙五道：“这理由不够。”

柳长街道：“我看见的那相思夫人，根本是个冒牌的。”

龙五道："你根本从未见过她，怎么知道她是真是假？"

柳长街道："她的皮肤太粗，一个每天都在身上涂抹蜜油的女人，绝不会有那么粗的皮肤。"

龙五道："就凭这两点？"

柳长街淡淡道："合理的推断，一点就已足够，何况两点？"

龙五忽然闭上了嘴，似已无话可驳。

因为就在这时，那鲜红透明的药汁，突然变成了一种令人作呕的死黑色。

有的毒药一见了风，药力就会发作。

现在无论谁都已看得出，这瓶药里，的确已掺了毒，剧毒。

龙五的脸似乎也已变成死灰色，凝视着柳长街，过了很久，才缓缓道："我平生从未说过谢字。"

柳长街道："我相信。"

龙五道："但现在我却不能不谢你。"

柳长街道："我也不能不接受。"

龙五道："但我还是不明白……"

柳长街打断了他的话，道："你应该明白的，秋横波知道我要去为你做这件事，就将计就计，故意让我得手，拿这瓶有毒的药回来毒死你。"

龙五变色道："她……她为什么一定要将我置之于死地？"

柳长街叹了口气，道："女人心里的想法，又有谁能猜得透。"

龙五闭上了眼睛，又显得很疲倦，悲伤本就能令人疲倦。

却不知他是为了失望而悲伤，还是为了相思？

柳长街忽然又道："你又忘了问我一件事。"

龙五苦笑道："我的心很乱，你说。"

柳长街道："我替你去做这件事，是不是只有这屋子里的四个人知道？”

龙五道：“不错。”

柳长街道：“那么相思夫人又怎会知道的？”

龙五霍然张开眼，目光又变得利如刀锋，刀锋般盯在孟飞脸上。

孟飞的脸又已吓黄。

柳长街道：“我被你毒打成伤，别人都认为我已恨你入骨，但孟飞却知道内情。”

龙五突然道：“不是孟飞。”

柳长街道：“为什么？”

龙五道：“有龙五，才有孟飞，他能有今天，全因为我，我死了对他绝没有好处。”

柳长街沉思着，终于点了点头：“我相信，他应该知道这世上绝不会再有第二个龙五。”

孟飞突然跪了下去，跪下去时已泪流满面。

这是感激的泪，感激龙五对他的信任。

柳长街已慢慢地接着道：“若不是孟飞，是谁？”

龙五没有回答，他也不再问。

两个人的目光，却都已盯在那青衣白袜的中年人脸上。

04

炉火已弱，酒已温。

青衣白袜的中年人，正在将铜壶中的酒，慢慢地倒入酒壶里。

他的手还是很稳，连一滴酒都没有溅出来。

他脸上还是全无表情。

就连柳长街这一生中，也从来没有见过如此冷静镇定的人。

他也不能不佩服这个人。

龙五看着这个人时，神色仿佛变得很悲伤，是在为这个人惋惜而悲伤。

柳长街也不禁长长叹息，道："我本不愿怀疑你的，只可惜我已别无选择。"

青衣白袜的中年人将酒壶摆在桌上，连看都没有看他一眼。

柳长街道："但知道这秘密的，除了龙五、孟飞和我之外，就只有你。"

青衣白袜的中年人仿佛根本没有听见他在说什么，试了试酒的温度，就将壶中的酒，倒入酒杯。

酒还是没有溅出一滴。

柳长街道："那车夫也知道我在替龙五做事，只因为他本是你的亲信，这秘密也许就是经过他传到相思夫人处的，因为你随时都得跟随在龙五身旁，根本没有机会。"

酒已斟满两杯。

青衣白袜的中年人放下酒壶，脸上还是完全没有表情。

柳长街道："那天你忽然在那农舍外出现，只因为你本就想杀他灭口，所以一直在盯着他，他见财起意，正好给了你杀他的借口。"

青衣白袜的中年人连一个字都没有说，仿佛根本不屑辩白。

柳长街道："所以我想来想去，泄露这秘密的，除了你外，绝没有别人。"

他又长长叹息了一声，接着道："但我却实在想不到，像你这样一个人，怎么会出卖朋友。"

龙五忽然道："他没有朋友。"

柳长街道："你也不是他的朋友？"

龙五道："不是。"

柳长街道："是他的恩人？"

龙五道："也不是。"

柳长街想不通："既然都不是，他为什么会像奴才般跟着你？"

龙五道："你知道他是谁？"

柳长街道："我不能确定。"

龙五道："不妨说说看。"

柳长街道："昔年有个了不起的少年英雄，九岁杀人，十七岁已名动武林，二十刚出头，就已身为七大剑派中崆峒一派的掌门，刀法之高，当世无双，人称天下第一刀。"

龙五道："你没有看错，他就是秦护花。"

柳长街长长吐出口气，道："但现在看来他似已变了。"

龙五道："你想不通昔年锋芒最盛的英雄，如今怎么会变成像奴才般跟着我？"

柳长街承认："我想不通，只怕也没有人能想得通。"

龙五道："世上也的确只有一种人，能令他变成这样的人。"

柳长街道："哪种人？"

龙五道："仇人，他的仇人。"

柳长街愕然："你是他的仇人？"

龙五点点头。

柳长街更想不通。

龙五道："他生平只败过三次，但全都是败在我的手下，他立誓要杀我，却也知道今生绝对无法胜得了我。"

柳长街道："因为你还在盛年，他的武功却已过了巅峰。"

龙五道："也因为我胜他那三次，用的是三种完全不同的手法，所以他完全摸不透我的武功。"

柳长街道："除非他能日日夜夜地跟着你，研究你这个人，想法子找出你的弱点来，否则他永远没有胜你的机会。"

龙五道："不错。"

柳长街道："你居然答应了他，让他跟着你！"

龙五笑了笑，道："这件事本身就是种没有任何事能比得上的刺激，刺激也正是种没有任何事能比得上的乐趣。"

除了生命的威胁外，这世上能让龙五觉得刺激的事确实已不多。

龙五又道："可是我也有条件的。"

柳长街道："你的条件，就是要他做你的奴才？"

龙五又点点头，微笑道："能让秦护花做奴才，岂非也是件别人无法思议的事？"

柳长街道："所以你认为这也是种乐趣？"

龙五道："何况，在他没有把握出手之前，他一定会尽力保护我的安全，因为他绝不愿让我死在别人手里。"

柳长街叹了口气，道："但无论如何，你都不该让他知道这秘密的。"

龙五道："什么秘密我都没有瞒他，因为我信任他，他本不是那种喜欢揭人隐私的小人。"

能完全信任朋友的人已不多，能完全信任仇敌更是件不可思议的事。

柳长街道："龙五果然不愧是龙五，只可惜这次却看错人了。"

龙五也叹了口气，苦笑道："每个人都难免会错的，也许我一直都将他估得太高，却低估了你。"

柳长街淡淡地笑了笑，道："看来他好像也低估了我。"

龙五道："除了我之外，他本就从未将世上任何人看在眼里。"

秦护花霍然抬起头，盯着他，脸上虽然仍全无表情，眼睛里却已露出种慑人的锋芒，一字字道："你相信这个人的话？"

龙五道："我不能不信。"

秦护花道："好，很好。"

龙五道："你是不是又准备出手？"

秦护花缓缓道："我已仔细观察了你四年，你的一举一动，我都全未错过。"

龙五道："我知道。"

秦护花道："你的确是个很难看透的人，因为你根本很少给人机会，你根本很少动。"

龙五淡淡道："不动则已，一动惊人，静如山岳，动如流星。"

秦护花静静地站在那里，也像山岳般沉稳持重，缓缓道："我少年时锋芒太露，武功的确已过巅峰，现在若还不能胜你，以后的机会更少。"

龙五道："所以你本就已准备出手？"

秦护花道："不错。"

龙五道："好，很好。"

秦护花道："这是我与你的第四战，也必将是最后一战，能与龙五交手四次，无论胜负，我都已死而无憾！"

龙五又叹了口气，道："我本无意杀你，可是这一次……"

秦护花缓缓道："这次我若再败，也无意再活下去。"

龙五道："好，去拿你的刀。"

秦护花道："我的刀法变化，你已了如指掌，我用刀必定不能胜你。"

龙五道："你用什么？"

秦护花淡淡道："天下万物，在我手里，哪一件不能成为杀人的武器？"

龙五大笑，道："能与你交手四次，也是我平生一快！"

他的笑声突然停顿。

然后屋子里就突然变得死寂无声，甚至连呼吸声都听不见。

风吹着窗外的黄菊和银杏，菊花无声，银杏却仿佛在叹息。

在这天高气爽的仲秋，天地间却仿佛突然充满了严冬的肃杀。

秦护花凝视着龙五，瞳孔收缩，额上青筋凸起，显然已凝集了全身力气，准备作孤注一掷。

无论谁都看得出，只要他出手，就必定是石破天惊的一招。

谁知他却只用两根手指，拈了根筷子，轻描淡写地向龙五刺了过去。

他已准备了搏虎之力，使出的招式，竟似连薄纸都穿不透。

但龙五的神情却显得很凝重，这轻飘飘的一根筷子，在他眼中看来，竟似重逾泰山。

他也拈起根筷子，斜斜点出。

两个人中间还隔着张桌面，龙五甚至连站都没有站起来。

两个人手里的筷子飘忽来去，变化虽快，却像是孩子们的儿戏。

但柳长街却看得出这绝不是儿戏。

这两根筷子的变化之妙，已无法形容，竟似已能沧海纳入一粟，将有形炼为无形，每一个变化中，都包含着无数种变化，每一次刺出，都含蕴着可以开金裂石的力量。

这一战在别人眼中看来，虽然完全没有凶险，但柳长街却已看得惊心动魄，心驰神飞。

秦护花果然不愧是天下第一刀！

龙五更不愧是武林中百年难见的奇人，惊才绝艳，当世无双！

忽然间，两根飘忽流动的筷子，已搭在一起。

两个人脸上的神色更凝重，不出盏茶工夫，额上竟似都已现出汗珠。

柳长街忽然发现龙五坐着的软榻，在往下陷落，秦护花的两只脚，也已陷入了石地。

两个人显然都已用出了全身力量，没有人能想象这种力量有多么可怕。

但他们手里的筷子却没有断。

象牙做的筷子，本来一折就断，现在好像忽然变成了柔软的。

秦护花手里的筷子，竟忽然变得面条般弯曲，脸上的汗，雨点般落下，突然撒手，整个人向后跌出，“砰”的一声，冲上了墙壁。

砖石砌成的墙壁，竟被他撞破个大洞。

然后他就倒下，鲜血立刻从他嘴角涌出，连呼吸都似已停顿。

龙五也已倒在软榻上，闭上了眼睛，脸色惨白，显得说不出的疲倦虚弱。

就在这一刹那间，柳长街已出手。

他的手虚空一抓，突然沉下，闪电般擒住了龙五的手腕。

龙五的脸色变了变，却还是没有张开眼睛。

孟飞悚然失色，想从墙上的破洞里冲出去，但外面突然出现了一个人，劈面一拳，将他打倒。

这一拳不但快，而且猛，能一拳击倒孟飞的人也不多。

“雄狮”蓝天猛。

这个一拳击倒孟飞的人，竟赫然是蓝天猛。

龙五惨白的脸上，也完全没有血色。

柳长街一把擒住他腕上脉门，已如闪电般点了他十三处穴道。

龙五还是闭着眼睛，忽然轻轻叹道：“原来我不但低估了你，也错看了你。”

柳长街淡淡道："每个人都难免会错的，你也是人。"

龙五道："我是不是也错怪了秦护花？"

柳长街道："这也许就是你最大的错。"

龙五道："你知道他是谁，也知道他绝不会让我落入别人手里，所以你要动我，就一定得先借我的手除去他。"

柳长街道："我对他的确有点顾忌，但最顾忌的还是你。"

龙五道："所以你也想借他的手，先耗尽我的真力。"

柳长街道："鹬蚌相争，渔翁得利，我用的本就是一石二鸟之计。"

龙五道："药里的毒，也是你下的？"

柳长街道："那倒不是。"

龙五道："你现在既然要暗算我，刚才为什么又救了我？"

柳长街道："因为我不想被别人利用，更不想做秋横波的工具，我要用我的一双空手，活捉你这条神龙。"

龙五道："你是不是秋横波手下的人？"

柳长街道："不是。"

龙五道："我们有仇？"

柳长街道："没有。"

龙五道："你为的是什么？"

柳长街道："我受了胡力胡老太爷之托，要活捉你归案去。"

龙五道："我犯了什么案？"

柳长街道："你自己应该知道。"

龙五叹了口气，不但还是闭着眼睛，连嘴也闭上。

柳长街道："南七北六十三省的班头捕快，要对你下手已不止一天，怎奈大家都知道要对付你实在太不容易，就连我也完全没有把握，所以我一定要让你完全信任我，所以我刚刚才出手救你。"

龙五冷冷道："你说的已够多。"

柳长街道："你不想再听？"

龙五冷笑。

柳长街道："你好像连看都懒得再看我。"

蓝天猛忽然道："他不愿看的是我，不是你。"

龙五道："不错，像你这种见利忘义的小人，我多看一眼，也怕污了我的眼睛。"

蓝天猛叹了口气道："你错了，我对你下手，并不是见利忘义，而是大义灭亲。"

龙五忍不住问："你也是胡力的人？"

蓝天猛点点头，转向柳长街："你是不是也没有想到？"

柳长街的确想不到。

蓝天猛道："但我却早已知道你的来历。"

柳长街道："一开始你就知道？"

蓝天猛道："你还没有来之前，胡力已叫我照顾你。"

柳长街苦笑道："你照顾得的确很好。"

蓝天猛叹道："上次我对你的出手，实在太重了些，但那也是情不得已，因为我也绝不能被他怀疑，我相信你一定会明白我的苦衷。"

柳长街道："我当然明白。"

蓝天猛展颜笑道："我就知道你一定不会怪我的。"

柳长街道："我不怪你。"

他微笑着伸出手："我们本就是一家人，又都是为了公事，你就算打得再重些，也没关系，我们还是朋友。"

蓝天猛大笑，道："好，我交了你这个朋友。"

他也大笑着伸出手，握住了柳长街的手。

然后他的笑声就突然停顿，一张脸也突然扭曲，他已听见了自己骨头碎裂的声音。

就在这一瞬间，柳长街已拧断了他的腕子，挥拳痛击在他鼻梁上。

这不仅因为他实在完全没有警戒，也因为柳长街的手法实在太巧妙，出手实在太快。

这雄狮般的老人，被他的铁拳一击，就已仰面倒了下去。

柳长街却还没有停手，拳头又雨点般落在他胸膛和两胁上。脸上却还带着微笑，道："你打我，我不怪你，我打你，你当然也不会怪我的，就算我打得比你还重些，我知道你也一定不会放在心上。"

蓝天猛已无法开口。

他一定要用力咬着牙，才不致叫出来，他打柳长街的时候，柳长街也没有求饶喊痛。

龙五的眼睛虽然还是闭着的，嘴角却已不禁露出微笑。

他不但是蓝天猛的朋友，也是蓝天猛的恩人，蓝天猛却出卖了他。

见利忘义，恩将仇报的人，一定要受到惩罚。

现在蓝天猛已受到惩罚。

柳长街打在蓝天猛身上的拳头，就好像是龙五自己的拳头一样。

屋子里只剩下喘气声。

柳长街停住手时，蓝天猛已不再是雄狮，已被打得像是条野狗。

"人家欠我的，我都已收了回来。"柳长街轻抚着自己的拳头，眼睛里闪动着一种奇特的光芒，"我欠人家的，现在也已该还了。"

龙五忽然问："你欠谁的？"

柳长街淡淡道："没有人能一个人活在这世间上，人只要活着，就一定接受过别人的恩惠。"

龙五道：“哦？”

柳长街道：“你也一样，你要吃饭，就需要别人替你种稻种米，你生下来，也是别人的手把你接下来的，若没有别人的恩惠，你根本活不到现在，根本连一天都活不下去。”

龙五道：“所以每个人都欠了一笔债。”

柳长街点点头。

龙五道：“这笔债你能还？”

柳长街道：“这笔债当然很难还得清，只不过，在你活着的这一生中，若是能做几件对世人有好处的事，也就算还过这笔债了。”

龙五冷笑。

柳长街忽然问道：“你知不知道胡力想见你已有很久？”

龙五冷笑道：“我想见他，也已不止一天。”

柳长街忽然长叹道：“你们两个的确都是很难见到的人，能有见面的一天，实在不容易。”

他在叹息。

因为他心里的确有很多感慨。

龙五又闭上了眼睛，也在叹息：“我早已算准我们迟早总有见面的一天，但却想不到会是这种情况而已。”

柳长街道：“世上本就有很多人们想不到的事。”

他拉起了龙五：“你也想不到，因为你并不是真的神龙，你也只不过是个人而已。”

第七章

空手擒龙

01

胡力当然也是个人。

但他却是个很不平凡的人，他这一生中，的确做过很多非常不平凡的事。

他初入江湖时，已有很多人叫他“狐狸”。

可是除了有狐狸般的机智狡猾外，他还有骆驼般的忍耐，耕牛般的刻苦，鹰隼般的矫健，鸽子般的敏捷，刀剑般的锋利。

只可惜现在他已老了。

他的目力已减退，肌肉已松弛，反应已迟钝，而且还患了种很严重的风湿病，已有多年缠绵病榻，连站都站不起来。

幸好他的智慧非但没有减退，反而比以前更成熟，做事也比以前更谨慎小心。

所以他直到现在，还是同样受人尊敬。

古老的厅堂，宽阔而高敞，却还是充满了一种说不出的阴森之意。

桌椅也是古旧的，油漆的颜色已渐渐消退，有风吹进来的时候，大梁的积尘就会随风而落，落在客人们的身上。

现在还有风。

柳长街替龙五拂了拂身上的灰尘，喃喃道：“这地方实在已应该打扫打扫了。”

龙五看看他，忍不住道：“你自己的身上也有灰尘。”

柳长街笑了笑，道：“我不在乎，有些人命中注定了就是要在泥尘中打滚的。”

龙五道：“你就是这种人？”

柳长街点点头，道：“但你却不是，胡老爷也不是。”

龙五冷冷道：“你一定要拿我跟他比？”

柳长街道：“因为你们本是同一种人，天生就是高高在上的。”

龙五闭上了嘴。

大厅里又恢复了寂静，风吹着窗纸，就好像落叶声一样。

秋已将残，下雪的时候已快到了。

“老爷子在不在？”

“在。”应门的也是个老人，“你们在厅里等，我去通报。”

这老人满头白发，满脸伤疤，当年想必也是和胡力出生入死过的伙伴。

所以他说话很不客气，柳长街也原谅了他，就在这大厅里等着，已等了很久。

胡月儿呢？

她想必已经知道柳长街来了，为什么还不出来？

柳长街没有问，也没有人可问。

这地方他只来过两次，两次加起来只看见过三个人——胡力、胡月儿，和那应门的老人。

但你若认为，这地方可以来去自如，你就错了，而且错得要命！

“要命”的意思，就是真要你的命！

胡老爷子出道数十年，黑道上的好汉，栽在他手里的也不知有多少。

想要他命的仇家，更不知有多少。其中有很多都到这里来试过。

来的人，从来也没有一个能活着出去。

月色又渐渐西沉，大厅里更阴暗。

胡老爷子还没有露面。

龙五不禁冷笑，道：“看来他的架子倒不小。”

柳长街淡淡道：“架子大的人，并不是只有你一个。”

他又笑了笑：“何况，我若是你，我一定不会急着想见他。”

龙五道：“他也不急着见我？”

柳长街道：“他用不着急。”

龙五道：“因为我已是他网中的鱼？”

柳长街道：“但在他眼里，你却还是条毒龙。”

龙五道：“哦？”

柳长街道：“他是个很谨慎的人，若没有问清楚，是绝不会来见你这条毒龙的。”

龙五道：“问什么？”

柳长街道：“先问问这条毒龙是不是已变成了鱼，然后还得问问这条鱼是不是有刺。”

龙五道：“问谁？”

柳长街道：“谁最了解你，谁最清楚这件事？”

龙五道：“蓝天猛？”

柳长街微笑。

龙五道：“他也来了？”

柳长街道："我想他也是刚来的。"

龙五又闭上了嘴。

就在这时，已有个苍老的声音，带着笑道："抱歉得很，让你久等了。"

02

长而宽阔的大厅里，还有道挂着帘子的拱门，将大厅分成五重。

柳长街他们在第一重厅外，这声音却是从最后一道门里发出来的。

一个枯瘦而憔悴的老人，拥着狐裘，坐在一张可以推动的大椅子里。

在后面推着他进来的，正是那应门的老家丁和蓝天猛。

也就在这时，忽然有"咯"的一响，四道拱门上，同时落下了四道铁栅，将胡老爷子和柳长街他们完全隔断。

铁栅粗如儿臂，就算有千军万马，一时间也很难冲过去。

柳长街并不意外，他第一次来的时候，已见识过了，觉得意外的是龙五。

直到现在，他才相信胡力的小心谨慎，实在没有人能比得上。

柳长街已站起来，微笑躬身。

"老爷子，你好。"

胡力的锐眼已笑得眯成了一条线："我很好，你也很好，我们大家都好。"

柳长街笑道："只有一个人不大好。"

胡力道："天网恢恢，疏而不漏，我就知道他迟早会有这么样一天。”

他微笑着又道：“我也没有看错你，我知道你绝不会让我失望的。”

柳长街看着蓝天猛笑了笑：“事情的经过，你已全部告诉了老爷子？”

蓝天猛伸手摸了摸脸上的伤疤，苦笑道：“你的出手若再重些，我只怕就连话都不能说了。”

胡力大笑：“现在你们两个总算已扯平，谁也不许把这件事再记在心里。”

他忽然挥了挥手，转头道：“把这些东西也全都撤开去。”

“这些东西”就是那四道铁栅。

满面刀疤的老人还在迟疑着，胡力已皱起眉，道：“你最好记住，现在柳大爷已是我的兄弟，兄弟之间，是绝不能有任何东西挡住的。”

龙五突然冷笑，道：“好一双兄弟！一条走狗，一只狐狸。”

胡力居然面不改色，还是微笑着道：“你最好也记住，只要我们这样的兄弟还活着，你们这些人就一个个全都要死无葬身之地！”

铁栅已撤开。

胡力忽然又道：“把东西送给柳大爷去，把那条毒龙拖过来，让我好好看看他。”

老人家立刻捧着个锦缎包袱走过来，包袱里竟只不过是套蓝布衣服。

正是胡月儿和柳长街定情之夜，穿的那套衣服，衣服上还带着她的香气。

胡力道：“这是她临去之前，特地要我留下来给你的。”

柳长街的心在往下沉：“她……她到什么地方去了？”

胡力苍老憔悴的脸上，露出了满面悲伤："一个每人都要去的地方。"

"一去就永不复返的地方？"

胡力黯然道："月有阴晴圆缺，人有悲欢离合，你还年轻，你一定要把这种事看开些。"

柳长街的人已僵硬。

胡月儿难道真的已死了？

她时时刻刻都在叮咛他，要他好好地活下去，她自己为什么要死？

为什么死得这么突然，死得这么早！

柳长街不敢相信，更不愿相信。

可是他不能不信。

胡力叹息着，显得更苍老、更憔悴："她从小就有种治不好的恶疾，她自己也知道自己随时随地都会去的。她一直瞒着你，始终不肯嫁给你，就是为了怕你伤心。"

柳长街没有动，没有开口。

他已不是那种热情冲动的少年，已不会大哭大笑，他只是痴痴地站着，就像是变成了石头人。

蓝天猛居然也在叹息。

"我从不劝人喝酒，可是现在……"他居然捧着壶酒走过来，"现在你确实需要喝两杯。"

酒是热的。

他显然早已为柳长街准备了。

一个心已碎了的人，除了酒之外，世上还有什么别的安慰？

喝了这壶酒又如何？

酒入愁肠，岂非也同样要化作相思泪？

可是，不喝又如何呢？

能痛痛快快地醉一场，总是好的。

柳长街终于接过了这壶酒，勉强笑了笑，道："你也陪我一杯。"

蓝天猛道："我不喝。"

他笑得仿佛也有些勉强："我嘴里的血还没有干，一滴酒也不能喝。"

柳长街又笑了笑，道："不喝也得喝。"

蓝天猛怔住。

"不喝也得喝。"这是什么话，谁知柳长街还有更不像话的事做了出来。

他居然提起酒壶，想往蓝天猛嘴里灌。

蓝天猛脸色变了。

那满面刀疤的老人脸色也变了。

只有胡力，却还是面无表情，突然挥手，发出了三点寒星，向龙五打了过去。

龙五已被点住了穴道，刚被那老人当死鱼般拖了过来。

可是这三点寒星击来时，他的人突然凌空飞起！

就像是神龙般凌空飞起。

冷如枯藤，定如磐石的胡力，脸色也变了。

"叮"的一响，火星四射，他发出的暗器，已钉入地上的青石板里。

接着，又是"叮"的一响，蓝天猛挥拳击出，没有打着柳长街的脸，却击碎了酒壶。

壶中的酒也像是火星般溅出，溅在他脸上，溅在他眼睛里。

他就好像中了种世上最可怕的暗器，突然嘶声狂呼，用两只手蒙住眼睛，狂呼着冲了出去。

难道这壶里的酒，竟是毒酒？

胡力交代的任务，柳长街明明已圆满达成，胡力为什么反而要叫人毒死他？

明明已被柳长街空手所擒，连动都不能动的龙五，为什么忽然又神龙般飞起？

03

没有风。

窗外暗灰色的云，是完全凝止的，看来就仿佛是一幅淡淡的水墨画。

凄厉的狂叫，也已停止。

蓝天猛刚冲出去，就倒在石阶上，这魁伟雄壮的老人，竟在一瞬间就突然干瘪。

柳长街看着他倒下去，才转回头，龙五的身形也刚落下。

胡力却还是动也不动地坐着，神情居然又恢复了镇定，正喃喃低语。

“七步，他只跑出七步。”

柳长街忍不住轻轻叹了口气，道：“好厉害的毒酒。”

胡力道：“那是我亲手配成的毒酒。”

柳长街道：“为我配的？”

胡力点点头，道：“所以你本该后悔的。”

柳长街道：“后悔？”

胡力道：“那酒的滋味很不错。”

他眼睛里竟似真的带着种惋惜之意："蓝天猛本不配喝那种酒。"

柳长街道："哦？"

胡力道："他一向不是个好人，本不配这么样死的。"

柳长街道："死就是死……"

胡力打断了他的话，道："死也有很多种。"

柳长街道："他的死是哪一种？"

胡力道："是最愉快的一种。"

柳长街道："是不是因为他死得很快？"

胡力又点点头，道："死得愈快，就愈没有痛苦，只有好人才配这样死。"

他抬起头，凝视着柳长街，嘴角忽然露出种奇特的笑意，慢慢地接着道："我一向认为你是个好人，所以才特地为你配那种毒酒。"

柳长街笑了："这么样说来，我好像还应该谢谢你。"

胡力道："你本来的确应该谢谢我。"

柳长街道："但你却忘了一件事。"

胡力道："什么事？"

柳长街道："你忘了先问问我，是不是想死？"

胡力淡淡道："我要杀人的时候，从不问他想不想死，只问他该不该死。"

柳长街叹了口气，道："有理。"

胡力道："所以你现在本该已死了的。"

柳长街道："我没有死，也因为我不是个好人？"

胡力也笑了，道："你的确不是。"

柳长街道："我若是好人，就绝不会想到你要杀我。"

胡力道："我正想问你，你是怎么会想到的？"

柳长街道："从一开始我就已想到了。"

胡力道："哦？"

柳长街道："从一开始，我就已经怀疑，真正的大盗并不是龙五，而是你。"

胡力道："哦？"

柳长街道："因为所有的案子，都是在你已退隐之后才发生的，龙五并不怕你，他若想作案，用不着等你退隐之后才下手。"

胡力道："这理由好像还不够。"

柳长街道："那些案子，每一件都做得极干净利落，连一点线索都没有留下来，只有真正的内行，手脚才会那么干净。"

胡力道："龙五不是真正的内行？"

柳长街道："他不是。"

胡力道："你怎么能断定？"

柳长街道："因为我是个内行，我看得出。"

胡力道："你有把握？"

柳长街道："我没有，所以我还要去找证据。"

胡力道："所以你才去找龙五？"

柳长街点点头，道："我那么样做，当然也是为了要让你信任我，对我的警戒疏忽，否则我根本就无法近你的身。"

他笑了笑，又道："我若不将龙五擒来见你，你又怎么会叫人撤下那些铁栅？"

胡力叹了口气，道："我以前实在看错了你，你实在不能算是个好人。"

柳长街道："我却一直都没有看错你。"

胡力又在笑，可是眼睛里却完全没有笑意。

"我是个什么样的人？"他微笑着道，"你真的能看得出？"

柳长街道："以你的谨慎机智，本来绝没有人能抓住你，只可惜你的野心太大了些。”

胡力在听着。

柳长街道：“你开始作案的时候，也许是想很快收手的，只可惜你一开始后就连自己都没法子停下来了，因为你永远也不会有满足。”

胡力看着他，瞳孔似已结成了两粒冰珠。

柳长街道：“所以你作的案子非但愈来愈大，而且愈来愈多，你自己也知道这种现象很危险，而且你虽然已退隐，但是这些事迟早还是要找到你头上来的。”

他似乎也有些感慨：“一个人只要吃了一天公门饭，就永远都休想走出这扇门去。”

胡力道：“所以我一定要找个人来替我背黑锅，才能将这些案子撤销。”

柳长街道：“因为你也知道只有在这些案子完全撤销后，你才能永远逍遥法外。”

胡力微笑道：“看来你果然是个内行。”

柳长街道：“但我却一直想不通，你为什么偏偏要找上龙五？”

胡力道：“你想不通？”

柳长街道：“无论要找谁来背这口黑锅，都一定比找龙五容易。”

胡力看了看龙五，龙五已坐下，选了张最舒服的椅子坐下。

他看来还是那么安静从容，就好像跟这件事完全没有关系。

胡力又在叹息：“我的确不该找他的，他这人看来的确不容易对付。”

柳长街道：“可是你不能不找他。”

胡力道：“为什么？”

柳长街道：“因为这件事并不是你一个人就能做主的。”

胡力道：“哦？”

柳长街道："你还有个伙伴，早已想将龙五置之于死地。"

胡力道："这是你几时想通的？"

柳长街道："到了相思夫人那里之后，我才想通这一点。"

胡力道："难道我的伙伴就是秋横波？"

柳长街点点头，道："她本不该知道我会去找她，可是她却早就有了准备，早就在等着我。"

胡力道："你怀疑是我告诉她的？"

柳长街道："知道这件事的，除了我自己之外，只有龙五、秦护花和胡月儿。"

胡力道："你自己当然不会去告诉她。"

柳长街道："龙五和秦护花也绝不会。"

胡力承认。

柳长街道："所以我算来算去，秋横波知道这秘密，只有一种解释——只因为她本就跟你们串通好了的。"

他又笑了笑，道："何况，我虽然不是个精于计算的人，但六个加一个才是七个，这笔账我倒还算得出。"

胡力皱了皱眉，这句话他不懂。

柳长街道："我已经知道，秋横波的秘窟外，一直有七个人防守，可是胡月儿只告诉了我六个人的名字，那天我在栖霞山的酒店里，见到的人也只有六个。"

胡力道："你只见到唐青、单一飞、勾魂老赵、铁和尚、李大狗和那阴阳人？"

柳长街点点头，道："所以我一直在奇怪，还有一个人到哪里去了？"

胡力道："现在你也已想通？"

柳长街道："我想来想去，也只有一种解释。"

胡力道："什么解释？"

柳长街道："她一直没有说出第七个人来，只因为那个人是我认得的。"

胡力道："那个人是谁？"

柳长街道："那个人若不是王南，就一定是胡月儿自己。"

王南就是在那茅舍中，冒充胡月儿丈夫的人，也就是那个贪财怕死的村夫。

柳长街道："我当然知道王南并不是个真的乡下人，也知道他并不是个真的捕头。"

胡力道："你知道他的底细？"

柳长街道："就因为我不知道，所以我才怀疑。"

胡力又叹了口气，道："你想得的确很周到，简直比我还周到。"

柳长街道："你也有想不通的事？"

胡力道："有很多。"

柳长街道："你说。"

胡力道："你并没有真的制住龙五？"

柳长街道："你自己也说过，他并不是个容易对付的人。"

胡力道："他也并没有真的杀了秦护花。"

柳长街道："秦护花是他的好朋友，也是唯一对他忠实的朋友，谁也不会杀这种朋友的。"

胡力道："这只不过是你们故意演的一出戏，演给蓝天猛看的？"

柳长街道："我早已算出，龙五身边，一定有你的人卧底。"

胡力道："所以你故意让蓝天猛先回来，把这件事告诉我。"

柳长街微笑道："我揍他那一顿，并不是完全为了出气，也是为了要你相信我。"

胡力苦笑，道："我实在想不到你跟龙五是串通好演那出戏的。"

柳长街道："现在你还想不通？"

胡力道："你见到秋横波之后，是不是一直没有跟他见过面？"

柳长街道："没有。"

胡力道："那么这计划你们是几时商量好的？"

柳长街忽然笑了笑，道："你知不知道我为什么要气走孔兰君？"

胡力摇摇头。

柳长街道："只因为我故意要她将空匣子带走。"

胡力道："那空匣子里有什么秘密？"

柳长街道："也没有什么别的秘密，只不过有个戏本子而已。"

胡力道："就是这出戏的戏本子？"

柳长街道："我算准孔兰君一定会将那空匣子带回去给龙五的，也算准他一定会照着我的本子，来陪我演这出戏。"

他微笑着又道："你的确没有看错他，我也没有，只不过他这人很可能比我们想象中还要聪明得多，这出戏他演得比我还好。"

龙五忽然道："你还忘了个好角色。"

柳长街笑道："秦护花当然演得也很不错。"

龙五道："可是他一直都在担心。"

柳长街道："担心我的计划行不通？"

龙五点点头。

柳长街道："但这出戏你们还是演活了。"

龙五道："那只因为担心的只不过是他一个人。"

柳长街道："你不担心？"

龙五笑了笑，道："我的朋友虽不多，看错人的时候也不多。"

柳长街道："你看胡力是个什么样的人？"

龙五道："他最大的毛病并不是贪心。"

柳长街道："是什么？"

龙五道："是黑心。"

柳长街道："你看得果然比我准。"

他叹息着，转向胡力："你若不是立刻想将我们杀了灭口，也许现在我还不能确定你就是我要找的人呢！"

胡力道："现在你已确定？"

柳长街道："毫无疑问。"

胡力道："你好像也忘了一件事。"

柳长街道："什么事？"

胡力道："那大盗飞檐走壁，出入王府如入无人之境，我却已是个半身不遂的残废。"

柳长街又笑了。

胡力道："你不信？"

柳长街道："你若是我，你信不信？"

胡力看了看他，又看了看龙五，忽然也笑了笑："我若是你们，我也不信。"

这次他笑的时候，眼睛里居然也有了笑意，一种狐狸般狡猾，蛇蝎般恶毒的笑意。

他忽然转过头，去问他的老家人："你信不信？"

"我信。"

"我这两条腿是不是已完全瘫软麻木？"

"是的。"

"你的刀呢？"

"刀在。"

老家人脸上全无表情，慢慢地伸出手，手一翻，手里已多了两柄刀。刀不长，却很锋利。

胡力微笑着又问："你的刀快不快？"

“快得很。”

“这么快的刀，若是刺在你腿上，你疼不疼？”

“疼得很。”

“若是刺在我腿上呢？”

“你不疼。”

“为什么？”

“因为你的腿本就已废了。”

“是不是真的？”

老家人道：“我试试。”

他脸上还是全无表情，突然出手，刀光一闪，两柄刀已钉入胡力的腿。一尺三寸长的刀锋，已直没至柄。

鲜血沿着刀锷流出，胡力脸上却还是带着微笑，微笑着道：“果然是真的，我果然不疼。”

老家人垂下头，脸上每一根皱纹都已扭曲，咬着牙，一字字道：“本就是真的，我本就相信。”

胡力微笑着抬起头，看看柳长街和龙五：“你们呢？现在你们信不信？”

没有人回答，没有人能回答。

窗外已有了风，风送来一阵阵桂花的香气。

龙五忽然轻轻叹了口气，喃喃道：“今天晚上很可能会下雨。”

他慢慢地站了起来，拂了拂衣上的灰尘，头也不回地走了出去。柳长街看着他走出去，忽然也叹了口气，喃喃道：“今天晚上一定会下雨。”

他也走了出去，走到门口，却又忍不住回头，道：“我也不想淋雨，本来也该走了的。”

胡力微笑道：“我也不想要你淋雨，你虽不是个好人，却也不太坏。”

柳长街道：“但我却还有件事想问你。”

胡力道：“你问。”

柳长街道：“你有名声、有地位，也有很多人崇拜你，你过的日子，已经比大多数的人都舒服。”

胡力道：“那是我辛苦多年才换来的。”

柳长街道：“我知道。”

他叹了口气：“就因为我知道，所以我才不懂。”

胡力道：“不懂什么？”

柳长街道：“你辛苦奋斗多年，才有今日，现在你已拥有了一切，也已是个老人，为什么还要做这种事？”

胡力沉默着，过了很久，才缓缓道：“本来我也不懂，为什么一个人的年纪愈大，反而愈贪财？难道他还想把钱带进棺材？”

柳长街道：“现在你已懂了？”

胡力慢慢地点了点头，道：“现在我才明白，老人贪财，只因为老人已看透了一切，已知道这世上绝没有任何东西比钱财更实在。”

柳长街道：“我还是不懂。”

胡力笑了笑，道：“等你活到我这种年纪时，你就会懂的。”

柳长街迟疑着，终于走出去，走到门外，却又不禁回头：“月儿呢？”

“你想见她？”

柳长街点点头，道：“无论她是死是活，我都想再见她一面。”

胡力闭上眼睛，淡淡道：“只可惜无论她是死是活，你都已见不着。”

又有风吹进窗子，吹入了一阵霏霏细雨。

胡力睁开眼睛，看看自己腿上的刀，整个人突然因痛苦而扭曲。

雨是冷的，很冷。

“秋已深了。往后的日子，一定会愈来愈冷的。”胡力喃喃低语，忽然拔起了腿上的刀……

第八章

天网恢恢

01

雨是冷的，雨丝很细。

又细又长的雨丝，飘在院子里的梧桐上，缠住了梧桐的叶子，也缠住了人心里的愁绪。

龙五已穿过长廊，却没有走出去，他也不喜欢淋雨的。

柳长街已到了他身后。

他知道，却没有开口，柳长街也没有。

两个人就这样静静地站在长廊尽头，看着院子里的冷雨梧桐，也不知过了多久——

“胡力的确是个狠心人。”龙五忽然长长叹息，“不但对别人狠心，对自己也一样。”

柳长街淡淡道：“这也许是因为他自知已无路可走。”

龙五道：“就因为他已无路可走，所以你才放过他？”

柳长街道：“我也是个狠心人。”

龙五道：“你不是。”

柳长街在笑，并不是很愉快的那种笑。

龙五回过头，看着他，道：“你至少还是让他保全自己的名声。”

柳长街道："那只因他的名声并不是偷来的，他以前辛苦奋斗过。"

龙五道："我看得出。"

柳长街道："何况，我和他私人间并没有仇恨，我并不想毁了他这个人。"

龙五道："可是你也并没有逼他去归案，你甚至没有要他把赃物交出来。"

柳长街道："我没有，我也不必。"

龙五道："不必？"

柳长街道："他是个聪明人，用不着我逼他，他自己也该给我个答复的。"

龙五道："所以你还在这里等，等他自己来解决这件事。"

柳长街承认。

龙五道："所以这案子到现在还没有结束。"

柳长街道："还没有。"

龙五沉吟着，忽然又问道："他若肯把赃物交出来，若是肯自己解决所有的问题，这案子是不是就已算结束？"

柳长街道："也不能。"

龙五道："为什么？"

柳长街道："你应该知道是为什么。"

龙五转过头，遥望着远方的阴云，过了很久，才缓缓道："你不能放过秋横波？"

柳长街道："不能。"

他脸上的表情忽然变得很严肃，慢慢地接着道："公理和法律，绝不能被任何人破坏，无论是谁犯了罪，都一定要受惩罚。"

龙五又霍然回头，盯着他，道："你究竟是什么人？为什么一定要追究这件事？”

柳长街沉默着，也过了很久，才缓缓道：“我为的至少不是我自己。”

“你为的是谁？”龙五再问一遍，“你究竟是什么人？”

柳长街闭上了嘴。

龙五道：“你当然并不是你自己说的那种人，你并不想出卖自己，也绝不肯出卖自己。”

柳长街没有否认。

龙五道：“可是我跟胡力都调查过你的来历，我们居然都没有查出你是在说谎。”

柳长街道：“所以你想不通？”

龙五道：“实在想不通。”

柳长街忽然笑了笑，道：“我若是遇着想不通的事，只有一个法子对付。”

龙五道：“什么法子？”

柳长街道：“想不通就不去想，至少暂时不去想它。”

龙五道：“以后呢？”

柳长街道：“无论什么秘密，都迟早有水落石出的一天，只要你有耐心，迟早总会知道的。”

龙五也闭上了嘴。

他也许不能不想，可是他至少可以不问。

雨若帘织，暮色渐深。

长廊上传来一阵沉重的脚步声。

一个人手里提着盏纸灯笼，从阴暗的长廊另一端慢慢地走过来。

灯光照着他满头白发，也照着他的脸，正是胡力那忠实的老家人。

他脸上还是全无表情。

他早已学会将悲痛隐藏在心里。

“两位还没有走？”

“还没有。”

老家人慢慢地点了点头，道：“两位当然不会走的，可是老爷子却已走了！”

“他走了？”

老家人凝视着廊外的雨脚，道：“天有不测风云，人有旦夕祸福，我实在也想不到他老人家会忽然一病不起。”

“他是病死的？”

老家人点点头，道：“他的风湿早已入骨，早已是个废人，能拖到今天，已经很不容易。”

他脸上还是全无表情，可是眼睛里却已露出种很奇怪的表情，也不知是在为胡力悲伤，还是在向柳长街乞怜恳求，求他不要说出那老人的秘密。

柳长街看看他，终于也点了点头，叹道：“不错，他一定是病死，我早已看出他病得很重。”

老家人目中又露出种说不出的感激之色，忽然长叹，道：“谢谢你，你实在是个好人，老爷子并没有看错你。”

他叹息着，慢慢地从柳长街面前走过，走出长廊。

柳长街忍不住问：“你要到哪里去？”

“去替老爷子报丧。”

“到哪里去报丧？”

“到秋夫人那里去。”老家人的声音里，忽然又充满了怨恨，“若不是她，老爷子也许不会病得那么重，现在老爷子既然已走了，我当然一定要让她知道。”

柳长街眼睛里发出了光，又问道："难道她还会到这里来吊祭？"

"她一定会来的，"老家人一字字道，"她不能不来。"

廊外的雨更密了。

老家人慢慢地走出去，手里提着的灯笼，很快就被雨打湿、打灭。

但他却仿佛完全没有感觉到，还是将这没有光的灯笼提在手里，一步步走入黑暗中。

夜色忽然已降临，笼罩了大地。

直到他枯瘦佝偻的身形完全消失在黑暗里，龙五才叹息了一声，道："这次你果然又没有算错，胡力果然没有让你失望。"

柳长街也在叹息。

龙五道："但我却还是不懂，秋横波为什么非来不可？"

柳长街道："我也想不通。"

龙五道："所以你就不想。"

柳长街忽然笑了笑，道："因为我相信，无论什么事，迟早总会水落石出的。"

他转身凝视着龙五，忽然又道："有句话我劝你最好永远不要忘记。"

龙五道："哪句话？"

柳长街道："天网恢恢，疏而不漏。"

他眼睛在黑暗中发着光："无论谁犯了罪，都休想能逃出法网。"

02

黄昏。

每一天都有黄昏，但却没有一天的黄昏是完全相同的。

这正如每个人都会死，死也有很多种。有的人死得光荣壮烈，有的人死得平凡卑贱。

胡力至少死得并不卑贱。

来灵堂吊祭他的人很多，有很多是他的门生故旧，也有很多是慕名而来的，其中就只少了一个人。

相思夫人并没有来。

柳长街也并不着急，他甚至连问都没有问。

龙五走的时候，他也没有拦阻，他知道龙五一定会走的，正如他知道秋横波一定会来。

——见了徒增烦恼，就不如不见。

秋横波既然要来，龙五又怎能不走？

他送龙五走，直送到路尽头，只淡淡地说了句："我一定会再去找你。"

"什么时候？"龙五忍不住问，"你什么时候来找我？"

柳长街笑了笑，道："当然是你在喝酒的时候。"

龙五也笑了，微笑着道："我常常都在天香楼喝酒。"

灵堂就设在这古老而宽阔的大厅里。

现在连柳长街都已不知到哪里去了，灵堂里只剩下那白发苍苍的老家人，和两个纸扎的童男童女，守着胡力的灵柩。

现在夜已很深。

阴森森的灯光，照着他疲倦苍老的脸，看来也像是个纸人一样。

四面挂满了白布挽联，后面堆满了纸扎的寿生楼库、车马船桥、金山银山。

这些都是准备留在“接三”和“伴夜”那两天焚化的。

车桥糊得惟妙惟肖，牵着骡马，跟着赶车的，甚至还有跟班、缰绳、马鞭，青衣小帽、耳目口鼻，全部栩栩如生，只可惜胡力已看不见。

晚风萧索，灯光闪烁，一条人影随风飘了进来。

一个披着麻，戴着孝的夜行人，孝服下穿着的还是一身黑色的夜行衣着。

老家人只抬头看了他一眼，他跪下，老家人陪着跪下，他磕头，老家人也陪着磕头。

像胡力这样的武林大豪故世后，本就常常会有不知名的江湖人物夤夜来吊丧的。

这并不能算是奇怪的事，并不值得大惊小怪，也不值得问。

可是这夜行人却反而在问：“胡老爷子真的已去世了？”

老家人点点头。

“他老人家前几天还是好好的，怎么会忽然就去世了？”

老家人黯然道：“天有不测风云，人有旦夕祸福，这种事本就没有人能预料得到的。”

“他老人家是怎么会去世的？”这夜行人显然对胡力的死很关心。

“是病殁的。”老家人道，“他老人家本就已病得很重。”

夜行人终于长长叹息了一声，道：“我已很久没有见过他老人家了，不知能不能再见他最后一面。”

“只可惜你来迟了一步。”

“我能不能凭吊他老人家的遗容？”这夜行人居然还不死心。

“不能，”老家人回答得很干脆，“别的人都能，你却不能。”

夜行人显得很惊讶：“为什么我不能？”

老家人沉下了脸，道：“因为他不认得你。”

夜行人更惊讶：“你怎么知道他不认得我？”

老家人冷冷道：“因为我也不认得你。”

夜行人道：“只要他认得的，你就认得？”

老家人点点头。

夜行人也沉下了脸，道：“我若一定要看呢？”

老家人淡淡道：“我知道你并不一定要看他的，要看他的人，并不是你。”

夜行人皱眉道：“你知道是谁？”

老家人又点点头，忽然冷笑道：“我只奇怪一件事。”

夜行人道：“什么事？”

老家人道：“秋夫人既然不相信他老人家已真的死了，既然还想看看他的遗容，为什么自己不来，却要你这个下五门的贼子来骚扰他老人家死后的英灵！”

夜行人的脸色变了，一翻手，手上赫然已套着双专发毒药暗器的鹿皮手套。

老家人却已连看都不再看他一眼。

夜行人阴恻恻笑道：“就算我是个下五门的小贼，也一样可以要你的命。”

他似乎已真的准备出手，但就在这时，突听一个人冷冷道：“闭上你的嘴，滚出去，快滚！”

声音很美，美得就像是从天上发出来的。

灵堂里竟然看不见第三个人，谁也看不到这说话的人在哪里。

老家人却还是一点也不吃惊，脸上也还是完全没有表情，却淡淡道："你果然来了，我就知道你一定会来的。"

03

夜行人一步步往后退，已退出了灵堂。

灵堂里又只剩下那白发苍苍的老家人，伴着阴森凄凉的孤灯。

可是就在这时候，就在这灵堂里，却偏偏还有另外一个人说话的声音。

"胡义。"她在呼唤这老家人的名字，"你既然知道是我叫他来的，为什么不让他看看老爷子的遗容呢？"

胡义的回答还是同样干脆："因为他不配。"

"我呢？我配不配？"

"老爷子早已算准你不会相信他已死了的。"

"哦？"

"所以他早就吩咐过我，一定要等你来了之后，才能将棺材上钉。"

"难道他也想再见我一面？"她在笑。

她的笑声美丽而阴森。

笑声中，那纸扎的车轿，忽然碎成了无数片，就像是忽然被一种看不见的火焰燃烧了起来。

无数片碎纸在灵堂中飞舞，又像是无数只彩色缤纷的蝴蝶。

飞舞着的蝴蝶中，一个人冉冉飘起，就仿佛一朵雪白的花朵忽然开放。

她穿的是件雪白的长袍，脸上也蒙着条雪白的轻纱，她的人看来又仿佛是一片雪白的烟霞，忽然间已飘到胡义面前。

胡义的脸上却还是完全没有表情——相思夫人一定会来。

他早已知道，早就在等着她。

“现在我能不能看看老爷子的遗容？”

“你当然能，”胡义淡淡道，“而且他老人家说不定也真的想再见你一面。”

棺材果然还没有上钉。

胡力静静地躺在棺材里，看来竟好像比他活着时还安详宁静。

因为他知道这世上已没有人能再勉强他做任何事。

相思夫人终于轻轻叹了口气，道：“看来他果然已先走了。”

胡义冷冷道：“你好像也并没有要他等你。”

相思夫人道：“因为我知道死人是什么也带不走的。”

胡义道：“他的确什么也没有带走。”

相思夫人道：“既然没有带走，就应该留下来给我。”

胡义道：“应该给你的，当然要给你。”

相思夫人道：“在哪里？”

胡义道：“就在这里。”

相思夫人道：“我怎么看不见？”

胡义道：“因为你答应带来给他的，还没有带来呢。”

相思夫人道：“就算我带来，他也看不见了。”

胡义道：“我看得见。”

相思夫人道：“只可惜我并没有答应你，胡月儿也不是你的女儿！”

胡义闭上了嘴。

相思夫人道："东西呢？"

胡义道："就在这里。"

相思夫人道："我还是看不见。"

胡义道："因为我也没有看见胡月儿。"

相思夫人冷笑道："你只怕永远也看不到她了。"

胡义也冷笑了一声，道："那么你就也永远看不到那些东西。"

相思夫人道："我至少还可以看到一样事。"

胡义道："哦？"

相思夫人冷冷道："我至少还可以看到你的人头落下来。"

胡义道："只可惜我的人头连一文也不值。"

相思夫人道："不值钱的东西，有时我也一样要的。"

胡义道："那么你随时都可以来拿去。"

相思夫人忽然笑了笑，道："你明知我还不会要你死的。"

胡义道："哦？"

相思夫人道："只要你还剩下一口气，我就有法子要你说实话。"

她的手忽然兰花般拂了出去。

胡义没有动。

可是另外却有只手忽然伸了出来，闪电般迎上了她的手。

灵堂里并没有第三个人，这只手是从哪里来的？难道是从棺材里伸出来的？

棺材里并没有伸出手来。

这不是死人的手，是纸人的手。

纸人已粉碎，碎成了无数片，蝴蝶般飞舞。

"我也早就在这里等着你。"飞舞着的蝴蝶中，已露出了一张带笑的脸。

柳长街在笑。

可是他的笑容中，却仿佛带着种说不出的悲伤之意。

因为他的掌风，已扬起了相思夫人蒙面的轻纱，他终于也看见了相思夫人的脸。

他永远也没有想到这个神秘而阴沉的女人，居然就是胡月儿。

04

龙五拥着貂裘，斜卧在短榻上，凝视着窗外的枯枝，喃喃道："今年为什么直到现在还没有下雪？"

没有人回答他的话，他也没有期望别人回答。

秦护花一向很少开口。

——一个人开始变得会自言自语的时候，就表示他已渐渐老了。

龙五忽然想起了这句话，却忘了这句话是谁说的。

"难道我真的已渐渐老了？"

他轻抚着眼角的皱纹，心里涌起种说不出的寂寞。

秦护花正在替他温酒。

他一向很少喝酒，可是最近却每天都要喝两杯。

——你什么时候会来找我?

——当然是在你喝酒的时候。

门外响起了一阵很轻的脚步声，一个青衣小帽的伙计，捧着个用汤碗盖住的碟子走进来。

龙五没有回头，却忽然笑了笑："这次碟子里装着的是不是三只手？"

柳长街果然来了。

他也在微笑，微笑着掀起盖在碟子上的碗："这里只有一只手，左手。"

碟子里装着的是一只熊掌，是龙五早已关照过厨房用小火煨了一整天的。

酒也正温得恰到好处。

"我早就知道你一定会来的。"龙五大笑，"你来得正是时候。"

秦护花已斟满了空杯，只有两杯。

柳长街忍不住问："你不喝？"

秦护花摇摇头。

他只看了柳长街一眼，就转过头，脸上还是连一点表情都没有。

柳长街却还在看着他，心里忽然又想起了那白发苍苍，脸如枯木的胡义。

正如他每次看到胡义时，也会不由自主想到秦护花一样。

这是不是因为他们本就是同样的一种人？无论谁也休想从他们脸上的表情，看出他们心里究竟在想着什么。

现在柳长街心里又在想着什么？

他在笑，但笑容却很黯淡，就像是窗外阴沉沉的天气一样。

"这正是喝酒的好天气。"

龙五微笑着回过头："所以我特地替你准备了两坛好酒。"

柳长街举杯一饮而尽："果然是好酒。"

他坐下来时，笑容已愉快了些，一杯真正的好酒，总是能令人的心情开朗些的。

龙五凝视着他，试探着问道："你刚来？"

柳长街道："嗯。"

龙五道："我本来以为你前几天就会来的。"

柳长街道："我……我来迟了。"

龙五笑了笑，道："来迟了总比不来的好。"

柳长街沉默着，沉默了很久。

"你错了，"他忽然道，"有时候不来也许反而好。"

他说的显然不是他自己。

龙五道："你是在说谁？"

柳长街又喝了一杯："你应该知道我是在说谁的。"

"她真的去了？"

"嗯！"

"你看见了她？"

"嗯！"

"你认得她？"

"嗯！"

"难道她就是你说过的那个胡月儿？"

柳长街已在喝第五杯："她当然并不是真的胡月儿。"

龙五道："真的胡月儿你反而没有见过？"

柳长街点点头，喝完了第六杯。

龙五道："她早已绑走了胡月儿，先利用胡月儿要挟胡力，再假冒胡月儿来见你？"

柳长街第七杯酒一饮而尽，忽然问道："你想不想知道她的结局？"

龙五道："我不想。"

他也在笑，笑容却比窗外的天气更黯淡："我早已知道她是个什么样的人了。"

柳长街道："但你却不知道她是什么样的结局。"

"我不必知道，"龙五缓缓道，"是什么样的人，就会有什么样的结局。"

他又勉强笑了笑："天网恢恢，疏而不漏，这句话我也没有忘记。"

柳长街想笑，却没有笑，一壶酒已全都被他喝了下去。

龙五也喝了一杯，忽然又道："但我却始终看不出那老头子是个什么样的人。"

"你是说胡义？"

龙五点点头，道："我本来甚至在怀疑他才是真正的胡力。"

柳长街道："哦？"

龙五说道："我甚至在怀疑，他们两个人都是胡力。"

柳长街道："我不懂。"

龙五道："你有没有听说过，以前江湖中有个人叫欧阳兄弟？"

柳长街道："我听说过。"

龙五道："欧阳兄弟并不是兄弟两个人，他这个人的名字就叫做欧阳兄弟。"

柳长街道："我知道。"

龙五道："欧阳兄弟既然只不过是一个人，胡力当然就有可能是两个人。"

柳长街终于明白他的意思。

龙五道："你有没有想到过这种可能？"

"我没有。"柳长街道，"人与人之间的关系，本就不是第三者能想得通的。"

他忍不住又看了秦护花一眼——秦护花与龙五之间的关系，岂非也很奇妙？

他叹了口气，道："不管怎么样，这秘密我们都已永远没法子知道！"

"为什么？"

"因为胡义也没有活着走出那灵堂。"

——胡义"也"没有。

这"也"字中是不是还包含有别的意思？是不是还有别的人"也"死在那灵堂里？

能活着离开那灵堂的，是不是只有柳长街一个人？

龙五没有问。

他不想问，也不忍问。

"不管怎么样，这件案子现在总算已结束了。"他端起刚加满的一壶酒，斟满了柳长街的酒杯。

柳长街立刻又举杯一饮而尽："但却连我自己也想不到这件案子会这么样结束。"

"你本来是怎么样想的？"龙五道，"你本来是不是一直都在怀疑我？"

柳长街并没有否认："你本来就是一个很可疑的人。"

"为什么？"

"因为我直到现在，还看不透你。甚至，我怀疑你就是青龙会的总瓢把子，胡力和胡义都只不过是为青龙会敛财的二流角色而已。"

"你自己呢？又有谁能看得透呢？"龙五笑了笑，"我也一直都在奇怪，为什么连胡力他们都没有查出你的来历。"

柳长街也笑了笑，道："那只因为我根本就没什么了不起的来历。"

龙五盯着他，一字字道："现在你能不能告诉我，你究竟是什么人？"

柳长街淡淡道："你跟胡力都到那小城去调查过我。"

龙五道："我们都没有查出什么来。"

柳长街道："你们当然查不出。"

他微笑着道："因为我本就是在那小城中生长的，我过的日子一直就很平凡。"

龙五道："现在呢？"

柳长街道："现在我也只不过是那小城中的一个捕快而已。"

龙五怔住。

"像你这种人，只不过是个小城中的捕快？"

柳长街点点头，道："你们都查不出我的来历，只因为你们都想不到我会是个捕快。"

龙五忍不住长长叹了口气，苦笑道："我的确想不到。"

柳长街道："你们遇上我，也只不过因为上面凑巧要调我来办这件案子而已，否则你们只怕也一样永远都不会知道世上有我这么样一个人的。"

龙五道："你说的是真话？"

柳长街道："你不信？"

龙五道："我相信，但我却还是有一点想不通。"

柳长街道："哪一点？"

龙五道："像你这么样一个人，怎么会去做捕快的？"

柳长街道："我做的一向都是我想做的事。"

龙五道："你本来就想做捕快？"

柳长街点点头。

龙五苦笑道："有的人想做英雄豪杰，有的人想要高官厚禄，有的人求名，有的人求利，这些人我全都见过。"

柳长街道："但你却从来也没有见过有人想做捕快？"

龙五承认："像你这样的人的确不多。"

柳长街道："但世上的英雄豪杰却已太多了，也应该有几个像我这样的人，出来做做别人不想做，也不肯做的事了。"

他微笑着，笑容忽然变得很愉快："不管怎么样，捕快也是人做的，一个人活在世上，做的事若真是他想做的，他岂非就已应该很满足？"

龙五道："看来，像青龙会这样的组织，也只有像你这样的人去对付了。"

柳长街笑道："捕快岂非本就是应去对付这些事的？"

龙五叹道："或许，'长生剑'白玉京、'霸王枪'王大小姐的夫婿丁喜与他的搭档小马、'碧玉刀'段玉、孔雀山庄庄主秋凤梧、'多情环'萧少英、'离别钩'杨铮，都只能小挫青龙会的势焰，却不能直捣青龙会的核心，正是因为他们都没有你的耐心和韧性。"

柳长街悠然道："耐心和韧性，岂非自古就是捕快应有的本事？"

龙五推杯欲起，忽又莞尔道："当初你在天香楼捧上杜七的'七杀手'见我，其实只是一个幌子，真正的'七杀手'也就是你？"

柳长街道："真真假假，假假真真，你又何尝不是早已安排了许多个身外化身？"

龙五拊掌大笑，道："青龙会果真遇到了对手，却不知七杀手对上青龙老大，鹿死谁手？"

柳长街挥了挥衣袖，也大笑道："说不定，七杀手就是青龙老大哩！"笑声未止，已起身扬长而去。

《七种武器4：愤怒的小马 · 七杀手》完

古龙经典

第一辑

古龙经典 *01*　《绝代双骄》（一）

古龙经典 *02*　《绝代双骄》（二）

古龙经典 *03*　《绝代双骄》（三）

古龙经典 *04*　《绝代双骄》（四）

古龙经典 *05*　《七种武器：长生剑·孔雀翎》

古龙经典 *06*　《七种武器2：碧玉刀·多情环》

古龙经典 *07*　《七种武器3：离别钩·霸王枪》

古龙经典 *08*　《七种武器4：愤怒的小马·七杀手》

古龙经典 *09*　《欢乐英雄》（上）

古龙经典 *10*　《欢乐英雄》（下）

古龙经典 *11*　《三少爷的剑》

古龙经典 *12*　《英雄无泪》

古龙经典 *13*　《大地飞鹰》（上）

古龙经典 *14*　《大地飞鹰》（下）

古龙经典 *15*　《彩环曲》

古龙经典 *16*　《剑客行》（上）

古龙经典 *17*　《剑客行》（下）

第二辑

古龙经典 *18*　《小李飞刀：多情剑客无情剑》（上）

古龙经典 *19*　《小李飞刀：多情剑客无情剑》（中）

古龙经典 *20*　《小李飞刀：多情剑客无情剑》（下）

古龙经典 *21*　《小李飞刀2：边城浪子》（上）

古龙经典 *22*　《小李飞刀2：边城浪子》（下）

古龙经典 *23*　《小李飞刀3：九月鹰飞》（上）

古龙经典 *24*　《小李飞刀3：九月鹰飞》（下）

古龙经典 *25*　《小李飞刀4：天涯·明月·刀》（上）

古龙经典 *26*　《小李飞刀4：天涯·明月·刀》（下）

古龙经典 *27*　《流星·蝴蝶·剑》（上）

古龙经典 *28*　《流星·蝴蝶·剑》（下）

古龙经典 *29*　《圆月弯刀》（上）

古龙经典 *30*　《圆月弯刀》（下）

古龙经典 *31*　《七星龙王》

古龙经典 *32*　《绝不低头》

古龙经典 *33*　《苍穹神剑》

古龙经典 *34*　《月异星邪》

古龙经典 *35*　《飘香剑雨》（上）

古龙经典 *36*　《飘香剑雨》（下）

第三辑

古龙经典 *37* 《陆小凤传奇：金鹏王朝》

古龙经典 *38* 《陆小凤传奇2：绣花大盗》

古龙经典 *39* 《陆小凤传奇3：决战前后》

古龙经典 *40* 《陆小凤传奇4：银钩赌坊》

古龙经典 *41* 《陆小凤传奇5：幽灵山庄》

古龙经典 *42* 《陆小凤传奇6：凤舞九天》

古龙经典 *43* 《陆小凤传奇7：剑神一笑》

古龙经典 *44* 《白玉老虎》（上）

古龙经典 *45* 《白玉老虎》（下）

古龙经典 *46* 《名剑风流》（上）

古龙经典 *47* 《名剑风流》（中）

古龙经典 *48* 《名剑风流》（下）

古龙经典 *49* 《碧血洗银枪》

古龙经典 *50* 《猎鹰·赌局》

古龙经典 *51* 《血鹦鹉》（上）

古龙经典 *52* 《血鹦鹉》（下）

古龙经典 *53* 《游侠录》

古龙经典 *54* 《失魂引》

第四辑

古龙经典 *55* 《楚留香新传：借尸还魂》

古龙经典 *56* 《楚留香新传2：蝙蝠传奇》

古龙经典 *57* 《楚留香新传3：桃花传奇》

古龙经典 *58* 《楚留香新传4：新月传奇·午夜兰花》

古龙经典 *59* 《萧十一郎》

古龙经典 *60* 《火并萧十一郎》

古龙经典 *61* 《武林外史》（上）

古龙经典 *62* 《武林外史》（中）

古龙经典 *63* 《武林外史》（下）

古龙经典 *64* 《大人物》

古龙经典 *65* 《风铃中的刀声》

古龙经典 *66* 《护花铃》（上）

古龙经典 *67* 《护花铃》（下）

古龙经典 *68* 《剑毒梅香》（上）

古龙经典 *69* 《剑毒梅香》（中）

古龙经典 *70* 《剑毒梅香》（下）

图书在版编目（CIP）数据

七种武器. 4，愤怒的小马·七杀手 / 古龙著. --
上海 : 文汇出版社，2017.9
（古龙文集）

ISBN 978-7-5496-2297-9

Ⅰ. ①七… Ⅱ. ①古… Ⅲ. ①侠义小说—中国—当代
Ⅳ. ①I247.5

中国版本图书馆CIP数据核字（2017）第215231号

著作权合同登记号：09-2017-710

七种武器4：愤怒的小马·七杀手

作　　者 / 古　龙

责任编辑 / 甘　棠
特邀编辑 / 周奥扬　闵　唯
封面装帧 / 李子琪

出版发行 / 文匯出版社
上海市威海路 755 号
（邮政编码 200041）
经　　销 / 全国新华书店
印刷装订 / 北京中科印刷有限公司
版　　次 / 2017 年 9 月第 1 版
印　　次 / 2017 年 9 月第 1 次印刷
开　　本 / 890mm×1270mm　1/32
字　　数 / 327 千字
印　　张 / 13

ISBN 978-7-5496-2297-9
定　　价 / 58.00元